KIEDY
ODSZEDŁEŚ

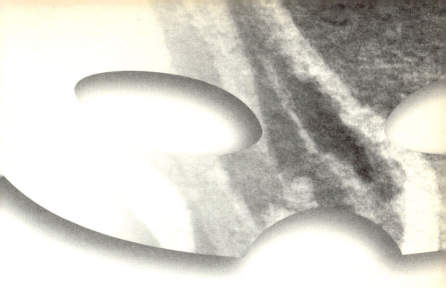

Maggie O'Farrell

KIEDY, ODSZEDŁEŚ

Przekład

Katarzyna Karłowska

Dom Wydawniczy REBIS Poznań 2005

Tytuł oryginału
After You'd Gone

Copyright © for the Polish edition by REBIS Publishing House Ltd.,
Poznań 2005

Redaktor
Katarzyna Raźniewska

Opracowanie graficzne serii i projekt okładki
Zbigniew Mielnik

Na okładce
Lincoln Seligman, *Girl on the Beach*, 1992
Bridgeman Contemporary Artist/BE&W

Wydanie I

ISBN 83-7301-505-1

Dom Wydawniczy REBIS Sp. z o.o.
ul. Żmigrodzka 41/49, 60-171 Poznań
tel. (0-61) 867-47-08, 867-81-40; fax (0-61) 867-37-74
e-mail: rebis@rebis.com.pl
www.rebis.com.pl

Mojej matce – za to, że nie była taka jak matka Alice.

PODZIĘKOWANIA

Niniejszym dziękuję: Alexandrze Pringle, Victorii Hobbs, Geraldine Cooke, Kate Jones, Barbarze Trapido, Elspeth Barker, Williamowi Sutcliffe'owi, Florze Gathoorne-Hardy, Saulowi Venitowi, Ruth Metzstein, Geirgie Bevan, Jo Aitchison, Ellisowi Woodmanowi, Johnowi Hole'owi, Moragowi i Esther McRae.

Co raz się zdarzyło, wciąż się zdarza.
ANDREW GREIG

Zewsząd otacza nas przeszłość.
MICHAEL DONAGHY

PROLOG

Tamtego dnia, w którym próbowała się zabić, zrozumiała, że znowu zbliża się zima. Leżała na boku, z podkurczonymi kolanami; westchnęła i chłód sypialni przemienił ciepło jej oddechu w parę. Znowu wydmuchnęła powietrze z płuc, powtórzyła. I powtórzyła to jeszcze, po raz drugi, trzeci. Wreszcie odrzuciła kołdrę, wstała. Nie znosiła zimy.

Było około piątej; nie musiała sprawdzać na zegarku, zorientowała się po łunie za oknami. Przeleżała bezsennie większą część nocy. Blada poświata brzasku spowiła ściany, łóżko i podłogę w granit o szarawobłękitnym odcieniu; jej własny cień, kiedy szła przez pokój, był ziarnistą, rozmazaną smugą.

W łazience odkręciła kurek i upiła łyk wody prosto z kranu, pochylając się i wpychając usta prosto w silny, lodowaty strumień. Syknęła głośno, porażona zimnem, otarła twarz wierzchem dłoni, napełniła kubek do mycia zębów i podlała rośliny stojące na brzegu wanny. Nie podlewała ich od tak dawna, że wyschła ziemia nie chciała teraz chłonąć wody, która osiadła na jej powierzchni oskarżycielskimi, rtęciowymi kroplami.

Ubrała się pospiesznie, w rzeczy wybrane na chybił trafił spośród walających się na podłodze. Stanęła przy oknie, chwilę powyglądała na ulicę, potem zeszła na dół, zarzuciła torbę na ramię, zatrzasnęła za sobą frontowe drzwi. Dalej już tylko szła, z pochyloną głową, zaciskając szczelnie poły płaszcza.

Szła ulicami. Mijała sklepy z zaciągniętymi, zamkniętymi na kłódki żaluzjami, pojazdy do sprzątania jezdni, które szorowały krawężniki wielkimi, obrotowymi, czarnymi szczotkami, grupę kierowców autobusów na jednym z rogów, którzy palili papierosy i rozmawiali leniwie, z dłońmi oplecionymi na styropianowych kubkach z parującą herbatą. Gapili się na nią, ale Alice tego nie widziała. Nie widziała nic oprócz własnych stóp, które poruszały się pod nią, które znikały i pojawiały się na nowo z rytmiczną regularnością.

Było już prawie zupełnie jasno, kiedy do niej dotarło, że doszła do King's Cross. Plac przed dworcem wypełniały zajeżdżające i odjeżdżające zakosami taksówki, w głównym wejściu kłębili się ludzie. Weszła do środka, wiedziona mętnym pomysłem kupienia sobie kawy, może czegoś do zjedzenia. Ale kiedy znalazła się wewnątrz tego oświetlonego na biało budynku, zahipnotyzowała ją ogromna połać tablicy odjazdów. Cyfry i litery mrugały, nachodząc na siebie; z czcionek wychwytywanych przez ukryte elektroniczne rolki powstawały i znikały nazwy miast i godziny. Czytała je sobie w duchu – Cambridge, Darlington, Newcastle. Mogłabym pojechać do któregoś z nich. Gdybym chciała. Obmacała rękaw, szukając wypukłości zegarka. Był za duży, naprawdę za duży, z tą tarczą szerszą od jej nadgarstka, ale i tak wyborowała dodatkowe dziurki w okutym metalem pasku. Rzuciła okiem i automatycznie opuściła rękę, zanim zrozumiała, że wcale nie przyjęła do wiadomości tego, co zobaczyła. Jeszcze raz podniosła zegarek do twarzy, tym razem się skupiając. Wdusiła nawet niewielki przycisk z boku, który jaskrawym pawim błękitem podświetlał maleńki szary ekran z ciekłego, wiecznie ruchomego kryształu pokazującego czas, datę, szerokość geograficzną, ciśnienie powietrza i temperaturę. Przedtem nigdy nie nosiła cyfrowego zegarka. Ten należał do Johna. I właśnie zegarek Johna powiedział jej, że jest dwadzieścia po szóstej rano. I że jest sobota.

Ponownie zadarła głowę w stronę tablicy odjazdów. Glasgow, Peterborough, York, Aberdeen, Edynburg. Zamrugała. Przeczytała jeszcze raz. Edynburg. Mogłaby pojechać do domu. Spotkać się z rodziną. Gdyby chciała. Powiodła wzrokiem do samego szczytu kolumny, żeby sprawdzić godzinę odjazdu pociągu – szósta trzydzieści. Chce tego czy nie? Podeszła prędko do kasy biletowej, złożyła swój podpis zdrętwiałą, zziębniętą dłonią. „Londyn–Edynburg", przeczytała na tablicy przy wsiadaniu i nieledwie się uśmiechnęła.

Podczas jazdy spała, opierając głowę o pulsujące okno, i niemal się zdziwiła na widok sióstr, które czekały na nią na końcu peronu w Edynburgu. Zaraz jednak przypomniała sobie, że przecież dzwoniła z pociągu do Kirsty. Kirsty miała syna w nosidełku, a Beth, młodsza siostra Alice, trzymała Annie, córeczkę Kirsty, za rękę. Stały na palcach, żeby ją wypatrzyć, i kiedy ją zauważyły, zaczęły machać. Kirsty podsadziła sobie Annie na biodro i obie ruszyły biegiem w jej stronę. A potem obejmowała je obie naraz i choć wiedziała, że są takie hałaśliwe, bo chcą ukryć zaniepokojenie, i choć naprawdę chciała im pokazać, że z nią wszystko w porządku, że wszystko jest, jak być powinno, to jednak pod wpływem nacisku dłoni sióstr na kręgosłupie musiała odwrócić głowę, wziąć Annie na ręce, wtulić twarz w jej szyję.

Zagnały ją do dworcowej kawiarni, uwolniły od torby, postawiły przed nią kawę ozdobioną białą pianką i tartą czekoladą. Beth zdawała poprzedniego dnia jakiś egzamin; powtórzyła pytania, jakie jej zadali, i opowiedziała, jak pachniał egzaminator. Kirsty, rozsiewająca w krąg pieluszki, butelki z mlekiem, układanki i plastelinę, trzymała synka, Jamiego, na ręku i jednocześnie z wprawą ubierała Annie w szelki. Alice wsparła podbródek na dłoniach, słuchała Beth i przyglądała się, jak Annie bazgroli zieloną kredką po gazecie. Echa tych artystycznych zmagań wibrowały w blacie stołu i wędrowały w górę bliźniaczych, podobnych do smyczków kości przedramion Alice, by rezonować potem we wnętrzu jej czaszki.

Wstała i wyszła z kawiarni, żeby poszukać toalety, zostawiając Kirsty i Beth, które pogrążyły się w dyskusji na temat planów co do dalszej części dnia. Przeszła przez poczekalnię i pokonała stalowy kołowrót ustawiony w wejściu do największej toalety dworca. Oddaliła się od stolika, przy którym siedziały jej siostry, siostrzenica i siostrzeniec, na nie dłużej niż cztery minuty, ale w tym czasie zdążyła zobaczyć coś tak dziwnego, nieoczekiwanego i obrzydliwego, że było to tak, jakby spojrzała w lustro i odkryła, że ma zupełnie inną twarz, niż dotąd myślała. Spojrzała i wydało się jej, że to, co widzi, odcina ją od wszystkiego, co zostawiła za sobą. I od wszystkiego, co kiedykolwiek przedtem się stało. Spojrzała znowu, po chwili jeszcze raz. Była już pewna, choć wcale nie chciała.

Wypadła z toalety jak burza, znowu się przepchała przez kołowrót. W połowie obrotu znieruchomiała na chwilę. Co powiedzieć siostrom? Nic teraz nie wymyślę, stwierdziła, po prostu nie dam rady; przywaliła to więc czymś ciężkim, szerokim i płaskim, uszczelniając na brzegach, zamykając hermetycznie niczym mięczaka w jego muszli.

Znów przeszła prędko przez kawiarnię, schyliła się, by podnieść torbę leżącą obok jej krzesła.

– A ty dokąd? – spytała Kirsty.

– Muszę jechać – odparła Alice.

Kirsty wytrzeszczyła oczy. Beth wstała.

– Jechać? – powtórzyła Beth. – Dokąd?

– Wracam do Londynu.

– Co? – Beth skoczyła do przodu i złapała za płaszcz, który Alice zaczęła już wkładać. – Ale jak to? Przecież dopiero co przyjechałaś.

– Muszę.

Beth i Kirsty wymieniły się prędkimi spojrzeniami.

– Ale... Alice... co się stało?! – Beth zaczęła krzyczeć. – O co chodzi? No o co chodzi?! Błagam, nie jedź. Nie możesz tak odjechać.

– Muszę – wymamrotała znów Alice i ruszyła na poszukiwanie najbliższego pociągu do Londynu.

Kirsty i Beth pozbierały dzieci, torby i dziecięce klamoty i puściły się za nią biegiem. Alice dowiedziała się, że zaraz odjeżdża jej pociąg, więc pognała w stronę peronu, ścigana przez siostry, które raz po raz wołały ją po imieniu.

Uściskała je obie na peronie.

– Do widzenia – wyszeptała. – Przepraszam.

Beth wybuchła płaczem.

— Nie rozumiem — wyłkała. — Powiedz nam, o co chodzi. Dlaczego wyjeżdżasz?

— Przepraszam — powtórzyła.

Wsiadając do pociągu, Alice poczuła nagle, że jej ruchom brakuje koordynacji. Z luki nad szynami, między stopniem wagonu a krawędzią peronu, zdawała się zionąć przepaść, wielka, nie dająca się przejść. Jej ciało jakby przestało odbierać właściwe informacje przestrzenne od mózgu: wyciągnęła rękę w stronę klamki, żeby pokonać przepaść, ale nie trafiła, zachwiała się i zatoczyła do tyłu, na mężczyznę stojącego za jej plecami.

— Proszę uważać — ostrzegł ją i ujął za łokieć, pomagając wsiąść.

Kiedy usiadła na swoim miejscu, za oknem pojawiły się Beth i Kirsty. Kirsty też już płakała i obie zaczęły rozpaczliwie machać rękami, kiedy pociąg ruszył, a potem biegły obok niej tak długo, jak się dało, zanim na dobre się rozpędził, i wtedy tempo ich kroków zaczęło słabnąć. Alice nie była w stanie im pomachać, nie potrafiła na nie patrzeć, przyglądać się tym czterem jasnowłosym głowom biegnącym obok pociągu, ujętym w ramę okna jak na podskakujących klatkach ośmiomilimetrowego filmu.

Podczas jazdy serce kołatało jej w piersi z siłą, która wprawiła granice jej pola widzenia w przyprawiające o zawrót głowy drgawki współczucia. Po szybach ściekały strugi deszczu. Starała się nie patrzeć w oczy własnego odbicia, podróżującego obok niej w innym, zniekształconym wagonie widmo, który sunął tuż nad polami, powielając ich pęd w stronę Londynu.

Powietrze w domu wydawało się lodowate. Zabrała się do majstrowania przy bojlerze i termostacie, czytając sobie na głos niezrozumiałe instrukcje, zaglądając do schematów najeżonych strzałkami i kółkami. Po chwili grzejniki zakasłały i zabulgotały, przetrawiając pierwsze ciepło tego roku. W łazience wepchnęła palce do ziemi, w której rosły rośliny. Była wilgotna.

Już miała zejść na dół, w każdym razie tak zamierzała, ale zamiast tego przysiadła tam, gdzie stała — na najwyższym stopniu schodów. Zerknęła znowu na zegarek Johna i przekonała się ze zdumieniem, że jest dopiero piąta po południu. Sprawdziła to trzy razy: siedemnasta zero dwie. To definitywnie oznaczało piątą. Podróż do Edynburga wydawała się teraz nierzeczywista. Naprawdę zajechała tak daleko i wróciła? Naprawdę widziała to, co jej się teraz tylko wydawało, że widziała? Nie była pewna. Zacisnęła dłonie na kostkach i bezwładnie opuściła głowę między kolana.

Kiedy ją znów podniosła, deszcz już nie padał. W domu panowała osobliwa martwota i wydawało się, że jego wnętrze musiało pociemnieć zupełnie znienacka. Bolały ją stawy dłoni i kiedy je naprężyła, wydały ostry trzask, który rozniósł się echem po klatce schodowej. Podźwignęła się, chwytając balustrady, i powoli zeszła na dół, obijając całym swoim ciężarem o ściany.

Stanęła przy oknie w salonie. Latarnie już się paliły. Po drugiej stronie ulicy, za ażurowymi firanami migotał telewizor. Miała wrażenie, że jej podniebienie jest opuchnięte i posiniaczone, jakby ssała gorące cukierki. Lucyfer, który pojawił się jakby znikąd, wskoczył bezgłośnie na parapet i zaczął się ocierać łbem o jej skrzyżowane na piersiach ręce. Pogładziła aksamit jego gardła czubkami palców, wyczuwając wibracje jego mruczenia.

Zapaliła światło i źrenice kota zwęziły się niczym zamykający się wachlarz. Zeskoczył na podłogę i obszedł jej stopy, głośno miaucząc. Przyglądała mu się, jak stąpa po pokoju, rzucając z ukosa spojrzenia w jej stronę, machając energicznie długim, czarnym ogonem. Dzięki górnemu światłu w monochromatycznym połysku jego futra dawało się dostrzec fantom innego, pasiastego kota. Gdzieś w głowie zakołatała jej myśl, że Lucyfer jest głodny. Nakarm kota, Alice.

Poszła do kuchni. Kot, który wysforował się przed nią, pląsał teraz obok lodówki. Na półce, na której trzymała jego jedzenie, nie było nic oprócz pudełka z suchą karmą o zmordowanym wyglądzie i kółek brunatnej rdzy po dawno temu zjedzonych puszkach. Przechyliła pudełko: na linoleum upadły trzy grudki karmy. Lucyfer obwąchał je, po czym schrupał delikatnie.

– Zaniedbuję cię, co? – Pogłaskała go. – Pójdę kupić ci coś do jedzenia.

Lucyfer dreptał jej po piętach, wstrząśnięty podejrzeniem, że zmieniła zdanie i wcale nie zamierza go nakarmić. Przy frontowych drzwiach wsadziła klucze i portfel do torebki. Kot wybiegł przed nią za drzwi i przysiadł na progu.

– Wracam za chwilę – mruknęła i zatrzasnęła za sobą furtkę.

Może miało to coś wspólnego z rytmem jej kroków uderzających o asfalt, może z tym, że znowu była otoczona tłumem ludzi, a nie chłodnym, hermetycznym wnętrzem domu, w każdym razie kiedy ruszyła Camden Road w stronę supermarketu, wszystko zaczęło do niej wracać. Widziała samą siebie w białej melaminowej przegrodzie, ze ściankami, w których wyryto serca przebite strzałą i legendy miłości. Widziała samą siebie, jak znowu myje dłonie w umywalce z nierdzewnej stali, opryskanej srebrzystymi paciorkami wody. Próbowała o tym nie myśleć. Próbowała zapełnić myśli czym innym, myśleć o Lucyferze, o tym, co jeszcze mogłaby kupić w supermarkecie. Oparła się o lśniący dozownik; płynne różowe mydło skręciło się na jej mokrej dłoni, pieniąc się oleistymi bańkami pod strumieniem wody. W przegrodach, za jej plecami, dwie nastolatki dyskutowały o sukience, którą jedna z nich zamierzała kupić tego dnia. „A ona przypadkiem nie jest za bardzo falbaniasta?", zawołała jedna. „Falbaniasta? No nareszcie do ciebie dotarło". „A weź się, kurwa, odpieprz!" Co się wtedy stało? To, co się stało kilka chwil później, tak ją wytrąciło z równowagi, nie potrafiła uporządkować tego w głowie... Potrzebuje czegoś jeszcze? Może mleka? Albo chleba?... Potem stanęła przodem do suszarki i wdusiła chromowany przycisk, na przemian krzyżując dłonie. W suszarce było wmontowane małe lusterko. Nigdy nie potrafiła zrozumieć, po co oni tam montują te lusterka. Niby wystarczyło obrócić dyszę i już można było wysuszyć włosy czy coś, ale jakoś nigdy nie musiała suszyć włosów w publicznej toalecie... Co będzie robić, kiedy już wróci do domu? Może powinna coś poczytać. Mogłaby kupić gazetę. A tak w ogóle, to kiedy ostatni raz czytała gazetę?... Całe to wnętrze zdawało się zachowywać jak lustro – lśniące porcelanowe płytki, stalowe umywalki, lustro nad nimi i lusterko na suszarce... Może powinna zadzwonić do Rachel. Nie mogła sobie przypomnieć, kiedy rozmawiała z nią po raz ostatni. Rachel jest pewnie na nią zła... Głosy dziewczyn odbijały się od ścian. Jedna z nich wspięła się na szczyt przegrody i patrzyła stamtąd na koleżankę. Alice z jakiegoś powodu – dlaczego? dlaczego to zrobiła? – podeszła bliżej do suszarki i zmiana kąta widzenia spowodowała, że w maleńkim kwadratowym lusterku pojawiło się to, co dotąd było ukryte za jej plecami... A jeśli Rachel nie będzie chciała z nią rozmawiać? To byłoby nienormalne. Jeszcze nigdy się nie pokłóciły. W sklepie weźmie koszyk albo wózek, o tak, przyda się wózek. Napełni go wszystkim, czego potrzebuje. Dzięki temu przez jakiś czas nie będzie musiała chodzić na zakupy. Tylko jak zanieść to wszystko do domu?... Wciąż trzymając dłonie w ciepłym strumieniu suszarki, wpatrywała się w lusterko i potem bardzo powoli, tak powoli, że zdawało się to trwać kilka minut, odwróciła się w ich stronę.

Stała teraz przed przejściem dla pieszych. Naprzeciwko, na słupie palił się zielony ludzik, wytrwale rozstawiający nogi. Widziała już budynek supermarketu po drugiej stronie ulicy, sylwetki ludzi krążących po oświetlonych neonami przejściach między stoiskami. Miała wrażenie, że jej życie zwęża się, przeobrażając w jeden znikający punkt. Tłum przelewał się obok niej; ludzie przechodzili przez ulicę, szli dalej. Tylko ona stała nieruchomo.

Ktoś potrącił ją od tyłu, dała się zepchnąć do samego skraju chodnika. Zielony ludzik pojawiał się i znikał. Ostatni maruderzy przebiegali przez ulicę tuż przed zmianą świateł. Wyświetlił się czerwony ludzik i po krótkiej chwili przedłużonego spokoju samochody czekające na swoją kolej ruszyły. Kiedy mknęły obok niej, ciskając jej w twarz spalinami, niemalże zazdrościła im ich materialności – tym pozbawionym kantów, gładkim konstrukcjom ze stali, szkła i chromu. Podeszwy jej butów oderwały się od asfaltu i zeszła z krawężnika.

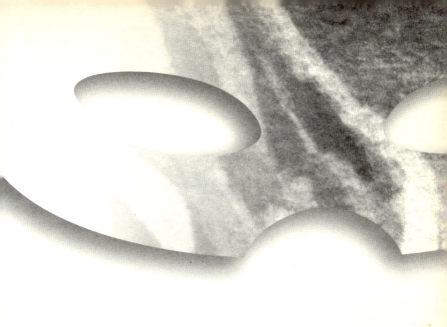

Część pierwsza

Podeszwy butów: tylko ten fragment ojca widzi Alice. Są barwy spłowiałego brązu, upstrzone smugami błota i pyłu z chodników, które przemierzyły. Wieczorami wolno jej wybiegać na chodnik przed ich domem, witać go, kiedy wraca z pracy. Latem zdarza jej się wybiegać w koszuli nocnej, której białe fałdy plączą się między kolanami. Ale teraz jest zima, może listopad. Podeszwy butów przylegają do konaru drzewa rosnącego na samym dole ich ogrodu. Alice odchyla głowę w tył, najdalej jak potrafi. Liście szeleszczą i wirują. Głos ojca miota przekleństwa. Czuje okrzyk zbierający się jej w gardle niczym łzy, a po chwili z konarów opada w dół chropowata pomarańczowa lina, lekko skręcona niczym kobra.

— Trzymasz?

Chwyta nawoskowany koniec liny dłonią w rękawiczce.

— Tak.

Gałęzie drzewa trzęsą się, kiedy ojciec zeskakuje. Na chwilę kładzie dłoń na ramieniu Alice, po czym pochyla się, by podnieść oponę. Jest zafascynowana wgłębieniami, które wędrują meandrami wzdłuż bieżnika, wzorkami wytłoczonymi w czarnej gumie. „To dzięki temu wszystko trzyma się kupy", powiedział jej pan w sklepie. Łysa, wytarta plama, która pojawia się niespodzianie w samym środku meandrów, wywołuje w niej dreszcz, ale nie wie dlaczego. Ojciec oplata oponę pomarańczową liną i robi gruby, skomplikowany węzeł.

— Mogę już spróbować? — Obłapia oponę.

— Nie. Najpierw ja sprawdzę swoim ciężarem.

Alice przygląda się ojcu, który huśta się na oponie, wypróbowując, czy jest dla niej dostatecznie bezpieczna. Zadziera głowę i widzi, że gałąź trzęsie się ze współczuciem, i znów zerka prędko na ojca. A jeśli on spadnie? Ojciec zeskakuje jednak na ziemię, a potem podsadza ją i jej kości, drobne, białe i sprężyste jak u ptaków.

Alice i John siedzą w kawiarence, w miasteczku położonym w Krainie Jezior. Jest wczesna jesień. Alice podnosi kostkę cukru między kciukiem a palcem wskazującym; podświetlające ją światło upodabnia kryształy do komórek jakiegoś skomplikowanego organizmu, wciśniętych między szkiełka mikroskopu.

– A czy wiesz, że przeprowadzono chemiczną analizę cukru w kawiarnianych cukiernicach i odkryto w nim spore ślady krwi, spermy, kału i moczu? – pyta John.

Alice stara się zachować poważną minę.

– Nie, pierwsze słyszę.

John wytrzymuje jej śmiertelnie poważne spojrzenie tak długo, że przestaje panować nad swoimi ustami, których kąciki opadają w dół. Alice dostaje czkawki, a on ją instruuje, że pozbędzie się jej, jeśli napije się wody z odwrotnej strony szklanki. Za nimi, za oknem, samolot rysuje prostą białą linię na wskroś nieba.

Patrzy na dłonie Johna, które przełamują bułkę, i nagle dociera do niej, że go kocha. Odwraca wzrok w stronę okna i dopiero teraz zauważa białą kreskę wyrysowaną przez samolot. Do tego czasu zdążyła rozmazać się w wełnistą plamę. Ma ochotę pokazać ją Johnowi, ale nie robi tego.

Szóste lato Alice było upalne i suche. Ich dom stał w wielkim ogrodzie; okno kuchni wychodziło na patio i ogród, więc kiedy Alice i jej siostry bawiły się na dworze, mogły zadrzeć głowy i zobaczyć przypatrującą się im matkę. Te nienormalne upały wysuszyły zbiorniki, rzecz niesłychana w Szkocji, i dlatego powędrowała razem z ojcem do pompy na końcu ulicy, by nabrać wody do owalnych, białych kanistrów. Woda zabębniła o puste dna. W połowie drogi między domem a krańcem ogrodu była grządka warzywna, gdzie z ciężkiej, ciemnej gleby przedzierały się ku światłu zielony groszek, ziemniaki i buraki. Pewnego szczególnie słonecznego dnia tamtego lata Alice zdjęła ubranie, nabrała garście ziemi i rozsmarowała ją po całym ciele, tworząc wyraziste tygrysie paski.

Najpierw straszyła pobożne, nerwowe dzieci sąsiadów, rycząc na nie zza żywopłotu, dopóki matka nie postukała we framugę okna, że ma natychmiast przestać. Wtedy uciekła w zarośla, gdzie nazbierała gałązek i liści, z których zbudowała sobie norę. Jej młodsza siostra stała przed tą kryjówką i chlipała, że chce zostać wpuszczona. Tu może wejść tylko tygrys, oświadczyła Alice. Beth popatrzyła na ziemię, potem na swoje rzeczy, wreszcie na twarz matki w kuchennym oknie. Alice, cała w paskach, siedziała w wilgotnym mroku, powarkując i wpatrując się w trójkąt nieba prześwitujący przez szczyt jej kryjówki.

– Wyobrażałaś sobie, że jesteś małym chłopcem z Afryki, prawda?

Siedzi w wannie; jej włosy pozlepiały się w ociekające wodą kolce, a babcia namydla jej brzuch i plecy. Skóra na dłoniach babci jest stwardniała. Woda ma szarobrunatną barwę, pełno w niej ogrodowej ziemi startej z jej ciała. Z pokoju obok dobiega werbel głosu ojca rozmawiającego z kimś przez telefon.

– Nie smaruj się więcej ziemią, dobrze, Alice?

Pod wodą jej skóra wydaje się jaśniejsza. Czy tak właśnie wygląda skóra, która jest martwa?

– Alice? Obiecaj, że więcej tego nie zrobisz.

Alice kiwa głową, opryskując wodą ceramiczne ścianki pożółkłej wanny.

Babcia wyciera jej plecy ręcznikiem.

– Maleńkie anielskie skrzydełka – mówi, wycierając do sucha łopatki Alice. – Każdy był kiedyś aniołem i to właśnie z tego miejsca wyrastały mu skrzydła.

Alice wykręca głowę i widzi dwa wystające równoramienne trójkąty kości, które naprężają się i opadają, jakby się szykowały do niebiańskiego lotu.

Siedzący po drugiej stronie kawiarnianego stolika John patrzy na Alice, która patrzy w stronę okna. Tego dnia zaczesała włosy do tyłu, nadając sobie wygląd hiszpańskiej *niña* albo tancerki flamenco. Wyobraża ją sobie, jak rankiem szczotkuje te włosy przed upięciem ich nad karkiem. Wyciąga rękę ponad pustymi filiżankami po kawie i chwyta jedno grube pasmo. Alice patrzy na niego ze zdziwieniem.

– Chciałem tylko wiedzieć, jakie to uczucie.

Dotyka ich sama i dopiero wtedy odpowiada:

– Często się zastanawiam, czy ich nie ściąć.

– Nie rób tego – mówi szybko John – nigdy ich nie ścinaj.

Aureole jej oczu ogromnieją ze zdziwienia.

– Być może to w nich kryje się cała twoja siła – sili się na kiepski dowcip. Chciałby je uwolnić z tej srebrnej klamry, zagrzebać w nich twarz. Chciałby wchłonąć ich woń aż do samego dna płuc. Bo już raz kiedyś udało mu się pochwycić ich powiew. Tamtego dnia, kiedy zobaczył Alice po raz pierwszy, kiedy stanęła w drzwiach jego gabinetu z książką w ręku, te włosy kołysały się u jej pasa tak sugestywnie, że aż wyobraził sobie dźwięk dzwonków. Chciałby sunąć po ich bocznych drogach i zakrętach, obudzić się zaplątany w ich pasma.

– Chcesz jeszcze kawy? – pyta Alice i kiedy obraca się w poszukiwaniu kelnerki, John zauważa krótsze włoski wyrastające z karku.

Kiedy już wypili tę kawę, John wyciągnął ręce ponad stołem i ścisnął jej głowę dłońmi.

– Alice Raikes – powiedział – obawiam się, że zaraz będę musiał cię pocałować.

– Będziesz musiał? – pyta obojętnym tonem Alice, choć serce jej się tłucze pod żebrami. – W takim razie uważasz, że teraz to dobry moment?

Udał, że się zastanawia, przesadnie przewracając oczami, marszcząc czoło.

– Tak, wydaje mi się, że teraz chyba jest dobry moment.

I wtedy ją pocałował, z początku bardzo delikatnie. Całowali się długo, ze splecionymi palcami. Po jakimś czasie oderwał się od niej i powiedział:

– Coś czuję, że jeśli zaraz stąd nie pójdziemy, to nas wyproszą. Wątpię, czy to pochwalą, jeśli zaczniemy się kochać tu, na tym stoliku. – Trzymał ją za rękę tak silnie, że zaczęły ją boleć stawy. Po omacku poszukała pod stołem torby, ale napotkała tylko jego nogi. Wcisnął sobie jej dłoń między kolana.

Zaczęła się śmiać.

– John! Puszczaj!

Usiłowała wyswobodzić ręce, ale on tylko zacieśnił uścisk. Uśmiechał się do niej z zagadkowym wyrazem twarzy.

– Jeśli mnie nie puścisz, to nie uda nam się ani stąd wyjść, ani się kochać – argumentowała.

Natychmiast ją puścił.

– Masz absolutną rację.

Sam wyłowił jej torbę spod stołu i pospiesznie pomógł jej włożyć płaszcz. Kiedy wychodzili, przycisnął ją do swego boku i wciągnął do płuc zapach jej włosów.

Zasłony w dużym pokoju w ich domu były uszyte z ciężkiego, fiołkowego adamaszku, zabezpieczonego od zewnętrznej strony cienką warstwą pożółkłej gąbki. Alice nie cierpiała tych zasłon, kiedy była mała. Wprost uwielbiała oddzierać wielkie płaty gąbki: fiołkowa tkanina stawała się w tych miejscach przezroczysta i przenikało przez nią światło. W któreś Halloween, kiedy już wygrzebały miękkie wnętrze dyni, wycięły kwadratowe oczy i zębate usta w jej skórze, Beth i Alice zostały same, wpatrzone z czcią w migotliwą, demoniczną łunę. Kirsty zjadła za dużo dyniowych wyskrobków i leczono ją gdzieś indziej w domu. Alice nie umiała potem powiedzieć, czy rzeczywiście zaplanowała, że spalą te zasłony, ale jakoś znalazła się obok nich, z zapaloną zapałką w uścisku swych cienkich palców, i podprowadziła skręcony płomień w stronę skraju zasłony. Ta zajęła się zdumiewająco skwapliwie; adamaszek zaskwierczał, a płomienie popędziły w górę. Beth zaczęła wrzeszczeć, wielkie języory ognia lizały już sufit. Alice skakała w miejscu z zachwytu i uniesienia, klaszcząc w dłonie i pokrzykując. Ale wtedy do pokoju wtargnęła matka i odciągnęła ją od zasłon. Zamknęła drzwi, a potem wszystkie trzy znieruchomiały w korytarzu, z wytrzeszczonymi oczami i skamieniałe.

Ann zbiega na dół, pokonując po dwa stopnie za jednym zamachem. Wrzaski Beth stają się coraz głośniejsze. Teraz to są prawdziwe wrzaski, wyrażają śmiertelny strach. Salon jest pełen dymu, zasłony płoną. Zapłakana Beth przypada do kolan Ann i z całej siły obłapia jej nogi. Ann przez chwilę jest unieruchomiona i właśnie wtedy zauważa Alice. Alice wpatruje się w płomienie w ekstazie, z całym ciałem wygiętym z zachwytu. W prawej dłoni trzyma wypaloną zapałkę. Ann rzuca się w jej stronę i chwyta córkę za ramię. Alice miota się w jej uścisku niczym ryba złapana na haczyk. Ann jest zszokowana tą niespodziewaną siłą córki. Mocują się teraz, Alice pluje i warczy, aż wreszcie Ann udaje się chwycić ją za obie ręce i zawlec wierzgającą do drzwi. Zamyka wszystkie swoje dzieci w korytarzu, a potem biegnie do kuchni po wodę.

John zapadł w głęboki sen. Oddycha jak nurek na głębokiej wodzie. Głowa spoczywa na mostku Alice, która wącha jego włosy. Delikatna woń drewna, podobna do tej, jaka bije od świeżo zatemperowanych ołówków. To jakiś szampon. Cytrynowy?

Jeszcze raz wciąga zapach do płuc. Niewyraźna nuta dymu papierosowego z kawiarni. Kładzie dłoń na jego żebrach, wyczuwa opadanie i wznoszenie się płuc. Jej bębenki wypełnia szemrzące tykanie jej własnej krwi.

Wyswobadza się spod jego ciała i podciąga kolana do piersi. Korci ją, żeby go obudzić, bo ma ochotę pogadać. Całe jego ciało jest opalone na jasnozłoto, z wyjątkiem pachwin, bladych, bezbronnie białych. Jego skręcony przy nodze penis zaczyna pulsować, kiedy ujmuje go w dłoń. Alice śmieje się i nakrywa ciało Johna własnym, zagrzebując nos i usta w zagięciu jego szyi.

— John? Śpisz jeszcze?

Ogień został ugaszony przez moją matkę, która zalała go wodą. Czarne pasma sadzy miały szpecić sufit przez wiele, wiele lat. Rodzice często rozmawiali o zrobieniu remontu, ale nigdy nie wspominali o pożarze, nigdy do tego nie wracali. Nigdy mnie nie spytali, co mnie podkusiło, żeby podpalić zasłony.

A nn obmacuje ręką nocny stolik w poszukiwaniu papierosów. Zapala zapalniczkę, zerkając na Bena, czy go przypadkiem nie obudziła. Nadal śpi, z lekko zdziwionym wyrazem twarzy. Ann zaciąga się papierosem i czuje gorzki dym wypełniający jej płuca. Obudził ją sen o szkole z internatem, do której posłano ją w dzieciństwie, i teraz nie może zasnąć. Znowu ma siedem lat, stoi w niewygodnych, sznurowanych bucikach przy drzwiach szkoły, patrzy na samochód rodziców oddalający się żwirowanym podjazdem, zbyt zszokowana, żeby przynajmniej się rozpłakać. Stojąca obok niej zakonnica wyjmuje walizkę z jej rąk.

– No to jesteśmy – mówi.

Ann nie wie, kogo ona ma na myśli, mówiąc „jesteśmy": nigdy w życiu nie czuła się bardziej samotna. Nigdy wam tego nie wybaczę, myśli i w tym momencie jej miłość do rodziców kwaśnieje nieodwracalnie, przeobrażając się w coś, co kiedyś stanie się bliskie nienawiści.

Jedenaście kolejnych lat spędza w tej szkole z internatem, gdzie zakonnice uczą ją, jak należy poprawnie jeść owoce przy stole nakrytym do kolacji. Dwadzieścia siedem dziewcząt z dwudziestoma siedmioma jabłkami i dwudziestoma siedmioma nożykami do owoców tworzy równy szereg; pilnie obserwują siostrę Matthews, która zręcznie zdziera ciasno przylegającą skórkę jabłka, tworząc zieloną spiralę, która spada na czekający na nią talerzyk. Później znowu ustawiają się w szeregu, tym razem na dziedzińcu, gdzie zakonnice trzymają doskonale utrzymaną połowę starego samochodu, która służy do uczenia się, jak należy wysiadać z samochodu, by nie pokazywać halki. Ann wsiada do środka i natychmiast traci swoje zwykłe opanowanie z powodu dziury ziejącej po jej prawej ręce; korpus samochodu kończy się tuż za miejscem, na którym siedzi, a dalej roztacza się wilgotna i mglista przestrzeń hrabstwa Dartmoor. Siostra Clare puka w okno. „No dalej, Ann. Nie trać na to całego dnia".

Ann przegląda się we wstecznym lusterku. Buntowanie się nie leży w jej naturze; woli stawiać wewnętrzny opór. Z gracją podźwiga się z siedzenia, spódnica opada pod należytym kątem, właściwymi fałdami.

– Bardzo dobrze, Ann. Dziewczęta? Przyglądałyście się Ann?

Ann nie wędruje od razu na koniec szeregu.

– Siostro Clare? A jeśli się siedzi na miejscu kierowcy? Czy metoda jest ta sama?

Siostra Clare jest zakłopotana. Co za pytanie! Zastanawia się przez chwilę, po czym jej twarz się rozjaśnia.

– Tym się nie musisz przejmować. Twój mąż będzie prowadził za ciebie.

Zakonnice rozdają ciężkie książki i dziewczęta balansują nimi na głowach. Każda, która ma upięte włosy, dostaje burę. Muszą paradować ósemkami po sali gimnastycznej. Ann nienawidzi tego bardziej niż czegokolwiek; brzydzi się ograniczającą ją symetrią, kończeniem tam, gdzie zaczęła. Niemniej jednak zgłasza się, by iść jako pierwsza, i wykonuje perfekcyjny obrót. Zakonnice klaszczą, pozostałe dziewczyny też, choć z mniejszym entuzjazmem. Zdejmuje książkę z głowy i kiedy inne uczennice wykonują swoje zadanie, Ann otwiera ją i zaczyna czytać. Książka jest pełna wykresów i przekrojów roślin. Ann śledzi palcem drogę, jaką woda pokonuje przez roślinę, od bryły korzeniowej, przez łodygi, aż do płatków kwiatów. Czyta dalej i dowiaduje się, jak działają nawozy. Delikatne ocieranie się pyłku o pręciki podnosi ją na duchu i ma nadzieję, że tak to jest z mężczyznami i kobietami, a nie tak, jak to wynika z plotek roznoszonych szeptem po internacie. Niejedną godzinę prześlęczała nad zakazanym egzemplarzem *Kochanka lady Chatterley* i wcale nie zrobiła się dzięki temu mądrzejsza. A zresztą czy nie było to w całości o rozkwitaniu i nasionach?

Ku wielkiemu zdziwieniu jej rodziców, zakonnic, szkoły i jej samej, Ann poradziła sobie dobrze na egzaminach końcowych i dostała się na Uniwersytet Edynburski, gdzie miała studiować biologię. Edynburg jej odpowiadał; podobały jej się te wysokie, pełne godności budowle z szarego kamienia, krótkie dni, które już o piątej stapiały się z wieczorami rozświetlonymi ulicznymi latarniami, podwójna osobowość głównej ulicy miasta, przy której z jednej strony znajdowały się sklepy z lśniącymi wnętrzami, a z drugiej zielona połać Ogrodów Princes Street. Podobało jej się małe mieszkanko, które dzieliła z dwiema innymi dziewczynami i z którego okien roztaczał się widok na park Meadows; znajdowało się na najwyższym piętrze kamienicy z zimną i wietrzną klatką schodową i był w nim równie zimny salonik, w którym przesiadywały wieczorami, wypijając całe dzbanki herbaty.

Nie odpowiadało jej natomiast życie uniwersyteckie. Każdy dzień zdawał się ujawniać coraz więcej rzeczy, o których nic nie wiedziała. Od wykładów miała tylko mętlik w głowie, a lektura podręczników ją upokarzała; była jedną z nielicznych kobiet na roku i mężczyźni albo traktowali ją protekcjonalnie, albo ignorowali. Uważali, że jest nieprzystępna i staroświecka, woleli towarzystwo bardziej wyzwolonych studentek szkoły pielęgniarskiej. Była zbyt znudzona i zbyt dumna, by prosić o pomoc któregokolwiek z wykładowców. W dniu, w którym dostała wyniki swoich egzaminów końcowych, Ben Raikes poprosił ją o rękę.

Znała go dokładnie sześć miesięcy. Dwa dni po ich pierwszym spotkaniu powiedział, że ją kocha; było to wyznanie zaskakujące i poczynione pod wpływem impulsu, któremu rzadko ulegał, jak miała się później przekonać. Nie wiedziała, jak mu odpowiedzieć, więc nie odpowiedziała. Jemu zdawało się to nie przeszkadzać i tylko się do niej uśmiechał, kiedy stali razem na dziedzińcu przez katedrą Świętego Juliana. Zaczął zabierać ją na potańcówki – na które nigdy wcześniej nie chodziła – obejmował ją silnie.w pasie i wspierał podbródek o jej włosy. Lubił improwizować w zakresie kroków tanecznych, których tak rygorystycznie nauczyły ją zakonnice. I tym ją rozśmieszał. Miał przejrzyste niebieskozielone oczy i miły uśmiech. Raz, kiedy odwiedził ją w jej mieszkaniu, przyniósł kwiaty – żółte róże, o powyginanych płatkach splecionych w zwarte, żółte paszczki. Kiedy sobie poszedł, przycięła końcówki łodyg i wsadziła te róże do słoika po dżemie, który ustawiła na swoim biurku. Ich jaskrawa barwa, podobna do żółtka jaj, przyciągała jej wzrok za każdym razem, kiedy wchodziła do pokoju.

Oświadczył jej się w parku Meadows. Kiedy mówiła mu „tak", zdawała sobie sprawę, że robi to z jednego tylko powodu: nie potrafi znieść myśli, że mogłaby dalej mieszkać z rodzicami. Od kiedy poznała Bena Raikesa, zrozumiała, że jej jakby czegoś brakuje, czegoś żywotnego, że miłość jej nigdy w pełni nie uaktywni. Ben ujął ją za rękę, pocałował i zapewnił, że jego matka będzie zadowolona. Gładziła palcem to miejsce, w które ją pocałował, kiedy już stamtąd odchodzili. Pierścionek od niego rzucał łunę na sufit, kiedy leżała bezsennie tamtej nocy.

Dźwięk telefonu brzmiał ogłuszająco. Wyrwany z głębin snu Ben poczuł, że Ann wyślizguje się z łóżka. Później będzie próbował sobie wmówić, że wytężył słuch, że przysłuchiwał się tej rozmowie. Będzie jednak wiedział, że na powrót pogrążył się we śnie, bo sobie przypomni, że obudziła go dłoń Ann na jego piersi, jej palce dotykające jego gardła. Powieki opadały mu same niczym kraty opuszczające się w bramie twierdzy. Nie widział jej twarzy, mrok zamazywał rysy, ale słowa docierały do niego w postaci osobnych dźwięków, pozbawione wszelkiego znaczenia: „Wypadek", mówiła do niego Ann, powtarzając to słowo raz za razem, „wypadek", i przeplatając je ze słowem „Alice". Alice to imię jego córki. Wypadek.

– Obudź się, Ben, musimy wstawać. Alice jest w śpiączce. Obudź się, Ben.

Czy ten głos, który słyszę, to mój głos? Jest tak, jakbym mieszkała we wnętrzu radia, jakbym unosiła się na falach radiowych, z których każda przemawia własnym głosem – jedne rozpoznaję, innych nie. Nie umiem wybrać pasma.

To miejsce sprawia wrażenie czystego. W nozdrzach trzeszczy mi woń środka dezynfekującego. Niektóre głosy dobiegają spoza mnie; to te, które brzmią z oddalenia, jakby przez wodę. I jeszcze są te ze środka – obejmują wszelkie możliwe spektra.

Dlaczego życie nie jest zaprojektowane jakoś lepiej, tak żeby ostrzegało, że zaraz stanie się coś strasznego?

Zobaczyłam coś. Coś okropnego. Co on by powiedział?

Ann ujmuje podbródek Alice i przygląda się uważnie jej twarzy. Alice, nieprzyzwyczajona do takiego traktowania, zerka bacznie na matkę.

– Gdzieś ty się nauczyła tej piosenki?

Alice śpiewała tę piosenkę, kiedy przetrząsała ogród w poszukiwaniu kwiatów do miniaturowego ogródka, który tworzyła w starym pudełku po butach.

– Mmm... nie wiem. Chyba słyszałam ją w radiu – improwizuje zdenerwowana. Dostanie burę?

Matka wciąż się jej przypatruje.

– To piosenka z kasety, którą kupiłam wczoraj. W żaden inny sposób nie mogłaś jej usłyszeć.

Ann zdaje się teraz mówić do siebie. Alice wierci się, bardzo już chce się zająć swoim miniaturowym ogródkiem. Zamierza ukraść kilka wykałaczek, zrobi z nich tyczki do grochu.

– Mam wrażenie, Alice, że jesteś bardzo muzykalna. Mój ojciec był wspaniałym muzykiem i pewnie to po nim odziedziczyłaś.

Alice czuje, że owłada nią uczucie niezwykłego podniecenia. Matka uśmiecha się do niej z podziwem. Alice zarzuca ręce na jej pas i obejmuje ją.

– Będziemy musieli załatwić ci jakieś lekcje i pielęgnować ten twój talent. Nie wolno dopuścić, żeby się zmarnował. Czy wiesz, że mój ojciec potrafił nazwać każdą nutę, jaką usłyszał? Miał doskonały słuch i jeździł po całym świecie z wieloma orkiestrami.

– Jeździłaś razem z nim?

– Nie.

Ann nagle puszcza ręce Alice. Alice wędruje do ogrodu, zapominając o swoim ogrodzie z pudełka. Jest muzykalna! No i co z tego, że nie jest taka ładna jak jej siostry? Ma coś, co ją odróżnia, co czyni ją inną. Doskonały słuch. Pielęgnować. Obraca te nowe słowa na języku.

Jej babcia wychodzi do ogrodu, żeby pozbierać pranie, i Alice podbiega do niej.

– Babciu, wiesz co? Jestem muzykalna! Będę miała lekcje.

– Co ty powiesz? – dziwi się Elspeth. – Tylko mi teraz nie zadzieraj nosa.

Posyłali mnie raz w tygodniu na lekcje pianina do kobiety, która mieszkała przy tej samej ulicy. Pani Beeson była wysoka i niesamowicie chuda; miała długie, siwe włosy, które zazwyczaj upinała na czubku głowy, a czasami nosiła rozpuszczone na ramionach w postaci tłustego, szarego płaszcza. Nosiła długie szydełkowe swetry pomarańczowego koloru. Kiedy coś mówiła, w kącikach jej ust zbierała się ślina. Podczas lekcji, których udzielała w mrocznym pokoju od frontu domu, na pianinie pokładał się i mruczał jej wielki cętkowany kot.

Nauczyłam się układać dłoń na klawiaturze w taki sposób, jakbym trzymała w niej pomarańczę, i przekładać znaczenie czarnych kropek z kartki papieru na klawisze, te gładkie, płaskie i białe albo te cienkie i czarne, podobne do palców – wlazł kotek na płotek i mruga. Nauczyłam się kwiecistych włoskich fraz i jak stosownie zmieniać dotyk.

Dużo ćwiczyłam. Pianino w naszym domu stało tuż obok kuchni i matka specjalnie otwierała drzwi, żeby się przysłuchiwać, jak gram. Moje palce zrobiły się silne i muskularne, paznokcie przycinałam krótko, uczyłam się na pamięć dokładnej liczby i typów krzyżyków i bemoli w każdej tonacji, a kiedy dopadał mnie stres, ćwiczyłam palcówki na każdej dostępnej powierzchni.

Zdawałam jeden egzamin za drugim, zmagałam się całymi miesiącami z tymi samymi trzema utworami, by wykonać je w jakiejś zatęchłej kościelnej sali przed egzaminatorem o szklistej twarzy. Chyba naprawdę wierzyłam, że mam talent: czy nie mówiły o tym moje dyplomy oprawione w ramki przez matkę?

Na tej imprezie Alice była już całe trzy kwadranse. Mario trzymał ją u swego boku i nie puszczał przez pierwsze pół godziny, ale gdy wreszcie dostatecznie się upił, uwolniła się i uciekła do kąta. Był to pokój studenta drugiego roku, cały oklejony plakatami Stone Roses i Happy Mondays, wypełniony teraz tłumem; łóżko uginało się pod ciężarem sześciu uczestników imprezy, a na biurku tańczyła dziewczyna w obcisłym białym kombinezonie, która pokrzykiwała w stronę wytrzeszczających oczy chłopaków, żeby na nią patrzyli.

Alice stwierdziła, że obecni tu faceci są jacyś dziwni: albo niewiarygodnie introwertyczni i nadmiernie obeznani w jakiejś ezoterycznej dziedzinie wiedzy, albo szokująco aroganccy, a jednocześnie zupełnie niepewni tego, jak z nią rozmawiać. Po raz pierwszy znalazła się w towarzystwie aż tylu Anglików. Pierwszego dnia po przyjeździe do Londynu chłopak o imieniu Amos spytał ją, skąd pochodzi.

— Ze Szkocji — odparła.

— Czyli ile dni tu jechałaś? — spytał ze śmiertelną powagą.

Rozejrzała się po zadymionym wnętrzu i przyrzekła sobie, że posiedzi tu jeszcze pięć minut, a potem wyjdzie. Mario pomachał do niej z drugiego końca pokoju, Alice wypiła swój kieliszek ciepławego, lepkiego wina i odwzajemniła się bladym uśmiechem.

Mario był nowojorczykiem włoskiego pochodzenia, bardzo bogatym i bardzo przystojnym. Na uniwersytecie był od roku, dzięki szczodrobliwości ojca. Kiedy Alice spytała go, jak sobie załatwił roczną wymianę z Ameryki, powiedział: „Mój ojciec otworzył książeczkę czekową" i ryknął śmiechem. Poznała go w swoim pierwszym tygodniu, kiedy błąkała się po korytarzach biblioteki uniwersyteckiej. Zauważyła, że się do niej uśmiecha, i spytała o drogę do Północnego Skrzydła. Zaproponował, że ją zaprowadzi, ale zamiast tego zabrał ją do herbaciarni, gdzie postawił jej herbatę i ciastka. Przysyłał kwiaty, które przepajały jej pokój ciężką, słodkawą wonią, dzwonił o wszelkich porach dnia i nocy. Chciał zostać aktorem i często recytował jej spore fragmenty sztuk teatralnych w publicznych miejscach. Miał długie, wiecznie potargane loki, które sięgały mu do kształtnych barków. Nigdy przedtem nie spotkała nikogo takiego jak on; wydawał się taki duży i taki barwny na tle mdłych i ugrzecznionych napuszonych ludzi, których poznała tu do tej pory. A poza tym jego zainteresowanie schlebiało jej: za Mariem uganiały się całe stada kobiet.

Poprzedniego wieczoru, po wyjściu z kina, wędrowali razem wyludnionymi ulicami centrum miasta. Mario przycisnął ją znienacka do metalowej konstrukcji pustego straganu i pocałował namiętnie. Przeżyła szok. Miał twarde i gorące ciało, jego dłonie błąkały się po całym jej ciele. Napierał swoją miednicą, aż poczuła, że metalowy pręt straganu wbija jej się w plecy.

— O Boże, Alice, w życiu mi tak nie stanął — wydyszał w jej szyję.

— Stanął? — wykrztusiła.

— No stanął. No wiesz, mam erekcję. Chcesz zobaczyć?

Zaśmiała się z niedowierzaniem.

– Co? Tutaj?

– A czemu nie? Tu nikogo nie ma. – Rozchylił jej bluzkę i zaczął całować piersi.

– Mario, nie wygłupiaj się. Przecież to środek miasta.

Poczuła, że zadziera jej spódniczkę, a potem obmacuje przez majtki.

– Mario! – Wyślizgnęła się z jego objęć i odepchnęła go. – Na miłość boską!

Schwycił ją silnie za biodra i znowu zaczął całować, ale się wyswobodziła.

– A z tobą co, do cholery?! – krzyknął, z twarzą zaczerwienioną z wysiłku.

– Ze mną nic. Jesteśmy w środku miasta. Po prostu nie życzę sobie, żeby mnie aresztowali, to wszystko.

Odwróciła się, chcąc odejść, ale Mario złapał ją za rękę i obrócił z powrotem ku sobie.

– Jezu Chryste, jestem tylko człowiekiem, Alice. Sama powiedz, nie byłem cierpliwy? Kupiłem dzisiaj kilka prezerwatyw, jeśli tym się tak przejmujesz. Tak sobie pomyślałem, że w końcu to zrobimy.

– Tak sobie pomyślałeś, powiadasz? – powtórzyła szyderczym tonem. – No to źle sobie pomyślałeś.

– Do kurwy nędzy, mała, każdy by pomyślał, że jesteś jakąś pieprzoną dziewicą czy kimś takim.

Gapili się na siebie, Mario dysząc, Alice cała zesztywniała z gniewu.

– No więc jestem dziewicą, tak dla twojej informacji – powiedziała cicho i odeszła.

Mario dogonił ją pod pociemniałymi oknami wystawowymi jakiejś księgarni.

– Alice, strasznie cię przepraszam.

– Idź sobie.

– Alice, proszę. – Jakoś ją złapał i objął, niemalże dusząc, nie pozwalając iść dalej.

– Zostaw mnie w spokoju. Chcę wrócić do domu.

– Alice, naprawdę przepraszam. Kretyn ze mnie, że to mówiłem. Nie wiedziałem. No bo właściwie dlaczego nic nie powiedziałaś?

– Czego nie powiedziałam? A co miałam powiedzieć? Cześć, nazywam się Alice Raikes i jestem dziewicą?

– Ja po prostu nie wiedziałem. Wydajesz się taka... Nie wiem... No po prostu się nie domyśliłem.

– Nie domyśliłeś się? – Znowu się zezłościła. – A normalnie jak się domyślasz? – Próbowała się wyrwać, ale natychmiast ją przytrzymał. – Puść mnie, Mario.

– Nie mogę.

Czuła, że całe jego ciało się trzęsie, i zrozumiała z przerażeniem, że on płacze. Przytulił ją i płakał głośno w jej włosy.

– Alice, strasznie przepraszam. No proszę, odpuść. Proszę, odpuść mi, Alice.

Czuła obrzydzenie przemieszane z poczuciem winy. Nigdy wcześniej nie widziała płaczącego mężczyzny. Mijali ich ludzie, gapiąc się na nich. Położyła mu ręce na ramionach i potrząsnęła nim.

– Mario, już dobrze. Przestań płakać.

Puścił ją wreszcie i trzymał teraz na odległość wyciągniętego ramienia, przyglądając się jej badawczo. Na jego zalanej łzami twarzy malowała się rozpacz.

– Boże, jesteś taka piękna. Nie zasługuję na ciebie.

Zwalczyła ochotę, by się roześmiać.

– Mario, no chodź. Ludzie się gapią.

– Nic mnie to nie obchodzi. – Rzucił się całym ciałem na mur. – Zrobiłem ci przykrość i nie mogę sobie tego wybaczyć.

– Mario, ośmieszasz się. Idę.

Chwycił ją za ręce.

– Nie idź. Powiedz, że mi wybaczasz. Wybaczasz mi?

– Tak.

– Powiedz: „Mario, wybaczam ci".

– Nie rób z siebie głupka.

– Powiedz to! Proszę.

– Niech ci będzie. Mario, wybaczam ci. No to powiedziałam. A teraz idę. Do widzenia.

Ruszyła ulicą, zostawiając go skulonego pod murem, w pozie wyrażającej głęboki ból. Kiedy już miała skręcić za róg, usłyszała, jak krzyczy jej imię. Odwróciła się. Stał na środku jezdni, z rękoma rozrzuconymi na boki szerokim, teatralnym gestem.

– Alice! Wiesz, dlaczego tak się dzisiaj zdenerwowałem?

– Nie.

– Bo ja cię kocham! Kocham cię!

Potrząsnęła głową.

– Dobranoc, Mario.

Następnego dnia Alice czytała akurat książkę z teorii literatury, kiedy zapukał do jej drzwi. Uśmiechnął się do niej promiennie i wręczył bukiet przywiędłych chryzantem.

– Mario, powiedziałam ci, że nie mogę się dzisiaj z tobą spotkać. Mam mnóstwo pracy.

– Wiem, Alice. Po prostu musiałem przyjść. Nie spałem całą noc, chodziłem nad rzeką. – Objął ją w talii i pocałował namiętnie. – Bo widzisz, ja wczoraj nie żartowałem.

– Ach tak. No to idź już sobie, Mario. Muszę napisać esej.

– Nic nie szkodzi. Nie będę ci przeszkadzał, obiecuję. – Przejechał dłońmi po jej udach.

– Już mi przeszkadzasz.

Przeszedł na drugą stronę pokoju i usiadł na łóżku.

– Więcej nie będę. Przyrzekam.

Wróciła do lektury. Mario zrobił sobie herbatę w maleńkiej kuchni urządzonej w kącie pokoju. Przeglądał jej książki na chybił trafił, po czym odrzucał je z trzaskiem. Potem zaczął majstrować przy jej sprzęcie stereo, obejrzał sobie kolekcję kompaktów, na koniec zabrał się do robienia pompek.

– Przestań.

– Co?

– Dyszysz. Nie mogę się skupić.

Przewrócił się na plecy i spojrzał na nią.

– Wiesz co? Ty za ciężko pracujesz.

Zignorowała go. Wtedy zaczął ją gładzić po łydce.

– Alice – wyszeptał.

Kopnęła go. Chwycił ją za kostkę.

– Alice.

– Mario! Naprawdę działasz mi na nerwy.

– Chodźmy do łóżka. – Powiódł dłonią w górę jej nogi, zatrzymał się dopiero na udzie, a potem zagrzebał głowę w jej łonie.

– Wystarczy. Wynoś się.

– Nie. Nie, dopóki nie dostanę tego, po co tu przyszedłem. – Uśmiechnął się krzywo. – Wiesz, dlaczego tu dzisiaj przyszedłem?

– Nie. Szczerze mówiąc nie.

– Przyszedłem – tu urwał, by pocałować jej lewą pierś – żeby ci zabrać dziewictwo.

Uchwyciłam się ostatniego słupka balustrady i zaczęłam się huśtać. Nie wolno mi było tego robić, bo to osłabiało drewno, ale matka miała jakiegoś gościa, a ja właśnie podsłuchiwałam.

– Mój ojciec był bardzo muzykalny – mówiła tonem przeznaczonym zazwyczaj dla gości – i dlatego zawsze marzyłam, żeby choć jedna z moich córek odziedziczyła jego talent.

– Ale żadna nie odziedziczyła? – dopytywał się gość.

– Kiedyś myślałam, że ma go Alice. Gra na pianinie, ale nie jest wybitnie utalentowana. Bardzo się stara, ale jej gra jest naprawdę przeciętna.

Wyszłam z holu i przeszłam przez kuchnię. Prawą dłonią zbadałam giętkość mojego małego palca. Wydawał się słaby, kruchy. Mogłam go złamać jednym okrutnym targnięciem.

To było takie wrażenie, jakbym nosiła w sobie wielką misę pełną ciepłego płynu i w tej misie nagle zrobiło się pęknięcie, przez które wyciekało całe ciepło. Byłam wściekła na siebie, na swoją łatwowierność i na matkę, że wpadała na takie pomysły po to tylko, żeby je potem skreślać podczas zdawkowej pogawędki z nudnym sąsiadem. Na dworze zrobiło się już prawie ciemno, a tymczasem ja przedzierałam się przez ogród, z wściekłością obdzierając rośliny z liści, aż w końcu zaczęły mi krwawić dłonie.

Kiedy myłam ręce w letniej wodzie, akurat do łazienki weszła babcia ze stosem czystych ręczników. Na mój widok położyła je na brzegu wanny i zaczęła mnie głaskać po włosach, zatykając luźne pasma za uszami.

– Alice Raikes, dlaczego ty tak ciągle pomstujesz na życie? Nie odpowiedziałam. Po moich policzkach ściekały gorzkie łzy.

– Możesz mi powiedzieć, dlaczego płaczesz? A może nie chcesz? Czy w szkole stało się dzisiaj coś złego?

Podniosłam wzrok i teraz twarze nas obce odbijały się w lustrze.

– Jestem taka brzydka, taka okropna – wybuchłam – i nic nie umiem! – Od łkania zaczynałam się już dusić.

– To prawda, moje słoneczko, muszę przyznać, że widywałam cię już w lepszym stanie.

Spojrzałam na swoją twarz i roześmiałam się. Oczy miałam napuchnięte i nabiegłe krwią, a policzki umazane błotem i zielonym sokiem roślin. Babcia ścisnęła mnie za ramiona swymi silnymi dłońmi.

– Naprawdę nie wiesz, jaka jesteś śliczna? A co, chciałabyś mieć takie jasne loczki jak twoje siostry?

Zwiesiłam głowę.

– Widzę, że tak. – Obróciła mnie twarzą ku sobie. – Alice, zdradzę ci jeden sekret. Tutaj – przycisnęła dłoń do mojego splotu słonecznego – tu, właśnie w tym miejscu, nosisz w sobie ogromne zapasy miłości i namiętności, którymi kiedyś kogoś obdarzysz. Bo ty potrafisz kochać. A wiedz, że nie każdy posiada taką umiejętność.

Wysłuchałam tego w nabożnym skupieniu. A babcia przytyknęła mnie palcem w nos.

– Tylko uważaj, żebyś nie ofiarowała wszystkiego niewłaściwemu mężczyźnie. – Odwróciła się, by podnieść ręczniki. – No już, marsz do łóżka. Zmęczysz się od tego płakania.

Nie poddałam się. Nadal chodziłam raz w tygodniu do zapchlonego frontowego pokoju pani Beeson, żeby ćwiczyć gamy i dotyk. Słowa babci w jakiś sposób mnie wyzwoliły. Przestałam galopować przez egzaminy i grałam, co chciałam. Pani Beeson zadzwoniła do matki, żeby donieść, że straciłam motywację i że może jeszcze będzie ze mnie „nie najgorsza, malutka pianistka", ale muszę się trochę bardziej przyłożyć. Ale mnie to już nie interesowało.

Alice spojrzała z góry na zaczerwienioną i wyszczerzoną w uśmiechu twarz Maria. Już dawniej podjęła decyzję, że prześpi się z nim kiedyś tam, ale była przekonana, że jeśli zrobią to wtedy, kiedy on wybierze moment, nie przysłuży się to jego już i tak rozbuchanemu ego. W danym momencie wsunął dłonie pod jej bluzkę i szarpał się z zapięciem biustonosza. Próbowała unieruchomić jego ręce. Zaczęli się siłować.

– Mario, przestań. Dzisiaj nie prześpię się z tobą. Mówię poważnie.

Uderzył się w głowę otwartą dłonią i krzyknął:

– No to kiedy? Ja muszę to z tobą zrobić! Muszę!

– A ja muszę pracować. Muszę napisać esej.

Przypadł twarzą do podłogi, zaczął się tarzać i jęczeć.

– Pójdę z tobą do łóżka – Alice zauważyła, że Mario nagle znieruchomiał – ale nie dzisiaj.

– OK. Tylko niech to będzie szybko. Mam jaja jak arbuzy.

Roześmiała się i wróciła do książek. Po jakimś czasie zauważyła, że Mario zasnął. Później poszli na imprezę.

John pokonywał po dwa stopnie naraz. Jakie to podobne do Alice, że jej gabinet znajduje się na ostatnim piętrze pięciopiętrowego budynku. Kiedy tam dotarł, zobaczył przez szklane drzwi, że w pokoju nie ma nikogo, z wyjątkiem Alice. Siedziała wyprostowana, z dłonią na słuchawce telefonu, jakby właśnie skończyła rozmowę. Wszedł do środka, a potem oplótł rękoma jej ramiona, zadarł do góry ciężki warkocz i pocałował w kark.

– Chciałem spytać, czy zjesz ze mną lunch – szepnął.

Odniósł wrażenie, że zesztywniała. Jej twarz, którą oglądał z profilu, była blada i zacięta.

– Co się stało?

Nic nie powiedziała. Obszedł ją dookoła, ukląkł obok i chwycił za rękę.

– Alice? O co chodzi?

W końcu na niego spojrzała. Źrenice miała tak rozszerzone, że jej oczy wydawały się niemal czarne. Pogładził ją po ręce i pocałował.

– No mów.

Z pełną mocą wbiła paznokcie w jego dłoń, zbierając siły, by coś powiedzieć.

– Moja babcia umarła.

Objął ją ramionami.

– Alice, naprawdę strasznie współczuję – i trzymał ją tak, kiedy pierwsze łzy zaczęły kapać na jej biurko.

Alice zabroniła Johnowi przyjmować zaproszenie, z którym – wiedziała – wystąpi jej matka po pogrzebie.

– Ale ja chcę obejrzeć dom, w którym się wychowałaś – zaprotestował.

– No to masz pecha – odparła ponuro.

Dlatego kiedy Ann natarła na Johna, by wstąpili do ich domu, wiedział, że musi się wymówić, powiedzieć, że koniecznie powinni wracać do hotelu. I choć Alice przedsięwzięła środki bezpieczeństwa, matce udało się ją dopaść w toalecie przy krematorium.

– Miły ten John.

– O tak. Jest miły.

– Od dawna się z nim spotykasz?

– Od kilku miesięcy.

– Skąd on jest?

– Z Londynu.

– Ale skąd pochodzi?

– Skąd pochodzi? Co to znaczy, skąd pochodzi? Urodził się w Londynie.

– Może być Włochem, Grekiem czy kimś takim. Jest taki ciemny.

– Ciemny?

– Mówię o karnacji.

– No więc ja też jestem ciemna, na wypadek, gdybyś nie zauważyła.

– Czy to Żyd?

– A czy to ważne, do cholery?! – wybuchła Alice.

– A więc jest Żydem – stwierdziła spokojnie Ann.

– A tak, jest Żydem. Coś ci się nie podoba? Potrafisz być taką hipokrytką. Uważasz się za chrześcijankę, organizujesz tutaj to kretyńskie przedstawienie, wiedząc, że babcia wcale nie była wierząca. A podobno chrześcijanie są tacy tolerancyjni i kochają bliźniego?

– Alice, musisz zaraz wpadać w szał? Ja tylko pytałam.

Do toalety weszła i zamknęła się w przegrodzie jakaś obca kobieta. Alice umyła ręce w lodowatej wodzie i matka podała jej papierowy ręcznik.

– Po prostu się martwię, że możesz mieć przez to jakieś problemy, to wszystko.

– O co ci chodzi? – wysyczała Alice. – Jakie problemy? Nie ma żadnych problemów. To ty stwarzasz problemy.

– Jego rodzice wiedzą o tym związku?

Alice zawahała się teatralnie.

– Jego matka nie żyje, jeśli chcesz wiedzieć.

Ann przewróciła oczami.

– Czy w takim razie jego ojciec wie?

Alice nie odpowiedziała.

– Czy on powiedział swojemu ojcu, że spotyka się z chrześcijanką?

– Nie jestem żadną zasraną chrześcijanką!

– Alice! Nie przeklinaj tutaj! – Ann obróciła się, by sprawdzić, czy tamta kobieta mogła to słyszeć. – No to z gojką – dodała półgłosem.

– Nie. Nie powiedział.

Ann przybliżyła twarz do lustra, żeby sprawdzić makijaż.

– Rozumiem.

Alice zaciskała teraz usta w cienką kreskę, ponura i wyzywająca. Ann westchnęła i niezwykłym dla niej gestem złapała córkę za rękę.

– Alice, ja ciebie nie atakuję. Możesz się spotykać, z kim chcesz, jeśli o mnie idzie. Powinnaś już o tym wiedzieć. Po prostu nie mogę patrzeć, jak kierujesz się uczuciami, zamiast myśleć. Nie pozwól, żeby zabawy w miłość wpłynęły na twój instynkt samozachowawczy.

– O czym ty gadasz?

– Po prostu nie chcę... Nie chcę, żeby ktoś ci zrobił krzywdę.

– Nikt mi nic nie zrobi. John nie jest taki.

– Ty tego nie wiesz. Mężczyźni nie są tak stali w uczuciach jak kobiety. A judaizm wręcz słynie z tego, że zmusza mężczyzn, aby żenili się tylko ze swoimi. – Ann chciała, żeby Alice się tym przejęła, ale nie wiedziała, jak to powiedzieć, żeby jej jeszcze bardziej nie rozzłościć. – Judaizm naprawdę z tego słynie – powtórzyła mało przekonująco. – Spytaj, kogo chcesz.

– Skąd ty się tak na tym znasz? – spytała szyderczo Alice. – A zresztą jestem z nim dopiero od dwóch miesięcy. Nie zamierzamy się pobierać ani w ogóle nic.

Do toalety weszła Beth.

– Kto się pobiera? Wychodzisz za mąż, Alice?

– Boże, mój Boże! – Alice złapała się dramatycznie za głowę. – Nie, nie wychodzę za mąż.

– John jest Żydem – wtrąciła Ann z naciskiem.

– I co z tego? – Beth wyraźnie się zdziwiła.

– O, proszę bardzo – powiedziała Alice. – Widzisz? Nie każdy reaguje tak jak ty.

Beth przeniosła wzrok z siostry na matkę i objęła je obie ramionami.

— Przestańcie. To nie czas na takie kłótnie.

Wyszły z toalety. John stał razem z Benem, Kirsty i Neilem.

— John, próbowałam przekonać Alice, żebyście do nas wstąpili, ale ona jest bardzo uparta. Ty przyjdziesz, prawda? — Ann ujęła Johna za ramię.

— Ta skała nazywa się Law — powiedziała Alice. — Właściwie to jest Berwick Law. To skała wulkaniczna, jedna z trzech, pozostałe dwie to Arthur's Seat i Bass Rock.

— Zaraz, o Bass Rock słyszałem.

— To bardzo znana skała. Żyje tu spora kolonia głuptaków.

— A można ją stąd zobaczyć?

— Normalnie bez trudu, ale dzisiaj jest za gęsta mgła.

Oboje wytężyli wzrok i Alice pokazała Johnowi zarys niedostępnej skalnej kolumny wystającej z morza.

— A to białe coś to skała czy ptasie łajno?

Parsknęła śmiechem.

— Nie wiem. Pewnie łajno. Latem można wypożyczyć w porcie łódkę. — Obróciła się o czterdzieści pięć stopni. — A tam jest moja dawna szkoła.

John spojrzał na skupisko szarych i brunatnych budynków u stóp Law, na słupy do rugby na sąsiednim boisku, z daleka przypominające wielkie białe litery H.

— Jaka mała!

Roześmiała się.

— Tak uważasz? No cóż, nie jest to raczej londyńska podstawówka. Chodzi do niej tak na oko ze sześciuset uczniów, nie tylko z North Berwick. Przysyłają tu swoje dzieci także ludzie z sąsiednich miasteczek i wiosek. Ten mniejszy budynek to podstawówka, ten większy to liceum.

— Do podstawówki też tutaj chodziłaś?

— A tak, Beth i Kirsty też.

Wspinali się powoli po porośniętym trawą zboczu, Alice ściskała urnę z prochami Elspeth. W mglistym, słonawym powietrzu na niewidzialnych trapezach huśtały się mewy. Ben dość chętnie przystał na propozycję Alice, żeby rozsypać prochy na szczycie Law. Ann natomiast nie bardzo chciała uwierzyć, że Elspeth powiedziała Alice, iż takie jest jej życzenie, i była za tym, żeby nawieźć prochami krzak róży. Ben jednak, chociaż ten jeden raz, zapewnił, że jego matka musiała tego chcieć. Siostry były zdumione. John wybrał ten właśnie moment, żeby wdać się w rozmowę z pewnym leciwym oraz, jak przekonał się znienacka, głuchym przyjacielem Elspeth w drugim kącie pokoju.

– OK. To jest właściwe miejsce – powiedziała Alice i zatrzymała się. Podała mu wieko i po raz pierwszy zajrzała do urny. John przyglądał się jej twarzy. – Wyglądają jak piasek – stwierdziła beznamiętnie, nie bardzo wiedząc, czego się właściwie spodziewała. Wepchnęła dłoń do środka.

Obmacał kieszenie, szukając małej szufelki, którą dał im przedsiębiorca pogrzebowy.

– Weź. Możesz jej użyć.

– Nie – zaprotestowała zapalczywie Alice, zbierając się na odwagę.

Wiatr był silny, więc nie musiała rzucać, jak się wcześniej obawiała. Po prostu rozluźniła palce i wiatr sam porwał prochy.

– Wiatr wieje na północ! – zawołała. – W stronę North Berwick! Tam, gdzie się urodziła!

Rzucała teraz kolejne garście na wiatr. John przyglądał się jej z pewnego oddalenia, takiej otoczonej woalem z popiołów i pyłu. Już nie była taka uroczysta; była podniecona, nieledwie tańczyła, kiedy posyłała Elspeth z powrotem do miejsca jej narodzin.

Mario wytacza się z łóżka, zaczyna grzebać w kieszeniach spodni.

– Mam tu gdzieś jedną – mruczy. – O Jezu. No gdzie to, kurwa, jest?

Alice unosi nieco głowę z poduszki i spogląda na własne ciało, niemal takim wzrokiem, jakby widziała je po raz pierwszy. Kiedy leży na plecach w taki sposób, jej kości biodrowe wystają niczym rogi książki, a piersi rozpłaszczają się na zewnątrz, przy czym sutki sterczą w stronę sufitu. Mario biega jak opętany po całym pokoju, rwąc sobie włosy z głowy, rozrzucając we wszystkie strony ich ubrania; jego erekcja słabnie. No przecież chyba jej nie zapomniał wziąć? Nosił przy sobie jedną od wielu tygodni. Alice kładzie sobie rękę pod głową, a drugą na brzuchu, wczuwając się w jego pomruk. Kiedy były małe, Beth zwykle błagała o zgodę na przyłożenie ucha do brzucha Alice i słuchanie jej „hydrauliki". Alice zastanawia się mgliście, co u Beth, ale po chwili przestaje, bo Mario kładzie się z powrotem do łóżka.

— Boże, te łóżka nie zostały skonstruowane do tego, co? — narzeka.

— No cóż, to kobieca siedziba. Pięćdziesiąt lat temu, kiedy jakiś mężczyzna przychodził tu w gości, zjawiał się dozorca, wywlekał łóżko z pokoju i stawiał je na korytarzu.

Mario się śmieje.

— Kłamiesz, prawda?

— A właśnie że nie. I kobietom nie było też wolno zdobywać stopni naukowych.

Mario uznaje, że nie jest to ani czas, ani miejsce na kolejną feministyczną diatrybę, i obejmuje ją ramieniem. Alice wzdryga się, stwierdziwszy, że jest kompletnie nagi,

— Znalazłeś prezerwatywę? — pyta lekko zdenerwowana. Nie do końca mu ufa.

— Wszystko pod kontrolą.

— Nie zauważyłam, żebyś ją nakładał — mówi Alice i unosi kołdrę, żeby sprawdzić. — Nie masz jej na sobie.

Oboje przyglądają się sflaczałemu penisowi Maria.

— Musisz się jeszcze dużo nauczyć, prawda? — Mario wzdycha. — Jeśli facet musi przerwać i szukać prezerwatywy po całym pokoju, to nic dziwnego, że mu opada. A prezerwatywy nie da się nałożyć bez erekcji. — Chwyta ją za nadgarstek i kieruje jej dłoń w stronę swojej pachwiny. – Więc trzeba coś zrobić, żeby wróciła.

Znowu zaczynają się całować. Alice czuje, jak jego penis puchnie jej w ręku. Odsuwa się i wybucha śmiechem.

– To niesamowite. – Odsuwa kołdrę, żeby się przyjrzeć, i znowu się śmieje.

– Co cię tak śmieszy?

– To tak wygląda jak jeden z tych przyspieszanych filmów przyrodniczych, wiesz, kiedy kwiaty rozkwitają w ciągu pięciu sekund.

Mario gapi się na nią.

– Co z tymi facetami z North Berwick? Jak ciebie mogło to ominąć, kiedy wszyscy inni to robili?

Alice wzrusza ramionami.

– A mnie się nie wydaje. To znaczy, nie wydaje mi się, że oni to robili. W North Berwick jest inaczej. To nie jest Nowy Jork. Wszyscy by wiedzieli i pewnie donieśliby mojej matce, gdyby zobaczyli, że trzymam się za rękę z jakimś chłopakiem. I szczerze mówiąc, żaden nie był wart zachodu.

Ściska jego penis, obraca go w tę i we w tę, jakby szukała jakichś defektów.

Pod wpływem jej dotyku Mario czuje, jak ściska go w brzuchu z pożądania. Alice ma na sobie tylko czarne majtki i pochyla się nad nim, łaskocząc włosami jego uda, jej piersi unoszą się tuż nad jego ciałem. Pospiesznie, po omacku, rozrywa opakowanie z prezerwatywą i naciąga ją. Alice opada na plecy i przygląda się z tym samym naukowym zainteresowaniem. Mario chwyta ją za rękę i pociąga w dół.

– OK, Alice. – Kładzie się teraz na niej, ściskając jej pośladki. – Po prostu się rozluźnij.

Alice stwierdza, że trudno jej oddychać. Mario znienacka wydaje się niewiarygodnie ciężki. Mocuje się z jej majtkami, próbując je ściągnąć. Jego dłonie zdają się być wszędzie, gdy tymczasem jej ręce są jakby przyszpilone do boków. Wije się, by odzyskać choć odrobinę swobody.

— Och, Alice — wysapuje Mario.

Oddycha szybko i chrapliwie, a Alice czuje znienacka, że ten jego pokryty lateksem penis napiera na nią z impetem. Zaszokowana szarpie się nerwowo. On chwyta ją za ramiona, jakby podciągał się na jakiś wysoki mur. Penis, śliski i twardy, dźga ją teraz i wpycha się w jej pachwinę.

— Mario. — Alice próbuje coś powiedzieć, ale zagłusza ją jego pierś nakrywająca jej usta. Z trudem obraca głowę na bok. — Mario!

Natychmiast pojawia się tam jego twarz; usta, gorące i zadyszane, nakrywają jej usta. Jakoś udaje się jej uwolnić jedną ręką; próbuje nią odepchnąć jego ramię. Mario przyciąga ją do siebie jeszcze bliżej, potem obiema dłońmi chwyta jej miednicę i przesuwa na łóżku. Alice szarpie go za włosy.

— Mario, błagam, przestań.

Czuje nagle, że on wbija się jej do środka, i sekundę później całą dolną część jej ciała przeszywa ostry napad bólu. Zaczyna się rzucać, okładać go pięściami.

— Mario! Nie rób tego! Może przestaniemy, proszę? Naprawdę mnie boli!

— Nic się nie przejmuj. Za pierwszym razem zawsze boli. Weź się po prostu rozluźnij, kochanie. Dobrze ci idzie.

Razem z każdym suchym i trącym pchnięciem jego ramię wbija się w jej podbródek. Pachwina pulsuje bólem, bolą też rozciągnięte na siłę nogi. W myślach ma absolutną pustkę. Zaczyna liczyć te bokserskie ciosy, żeby jakoś odciąć świadomość od tego falującego, zasapanego ciała, które miota się na jej ciele. Przy liczbie siedemdziesiąt osiem czuje, że on wygina plecy w łuk, a przy siedemdziesiąt dziewięć przebiega go długi, sztywny dreszcz, po czym pada na nią bezwładnie, ciężko dysząc.

Pozostają w takiej pozycji przez dobre pięć minut, a potem Mario unosi się na łokciu, uśmiechając anielsko. Zauważa, że Alice wygląda trochę blado i że ma zogromniałe oczy, ale wmawia sobie, że to normalne w przypadku pierwszego razu u dziewczyny. Zaczyna się zastanawiać, dlaczego ona na niego nie patrzy, po czym coś mu nagle wpada do głowy.

– Miałaś orgazm?

Podczas drogi w dół zbocza Alice złapała Johna za rękę. Ręka była zimna, więc roztarła ją w swoich dłoniach. Niebo nabierało barwy ciemniejszego, atramentowego błękitu, a pod nimi rozkwitały światła North Berwick.

– I już nigdy więcej nie płakałaś, prawda? – spytał John.

– Nie lubiła, jak płakałam.

Doktor Brimble przyjrzała się studentce siedzącej po drugiej stronie jej biurka. Naprawdę powinna iść zbadać sobie oczy. Dziewczyna nie wyglądała na chorą, może raczej na trochę zmęczoną.

– No więc z czym masz problem... mhm... – zajrzała do leżących przed nią notatek – ...Alice?

Dziewczyna patrzyła martwo przed siebie, unikając jej wzroku.

– W zeszły piątek po raz pierwszy uprawiałam seks i od tego czasu cały czas krwawię.

– Rozumiem. Czy przy oddawaniu moczu czujesz pieczenie?

Dziewczyna przytaknęła.

– Masz temperaturę?

– Chyba nie.

– Prawdopodobnie jest to zapalenie pęcherza, które może być wywołane stosunkiem seksualnym. To całkiem częste, aczkolwiek nieprzyjemne schorzenie i niestety, jeśli przytrafiło ci się raz, to całkiem możliwe, że będziesz miała to więcej razy. Powinnam cię zbadać. Zechciej, proszę, wejść za ten parawan, zdjąć spódniczkę i bieliznę, a następnie zawołać mnie, kiedy już będziesz gotowa.

Doktor Brimble sprawdziła, że nie ma żadnych uszkodzeń wewnętrznych, ale była dość zaniepokojona licznymi sińcami na biodrach i udach dziewczyny. Zerknęła raz jeszcze na jej dość spiętą, niemą twarz i rzuciła ukradkowe spojrzenie na zegarek. Była już dziesięć minut spóźniona. Kiedy dziewczyna ubrała się i usiadła za jej biurkiem, postanowiła ująć to pytanie delikatnie.

– Czy mężczyzna, z którym miałaś stosunek, to był...? – i zaczekała, aż dziewczyna dokończy.

Alice spojrzała na nią beznamiętnie.

– Czy to był twój chłopiec?

Dziewczyna zdawała się zastanawiać przez chwilę, a potem przytaknęła.

– No tak. – Lekarka z ulgą wręczyła jej receptę. – Ta seria antybiotyków powinna pomóc. W razie problemów przyjdź jeszcze raz.

Kiedy Alice wróciła tamtego popołudnia do siebie, zastała kartkę od Maria przymocowaną pinezką do drzwi; pytał, gdzie ona, do diabła, jest, i obiecywał, że wpadnie za dwie godziny. Posiedziała kilka chwil na łóżku, potem wstała i wyciągnęła z szafy plecak. Godzinę później była już w pociągu jadącym do Szkocji.

Elspeth zrobiła głęboki wdech.

– Ben, cudownie, tylko kiedy ja ją poznam? – Miała nadzieję, że mówi to dostatecznie szczerze. Czy to wszystko nie działo się zbyt szybko?

– Już niedługo, przywiozę ją któregoś dnia do North Berwick na herbatę.

– To wspaniale. – Poczuła się teraz spokojniejsza, odzyskała panowanie nad głosem. – Już się nie mogę doczekać. Jak ona ma na imię?

– Ann. Jest Angielką.

– Ach tak. No cóż, naprawdę bardzo się cieszę, mój drogi. Gratuluję z całego serca. Co robisz w czwartek?

– Zapytam Ann i zadzwonię do ciebie jutro.

– Znakomicie. Umówimy się wtedy. A więc do widzenia.

Elspeth odłożyła słuchawkę na bakelitowe widełki i przygładziła włosy prędkim gestem. To było zupełnie niepodobne do Bena, który był tym młodszym i ostrożniejszym z dwóch jej synów. Elspeth potrafiła jednak rozpoznać ten dźwięczny rezonans w jego głosie, który oznaczał, że jest szczęśliwy. Jeśli mają przyjechać w czwartek, to w takim razie zabierze się do pieczenia ciasta już dzisiaj, żeby zdążyć odsączyć owoce w muślinowym woreczku. Zeszła kamiennymi schodkami do kuchni, po drodze sprawdzając swój wygląd w lustrze wiszącym w salonie.

Elspeth urodziła się w North Berwick, małym nadmorskim miasteczku na wschód od Edynburga, w 1912 roku, w roku, w którym zatonął *Titanic*. Jej ojciec był pastorem Kościoła Szkocji i mieszkali w małej, zawilgoconej plebanii przy Kirkports, jednej z wąskich, krętych uliczek biegnących blisko plaży. Były to lata rozkwitu North Berwick jako modnego kurortu wakacyjnego, kiedy to na obrzeżach miasta niczym grzyby po deszczu wyrastały wielkie nowe domy. W ciepłe dni matka brała ją na spacery po nabrzeżu, a w niedzielę szły razem do kościoła stojącego przy samym środku High Street, by posłuchać głosu jej ojca dudniącego pod krokwiami. Chodziła do podstawówki pobudowanej tuż nad morzem i matka codziennie czekała na nią przy bramie, by zabrać ją do domu. Często wracały Wschodnią Plażą i Elspeth błagała wtedy matkę, żeby opowiedziała jej o tamtym dniu, kiedy morze wyrzuciło na piasek wielkiego wieloryba. Ojciec zabrał ją kiedyś na wycieczkę do Muzeum Chambers Street w Edynburgu, gdzie obejrzała szkielet tego wieloryba, zawieszony niczym ogromny szary latawiec pod powałą muzeum. Ojciec wystawił ją za balustradę balkonu, by mogła go dotknąć; w dotyku wydawał się ciepły i kruchy i za nic nie potrafiła połączyć tych zakurzonych kości z ogromną bestią, którą wypluło morze i która wypełniła sobą całą plażę.

Kiedy miała siedem lat, jej rodzice zostali posłani do Indii jako misjonarze. Czy to był ich pomysł, czy raczej ktoś im tak doradził, tego Elspeth nigdy się nie dowiedziała, ale stwierdzili, że dla ich córki będzie najlepiej, jeśli jej nie powiedzą o swoim wyjeździe. Ubrali Elspeth w najlepsze ubranie i zabrali ją na spacer po plaży, trzymając między sobą za ręce. Kiedy ona bawiła się kamykami i wodorostami na zalewanym falami brzegu, uciekli chyłkiem i kiedy się obróciła, ich już nie było, a ich miejsce zajęła sztywno wyprostowana sylwetka dyrektorki Żeńskiej Szkoły imienia Świętego Cuthberta, która ujęła ją za łokieć, poprowadziła w górę plaży i wsadziła do pociągu jadącego do Edynburga i internatu. Nie zobaczyła ani ich, ani North Berwick przez następne siedem lat.

– Jaka szkoda, że Kenneth, brat Bena, nie dał rady wpaść. Tak bardzo chciał cię poznać, Ann.

Ann przytaknęła i poczęstowała się jeszcze jednym kawałkiem ciasta Elspeth.

– Zdaje się, praca bardzo go absorbuje. – Nastąpiła chwila milczenia, podczas której Elspeth miała nadzieję, że Ann wreszcie przemówi. Dotąd prawie wcale nie słyszała jej głosu. – Jest lekarzem – dodała na zachętę.

Elspeth czuła się zaintrygowana tą kobietą i miała nadzieję, że jej twarz tego nie zdradza. Ann była śliczna, typową dla Angielek kruchą urodą; miała smukłe nadgarstki i nienaganne maniery, gładkie włosy, jasne niemal jak len, przezroczyście bladą cerę i jasne, błękitne oczy okolone delikatnymi rzęsami. Wszystko w niej było drobne i kruche. Kiedy Elspeth podała jej rękę, odniosła wrażenie, że mogłaby zmiażdżyć kości palców młodszej kobiety, gdyby je tylko lekko ścisnęła. W porównaniu z Benem, z jego rudawymi włosami i czerstwymi policzkami, wyglądała jak przedstawicielka innej rasy. Była bez wątpienia inteligentną dziewczyną, ale Elspeth nie potrafiła orzec, czy to jej milczenie bierze się z nieśmiałości, co zresztą nie wydawało się prawdopodobne. Ann była pewna siebie, siedziała prosto na krześle, dawała Benowi wyraźne instrukcje co do tego, jaką herbatę lubi, i rozglądała się dookoła z ledwie skrywaną ciekawością.

– Gdzie się zatrzymałaś, Ann?

– Słucham?

– Mama chce wiedzieć, gdzie mieszkasz – wtrącił się Ben. Poklepał jej drobną, bladą dłoń i roześmiał się. – Będziesz musiała się przyzwyczaić do szkockich idiomów. Mówimy o zatrzymywaniu się, kiedy chcemy mówić o mieszkaniu.

– Ach tak. Rozumiem. Otóż mieszkam blisko parku Meadows, pani Raikes.

– Proszę, nazywaj mnie Elspeth. Wszyscy mnie tak nazywają.

Ann z powagą skłoniła swą lśniącą, jasną głowę.

– Powiedzcie mi – Elspeth zwróciła się do nich obojga –

o waszych planach ślubnych. Kiedy to będzie? Co na to twoi rodzice, Ann?

Zauważyła, że wymieniają między sobą niepewne spojrzenia. Ben chrząknął.

– Ann jeszcze nie powiedziała swoim rodzicom.

Elspeth zdawała sobie sprawę, że jej twarz odzwierciedla zdziwienie, próbowała, bez powodzenia, zmienić to na łagodne zainteresowanie.

– No tak, rozumiem.

– Nie chcemy trwać długo w narzeczeństwie, prawda?

Ben spojrzał na Ann, która podniosła dłoń do twarzy i przycisnęła ją do ust dziwacznym gestem. Elspeth nagle zrozumiała, że ta kobieta nie kocha jej syna. Poczuła ostre ukłucie litości wobec Bena, który niezaprzeczenie uwielbiał Ann.

– Tak więc zaplanowaliśmy, że pobierzemy się jesienią – ciągnął Ben. – Może w październiku. – Tu zaśmiał się z wyraźnym podnieceniem. – Ja zaczynam pracę na uniwersytecie we wrześniu, a zresztą nie ma sensu czekać, prawda?

– A zastanawialiście się, gdzie będziecie mieszkali?

Ben spochmurniał.

– Nie, nie bardzo. Gdzieś jakoś skromnie. Pensja uniwersytecka nie jest duża.

– Trochę się nad tym zastanawiałam – powiedziała Elspeth – no bo, widzicie, ten dom jest dla mnie o wiele za duży. Nie wiem, co byście powiedzieli na mieszkanie w North Berwick, ale jazda pociągiem stąd trwa tylko godzinę. Bardzo bym chciała, żebyście tu zamieszkali, mówię szczerze, ale tylko jeśli sami będziecie tego chcieli.

Ben zawahał się, patrząc na Ann.

– Nie jestem pewien...

– To piękny dom, pani... Chciałam powiedzieć Elspeth. Od jak dawna tu mieszkasz? – spytała Ann.

– Niemal od narodzin Bena. Dom należał do moich teściów. Kiedy umarł mój mąż, chłopcy byli jeszcze mali, Ben miał zaledwie rok, i zaprosili mnie, żebym z nimi zamieszkała.

– Na co umarł twój mąż?

Elspeth uśmiechnęła się, żeby pokazać, że nie ma nic przeciwko tak bezpośredniemu pytaniu.

– Na malarię. Był misjonarzem, jak mój ojciec, i wyjechaliśmy do Afryki. Wszyscy tam dostawali malarii, a wtedy nie było takich lekarstw jak teraz. Moim zdaniem musiał się zarazić jakąś wyjątkowo zjadliwą odmianą. Umarł po dwóch tygodniach. Nie była to dla mnie dobra sytuacja. Byliśmy małżeństwem zaledwie dwa lata, musiałam wychować dwóch małych chłopców i nie miałam gdzie się podziać. Całe szczęście, że rodzice Gordona zaoferowali się mnie przygarnąć.

– A twoi rodzice?

– Mój ojciec był misjonarzem, jak już powiedziałam. Tacy nie zarabiali dużo, jak pewnie wiesz, i mojej matki i ojca nie było stać na przyjęcie całej naszej trójki pod swój dach. Co wcale zresztą nie znaczy, że byliby nas odtrącili, ale żyłoby nam się ciężko. Rodzice Gordona byli dla nas tacy dobrzy, mimo że nie aprobowali naszego małżeństwa.

– I nie wyszłaś za mąż po raz drugi?

Ben drgnął nerwowo, zastanawiając, czy jego matce nie przeszkadzają te szczere pytania Ann.

Elspeth była tylko zadowolona, że Ann wreszcie się odzywa.

– Nie, moja droga. Gordon był moim jedynym mężczyzną.

– A więc rodzice Gordona zostawili ci dom w spadku?

– Właśnie tak. Zostawili mi go w nadziei, że przekażę go chłopcom, co któregoś dnia uczynię.

– Cóż, z wielką chęcią bym tu zamieszkała. – Ann uśmiechnęła się i Elspeth poczuła ulgę.

– No to sprawa załatwiona. Myślisz, że North Berwick ci się spodoba?

Na wszystkie wspomnienia, jakie Elspeth wyniosła z internatu, nakładał się głód albo chłód, albo jedno i drugie. Do Świętego Cuthberta uczęszczały głównie dziewczęta z zamożnych rodzin edynburskich, które wszystkie wracały pod koniec dnia do swych domów w lepszych dzielnicach, takich jak Morningside albo Grange. Internat znajdował się tuż obok szkoły; mieszkało w nim dwadzieścia dziewcząt w wieku od ośmiu do osiemnastu lat. Elspeth zapamiętała, że chodziła bezustannie przeziębiona, że rękawy swetrów miała wiecznie wypchane wilgotnymi chusteczkami z wyhaftowanym „E. A. Laurie". Jej rodzice kochali ją, tego była pewna, i pisali do niej raz w tygodniu, przysyłając przy okazji skrawki kolorowych jedwabi, figurki słoni rzeźbione z kości słoniowej albo sepiowe fotografie zakurzonych ulic. Nigdy nie spytała, czy ich jeszcze kiedykolwiek zobaczy ani dlaczego jej nie powiedzieli, że wyjeżdżają.

Najtrudniejsze w tym wszystkim były ferie. Pozostałe mieszkanki internatu, nieszczęśliwe, chude dziewczyny, miały dokąd jeździć podczas przerw w nauce, natomiast rodziców Elspeth nigdy nie byłoby stać na sprowadzenie córki do Indii. Podczas pierwszych kilku wakacji liczyła na jakiś miły list od babki albo ciotki mieszkających w Glasgow, ale nigdy takiego listu nie dostała. Tamte kobiety nie aprobowały małżeństwa matki Elspeth i w związku z tym również córki, która urodziła się z tego związku.

Rozpaczliwie tęskniła za rodzicami i North Berwick. Klimat Edynburga tak bardzo się różnił od klimatu North Berwick, mimo że oba miasta dzieliło zaledwie dwadzieścia pięć mil. Edynburg grzązł w skrzepłej wilgoci i mgle; za każdym razem, kiedy Elspeth próbowała przywołać wspomnienia ze swojego dzieciństwa, przed oczyma stawały jej mokre, lśniące ulice o zmierzchu, osłonięte płachtami pierzastego deszczu i szarych fasad. Każdej zimy nawiedzała ją astma; w takich okresach leżała bezsennie, walcząc o oddech, wyobrażając sobie powrót do świeżego, suchego morskiego powietrza swego miejsca urodzenia.

Elspeth stała się osobliwie niezależnym i zaradnym dzieckiem, odpornym na lekceważące traktowanie ze strony innych, bogatszych dziewczynek. Kiedy podczas jej trzeciego roku u Świętego Cuthberta zorganizowano szkolną wycieczkę do Kirkcaldy, Elspeth miała na sobie szkolny uniform, podczas gdy inne uczennice były ubrane w kolorowe sweterki i dopasowane kapelusze. W pociągu jedna z nich, Catriona MacFarlane, zaczęła szeptać innym do uszu, że Elspeth Laurie nie ma żadnych innych ubrań oprócz szkolnego mundurka. Catriona wodziła rej w ich klasie, więc nawet te dziewczęta, które lubiły Elspeth, musiały przyłączyć się do chichotania i trącania się łokciami. Elspeth uparcie wyglądała przez okno na rozmazane w deszczu przedmieścia Edynburga. Catriona, oburzona brakiem reakcji ze strony Elspeth, szeptała coraz bardziej ostentacyjnie, aż w końcu stanęła w przejściu między siedzeniami i brutalnie szarpnęła rękaw przepisowego czerwonego blezera Elspeth.

– Elspeth, dlaczego jesteś ubrana w szkolny mundurek? Nie masz innych ubrań, Elspeth?

Elspeth obróciła się ku niej twarzą.

– Nie, nie mam.

Catriona została pokonana. Spodziewała się zaprzeczeń albo milczenia. Pozostałe dziewczęta obserwowały to, spięte i nieme.

– Dlaczego nie masz innych ubrań, Elspeth?

Elspeth ponownie odwróciła wzrok od okna.

– Mój ojciec jest misjonarzem i nie ma pieniędzy.

– No to jakim cudem stać cię na tę szkołę?

– Kościół za mnie płaci. – Elspeth mówiła cicho i wszystkie musiały wytężać słuch, żeby ją słyszeć.

W tym momencie do przejścia wtargnęła ich nauczycielka, panna Scott.

– Catriono MacFarlane, dlaczego wstałaś z miejsca? Siadaj z powrotem, proszę. Już prawie dojeżdżamy.

Elspeth zaprasza Ann na zwiedzanie ogrodu.

– Ben mi powiedział, że jesteś biologiem – mówi Elspeth, kiedy wychodzą na zewnątrz tylnymi drzwiami. – W jakiej dziedzinie biologii się specjalizujesz? – Elspeth ma nadzieję, że teraz, kiedy są same, Ann może otworzy się nieco bardziej. Elspeth lubi kobiety. Uważa, że ich umysł i życie są interesujące, i chętnie przebywa w ich towarzystwie, zwłaszcza w towarzystwie wykształconych, inteligentnych młodych kobiet. Zawsze żałuje, że po dwóch chłopcach nie urodziła się jej jeszcze córka.

– Można powiedzieć, że w świecie roślinnym. Moja praca dyplomowa była bardziej związana z botaniką niż z biologią.

– Jakie to ciekawe. Musisz koniecznie przywiązać się do tego ogrodu, kiedy już tu zamieszkasz. Dla mnie jest o wiele za duży, jak sama widzisz.

Ogród jest rzeczywiście ogromny, z bujnymi zielonymi trawnikami opadającymi aż do Westgate i z polem do krykieta przylegającym do lewej strony domu. W przerwach między drzewami połyskuje szeroki horyzont morza. Ann oddala się w stronę dolnego krańca ogrodu. Jaskrawa biel jej sukni wywołuje ból w oczach Elspeth. Zauważa, że w kuchennym oknie stoi Ben, ale udaje, że go nie widzi.

– Skąd pochodzisz, Ann? – woła.

– Moi rodzice mieszkają teraz w Londynie, ale ja dorastałam w szkole z internatem w Dartmoor – odpowiada Ann, nie odwracając się.

– Ja też spędziłam sporą część dzieciństwa w szkole z internatem dla młodych panien, w Edynburgu. Jakie to dziwne, że tylu ludzi to przechodzi. Czy twoi rodzice mieszkali za granicą?

– Mój ojciec był muzykiem, a matka zwykła podróżować razem z nim po świecie.

– Ach tak. A ty sama jesteś uzdolniona muzycznie?

Ann kręci głową.

– W szkole, do której chodziłam, nie uczyli niczego prócz umiejętności znajdowania się w towarzystwie.

– Rozumiem. Szkoły z internatami to zabawne miejsca. Ja nie chciałam posłać tam chłopców, mimo że życzyli sobie tego rodzice Gordona. Wolałam, żeby wychowywali się tutaj, w North Berwick.

– Ludzie, którzy posyłają dzieci do taki szkół, nie powinni w ogóle ich mieć – oświadcza z goryczą Ann, odzierając gałązkę z liści.

Elspeth zaczyna rozumieć swoją przyszłą synową trochę lepiej.

Ben i Ann pobrali się w dawnym kościele ojca Elspeth, przy High Street w North Berwick. Całe miasto ustawiło się szeregiem na przeciwległym chodniku, by przyglądać się bladej oblubienicy Bena Raikesa, kiedy wychodziła z kościoła z czerwonego piaskowca w skandalicznie krótkiej i obcisłej sukni ślubnej. Suknia została wybrana przez matkę Ann, która w ten sposób usiłowała dodać odrobiny klasy ślubowi córki. Ann nie chciała brać ślubu w urzędzie stanu cywilnego w Londynie; uparła się, że weźmie ślub w tej zapomnianej przez Boga, wietrznej wiosce na pustkowiu. Podczas sesji u fotografa matka Ann nie odrywała dłoni od swojej zrujnowanej, podobnej do mrowiska fryzury, mierząc okiem surowe, nie farbowane włosy Elspeth i jej sznurowane trzewiki. Ojciec Ann usiłował zapalić papierosa na silnym, październikowym wietrze i starał się ignorować gapiów stojących po drugiej stronie ulicy.

Miodowy tydzień spędzili we francuskich Alpach, gdzie włosy Ann spłowiały na oślepiającą biel. Ben nie potrafił uwierzyć we własne szczęście: kiedy kładła się do łóżka i zasypiała, siadywał nad nią i wodził palcami po sieci fioletowych rzeczułek zamarzłych tuż pod skórą.

Ann chciała od razu mieć dzieci i Ben nie spierał się z nią o to, podobnie zresztą jak nigdy się nie spierał z nią o nic. Podczas pierwszych miesięcy małżeństwa Ann nie przejmowała się zbytnio tym, że nie udaje jej się zajść w ciążę. Ale po sześciu miesiącach jałowych starań zaczęła się denerwować. „Nie martw się, kochanie", mawiał Ben, kiedy widział, jak z rozpaczą sięga do szafki po podpaski, które przyczepiała sobie do specjalnego paska. „Wiesz przecież, że na to trzeba czasu".

Ben wychodził z domu około ósmej i Elspeth też przeważnie gdzieś szła – zajmowała się działalnością dobroczynną albo odwiedzała swych niezliczonych znajomych. Ann błąkała się od pokoju do pokoju w domu, który miał być jej domem, ale w którym nieodmiennie czuła się jak gość, który przedłużył swój pobyt, i przyciskała pięści do podbrzusza, jakby chciała je zmusić do cudownego poczęcia. Gdyby urodziła dziecko, powtarzała sobie, poczułaby wreszcie, że ma prawo mieszkać w tym tętniącym echami domostwie z prostymi krzesłami, oprawionymi w skórę książkami i akwarelami przedstawiającymi morskie ptaki.

Dziewięć miesięcy po ślubie Ann stawała się to namiętna, to chłodna. Czasami, kiedy Ben wracał do domu z uniwersytetu, czekała na niego na górze, w łóżku, emanując pożądaniem, ubrana w samą halkę. Na dole Elspeth włączała tranzystor, a tymczasem Ann chwytała swego męża gorącymi dłońmi, przyciskając się do niego i pociągając w stronę łóżka. Po wszystkim wczepiała się w niego z całej siły, pragnąc, by pozostał w niej jak najdłużej, i leżała tak całkiem bez ruchu, wyobrażając sobie plemniki, które torują sobie drogę do wnętrza jej ciała. A jednak co miesiąc, bez wyjątku, czuła bolesne skurcze w plecach i potem powolne wyciekanie ciepła spomiędzy nóg. Wtedy zazwyczaj kładła się tyłem do zakłopotanego Bena, który gładził ostrożnie jej zesztywniałe plecy i całował jej kamienną, napiętą twarz, mrucząc: „Ann, kochanie moje. Proszę, Ann. Nie zamartwiaj się tak, kochanie".

Tak to trwało przez rok. Pierwsza złamała się Elspeth. Któregoś ranka, przy śniadaniu, kiedy Ben już wyszedł, rzuciła jedno spojrzenie na mroźną biel na twarzy Ann i powiedziała:

— Przecież to chyba nie może tak trwać?

Ann nic nie powiedziała, ale Elspeth zobaczyła coś, czego nigdy przedtem nie widziała: samotną, srebrzystą łzę, spływającą po porcelanowym policzku Ann.

— Uważam, że powinniśmy się umówić na wizytę u lekarza.

Z wątłego ciała Ann wyrwał się chrapliwy szloch.

— Nie mogę. Nie zniosłabym tego.

— Czego byś nie zniosła?

— Nie zniosłabym, gdyby mi powiedziano, że nie mogę mieć dzieci.

Elspeth objęła Ann, po raz pierwszy i ostatni w ich wspólnym życiu. Ann momentalnie zesztywniała, a potem przycisnęła twarz do ramienia Elspeth i się rozpłakała.

— No już, już. Popłacz sobie. Wyrzuć to z siebie. Płacz jeszcze nigdy nikomu nie zaszkodził – powtarzała Elspeth. – Poradzimy sobie z tym jakoś. Nie martw się.

Lekarz rodzinny zmierzył tętno i ciśnienie krwi Ann, obmacał jej brzuch przez spódnicę, zadał szereg dyskretnych pytań na temat jej cyklu miesięcznego i „relacji małżeńskich", cały czas coś notując zręcznym, schludnym charakterem pisma.

– Ani z panią, ani z pani mężem nie dzieje się nic złego, pani Raikes. Jestem przekonany, że niebawem zajdzie pani w ciążę. Proszę się gimnastykować, zażywać świeżego powietrza. – Dał jej także receptę.

W aptece przy High Street Elspeth przyjrzała się dokładnie recepcie, podnosząc ją blisko do twarzy.

– Co to takiego? – spytała aptekarza.

– To tylko pigułki – odparł pogodnie, ale Elspeth nie dała się zbyć.

– Wiem o tym, synku, ale na co one są? Jakie wywołują skutki? Mężczyzna jeszcze raz spojrzał na kartkę.

– To środki uspokajające.

Elspeth zacisnęła usta.

– W takim razie nie będą nam potrzebne. Chodź, Ann. I do widzenia panu.

Dzięki kontaktom Kennetha w środowisku lekarskim oraz determinacji Elspeth Ann i Ben zostali umówieni na wizytę u najlepszego ginekologa Szkocji, Douglasa Frasera. Ann przez pięć miesięcy jeździła raz w tygodniu do Edynburga, gdzie pobierano jej krew, badano zimnymi, śliskimi metalowymi przyrządami i wypytywano o dietę, historię chorób, cykl miesięczny i zwyczaje seksualne. Razem z Benem obmacywali się niczym para nastolatków za nieprzejrzystymi, białymi parawanami, żeby uzyskać próbkę nasienia, gdy tymczasem Elspeth siedziała kilka metrów dalej i czytała jakieś czasopismo. Aż wreszcie, niemal dwa lata po ślubie, wezwano ich na ogłoszenie ostatecznej diagnozy. Siedzieli na krzesłach obitych czerwoną skórą i przyglądali się, jak doktor Fraser szpera wśród papierzysk zalegających jego biurko. Był rosłym, dobrotliwym mężczyzną o załzawionych oczach. Spojrzał na nich i uderzyło go, że oni wyglądają tak młodo; niemalże wydało mu się, że rozmawianie z nimi o rodzeniu dzieci jest czymś nieprzyzwoitym.

— Żadnemu z państwa nic nie dolega. Oboje funkcjonujecie normalnie, jesteście płodni.

Ann westchnęła płaczliwie, a Ben spytał:

— No to dlaczego nie jesteśmy w stanie począć dziecka?

— Problem leży w kombinacji was dwojga. Fakt jest taki, pani Raikes, że pani organizm odrzuca nasienie męża.

Ann poderwała głowę.

— Co to znaczy „odrzuca"?

— Jest pani, proszę wybaczyć, uczulona na nasienie Bena. Pani ciało reaguje alergicznie i mobilizuje wszystkie siły przeciwko niemu; innymi słowy, odrzuca je.

Ann spojrzała na niego.

— A więc twierdzi pan, że gdybym, powiedzmy, wyszła za innego mężczyznę, to nie byłoby problemu?

— No cóż, można tak to ująć. To, co przydarzyło się wam dwojgu, zdarza się raz na milion przypadków. Tak więc gdyby poślubiła pani innego mężczyznę, prawdopodobnie nie byłoby problemu. Tu idzie o niedopasowanie przeciwciał pani i Bena.

— Co możemy z tym zrobić? — spytał Ben, chwytając Ann za rękę.

— W danym momencie nie znamy żadnej sprawdzonej metody — powiedział ostrożnie doktor Fraser — ale jest coś, co chciałbym wypróbować na was obojgu. Nie widzę powodu, dla którego miałoby się nie udać.

— Co to takiego?

— Proponuję coś, co od jakiegoś czasu jest testowane, a mianowicie pobiorę fragment skóry z tego miejsca — i tu wskazał ramię Bena — i zaszczepię go tutaj — wskazał ramię Ann. — Przeciwciała Ann oswoją się z przeszczepem i przestaną odrzucać pańskie nasienie. I to tyle.

Twarze ich obojga odzwierciedliły, tak jak się spodziewał, przemieszanie zdumienia i nadziei.

– To bardzo prosty zabieg. Nawet nie będziecie musieli zostawać tu na noc.

– Ale to się wydaje takie... takie... – Ann szukała właściwego słowa.

– Średniowieczne? Tak, wiem. Jednak podstawowy problem fizyczny wymaga podstawowego rozwiązania fizycznego. Ale mówiąc to, nie obiecuję niczego.

– Czy to... czy to jedyne rozwiązanie? – spytał Ben.

– Tak – odparł łagodnie doktor Fraser – to wasza jedyna nadzieja.

Elspeth zabiera ich samochodem ze szpitala. Trzymają się za ręce, kiedy przechodzą przez parking; na lewych rękach mają bliźniacze bandaże. Benowi zostaje po zabiegu wypukła, przezroczysta blizna, a Ann kwadracik nieco ciemniejszej skóry, który niebawem zrasta się i zaczyna oddychać, jakby zawsze stanowił jej własność. I po miesiącu zachodzi w ciążę.

Pierwszy poród był długi i ciężki. To wtedy zaczęła rozumieć znaczenie słowa „rozwiązanie". Przez półtora dnia, kiedy kopuła jej brzucha kurczyła się i wściekle falowała, przyglądała się biciu serca swego dziecka odbitego echem w postaci falującej czerwonej kreski. Kiedy ta kreska wyprostowała się, a maszyna wydała z siebie jednostajny długi pisk, zrobili jej jedno nacięcie i wywlekli dziecko za główkę okrutnymi, stalowymi szczypcami. Kilka sekund później obie patrzyły sobie w oczy zaszokowane. Ta córka nigdy nie odeszła daleko od Ann. Kiedy sama urodziła córkę, dała jej imię Ann.

W drugiej godzinie życia swojej drugiej córki Ann opatuliła ją ciasno szalem. Dziecko tak długo wierzgało czerwonymi, gniewnymi kończynami, aż wreszcie się wyswobodziło, butnie zaciskając maleńkie, podobne do rozgwiazd dłonie. Dali jej na imię Alice – krótkie imię, które jakby nie potrafiło odzwierciedlić jej charakteru. Od samych narodzin miała czarne włosy i czarne oczy. Ludzie, którzy pochylali się nad jej wózkiem, zerkali potem na Ann i na jej anielskie starsze dziecko, po czym znowu na to niemowlę o oczach jak oliwki. „Jakby ją wróżka podmieniła, co?", spytała retorycznie pewna kobieta. Ann zacisnęła palce na uchwycie wózka. „Ależ skąd". Kiedy Alice była jeszcze tak młoda, że Ann wciąż widziała w niej małe dziecko, wybrała się w podróż po świecie. Pomachała im na pożegnanie z okna pociągu, z paciorkami wplecionymi w długie, czarne włosy, wlokąc za sobą swe długie tęczowe spódnice. Wróciła z włosami przystrzyżonymi na jeża, w obcisłych, skórzanych spodniach, z orientalnym smokiem wytatuowanym na łopatce. „I jaki jest świat?", spytała Ann. „Przepełniony", odparła.

Trzecia córka obserwowała i kochała. Pławiła się widokiem swych starszych sióstr i była jak one dwie razem wzięte i jednocześnie do żadnej z nich niepodobna. Patrzyła, powielała, naśladowała. Była ostrożna, nie popełniała błędów, bo one popełniały je za nią. Kiedy Ann ją odwiedzała, podawała herbatę z ziół rosnących w skrzynkach za jej oknami.

Jamie wydziera się co sił w płucach i wali plastikowym kubkiem w tackę zamontowaną z przodu jego wysokiego krzesełka. Annie zaczyna mu ochoczo wtórować, a tymczasem jej płatki kukurydziane rozmiękają w mleku, stając się nieapetyczne.

— Cicho bądźcie! — krzyczy Neil zza płachty swojego „Scotsmana".

Dzieci ignorują go. Kirsty wsuwa łyżkę płatków ryżowych do ust Jamiego, mając nadzieję, że tym jakoś zagłuszy ten hałas.

— Zjedz śniadanie, Annie, bo inaczej spóźnisz się do przedszkola.

— Nienawidzę przedszkola.

— Nieprawda. W zeszłym tygodniu mówiłaś, że je lubisz.

— Dzisiaj go nienawidzę.

— Jeszcze tam nie byłaś, więc skąd wiesz, że go nienawidzisz?

– Bo tak. – Annie majta łyżką w talerzu, sprawiając, że mleko wiruje przy brzegu.

– Nie baw się, tylko jedz – mówi Kirsty. Jamie wybiera ten właśnie moment, by wypluć ryż, opryskując przy okazji bluzkę Kirsty. – Jasna cholera! – krzyczy Kirsty, zrywając się po ścierkę.

– Mama przeklina! Mama przeklina!

Neil wyłania się zza gazety.

– Zjedz to natychmiast, moja panno! – grzmi na Annie.

– Nie będę jadła, nie lubię tego! – krzyczy.

Neil uderza ją w rękę.

– Rób, co mówię!

Annie zaczyna krzyczeć wniebogłosy. W tle awantury Kirsty słyszy dźwięk telefonu.

– Ja odbiorę. – Podnosi słuchawkę, drugą ręką otrzepując bluzkę. – Halo?

– Kirsty, tu tato.

– A cześć! Słuchaj, mogę do ciebie oddzwonić? Mamy akurat porę karmienia w naszym zoo i jak pewnie słyszysz, sprawy wyrwały się spod kontroli.

– Przykro mi, ale mam złe wieści.

Kirsty odwraca się plecami do kuchni i zaciska słuchawkę w obu dłoniach.

– Co ty mówisz? Coś z mamą? Co się stało?

– Z mamą wszystko w porządku. Jest tu ze mną. Chodzi o Alice.

– Alice?

– Samochód ją potrącił. Jest w śpiączce.

– Co? Ale kiedy?

W kuchni zapada nagle martwa cisza. Annie trzyma łyżkę przy piersi, wpatrując się z otwartymi ustami w swoją matkę. Neil podchodzi i staje za plecami Kirsty, przysłuchując się. Jamie, wyczuwając zmianę na gorsze w atmosferze, zaczyna pochlipywać.

Ben słucha, jak jego córka łka do telefonu. Ann to wchodzi do pokoju, to wychodzi, pakując rzeczy do walizek.

– To się stało wczoraj wieczorem. Zadzwonili do nas dzisiaj, wczesnym rankiem. Jakoś nie wydawało się sensowne, żeby budzić was wszystkich.

– Ale, ale... nic nie rozumiem. Przecież widziałam ją nie dalej jak wczoraj.

– Wczoraj?

– Tak. Przyjechała pociągiem do Edynburga. Zupełnie niespodzianie. Beth i ja wyszłyśmy po nią na dworzec. Wydawało się, że jest w dobrym stanie. Przynajmniej na początku. Ale potem zrobiła się jakaś dziwna i powiedziała, że musi wyjechać. I zwyczajnie wsiadła do pociągu i odjechała.

– Naprawdę?

– O mój Boże, o mój Boże, to takie okropne. Nie potrafię w to uwierzyć.

– Wiem, kochanie, wiem – mówi Ben. – Twoja matka i ja jedziemy tam dzisiaj. Pytałem, czy można ją przewieźć do szpitala w Edynburgu, ale powiedzieli, że żadnym sposobem nie wolno jej ruszać. – Głos Bena załamuje się po raz pierwszy. Następuje chwila milczenia, podczas której próbuje się pozbierać. Wie, że Kirsty zmartwi się jeszcze bardziej, jeśli on sam będzie płakał. – Chodzi jeszcze o to, że musimy się skontaktować z Beth.

– Że co? Nie rozumiem?

– No więc dzwoniłem dzisiaj z automatu do jej akademika, ale jej tam chyba nie było. A wolałbym nie zostawiać wiadomości, że stało się... coś takiego.

– Oczywiście, oczywiście.

– Z nią czasami tak trudno się skontaktować.

Neil odbiera słuchawkę z rąk Kirsty.

– O to się nie martw, Ben. Ty i Ann jedźcie tam. Sprawę z Beth ja załatwię.

– To miło z twojej strony, Neil. Idziemy teraz łapać jakiś pociąg. Wieczorem znowu do was zadzwonię.

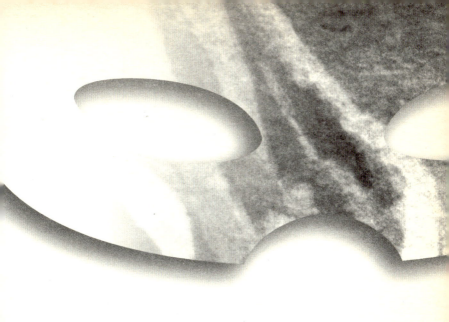

CZĘŚĆ DRUGA

Słońce wypala mgłę i odsłania skupiska skał, które wystają w odstępach z piasku. Na plaży jest zgromadzona moja rodzina, w dziwacznym, asymetrycznym składzie — starsza siostra wyjechała do college'u, razem z człowiekiem, którego kiedyś poślubi, babcia jest w odwiedzinach u przyjaciół w Glasgow, a nam za to towarzyszy Mario.

Wyjechałam, nic mu nie mówiąc, nie podałam żadnego wytłumaczenia rodzicom, dlaczego przyjechałam do domu tydzień przed zakończeniem semestru. Mario zjawił się na naszym progu już następnego dnia — użył swojego wdzięku i wydobył adres od kierowniczki akademika. Moi bliscy przyjęli jego przyjazd z niespodziewaną i bezprecedensową jednomyślnością i oto jesteśmy tutaj, na plaży Gullane, udając szczęśliwą rodzinę.

Matka zagnieździła się obok jednej ze skał, z egzemplarzem „Scotsman on Sunday", który chroni jej spódnicę od wody przesiąkającej przez piasek. Jest otoczona pierścieniem złożonym z jej czarnej torebki z wężowej skóry, butów ze sznurowadłami zatkniętymi pod język, książki ojca o morskich ptakach oraz kilku pudełek z białego plastiku, w których schowany jest piknik przygotowany zawczasu przeze mnie i Beth. Tuż obok matki, na leżaku, śpi z otwartymi ustami mój ojciec.

Beth skręca sobie włosy w jedwabiste, lniane zwoje i przycina rozdwojone końcówki nożyczkami do paznokci, które wyłowiła z torebki matki. Nożyczki rzucają w słońcu błyski, a ona rzuca w stronę Maria długie, ukośne spojrzenia, gdy tymczasem on metodycznie pochłania kanapki, które wyjmuje z pudełek stojących obok matki. Je z pełną skupienia powagą, jego szczęki otwierają się gwałtownie i gwałtownie zamykają. Nic nie mówi. Jego oczy omiatają powoli odsłaniający się horyzont. Za jakieś dwie godziny powiem mu, że już więcej nie chcę go widzieć, i potem wróci do Ameryki. Ale tego jeszcze nie wiemy. W danym momencie jest tylko ta plaża i mewy skrzeczące nad naszymi głowami.

Sińce na moich udach i biodrach zżółkły i dopiero co przestałam krwawić. Nad moją lewą piersią wciąż widać czerwony, owalny ślad po ugryzieniu, wżarty głęboko w skórę. Próbuję go usunąć, co wieczór smarując kwaskowato pachnącym wywarem z oczaru, ale czerwień nie chce zblednąć. Myślę akurat o tym, kiedy zauważam, że matka mi się przygląda. Odwracam wzrok.

Ojciec budzi się i pyta matkę, która godzina. Ta ignoruje go i sięga po gazetę, którą najpierw składa w schludny kwadrat i dopiero wtedy zabiera się do czytania.

– Wystarczy ci jedzenia, Mario? – pyta matka, w sposób tak kąśliwy, że aż podnoszę głowę. Jest zafascynowana jego imieniem i nie potrafi go wymówić tak, by się nie wykrzywiać. Mario kiwa głową, z ustami pełnymi jedzenia i podnosi kciuk w górę na znak, że wszystko dobrze. Beth chichocze. Ja wstaję.

– Idziemy popływać? – pytam Beth.

Zrywa się z piasku i pomaga mi rozpiąć zamek przy sukience. Zaczynamy się wyplątywać z naszych ubrań i ciskamy je na nieporządną stertę – pod spodem mamy kostiumy kąpielowe. Mój jest czarny, jej biały w niebieskie paski. Poprawiam ramiączka, przyklepując elastyczną tkaninę do ciała. Widzę, że matka przygląda się sińcom na moich nogach, że traci panowanie nad twarzą z zakłopotania. Odwracam się.

– Gonisz!

Biegniemy razem w stronę morza, pozostawiając Maria razem z rodzicami. Ziarna piasku wbijają się boleśnie w miękkie fragmenty moich stóp. Biegnąca za mną Beth krzyczy, żebym zwolniła.

Zatrzymuję się tuż przed skrajem wody, oszołomiona, zadyszana: pełno tu meduz, których lepkie ciała pulsują niczym żywe serca, których sznurkowate macki tylko czekają, żeby się wczepiać i parzyć. Nie ma nawet kawałka morza wolnego od tej rozedrganej, kleistej masy, która wydaje się taka wroga, jakby te stwory generowały się spontanicznie z jej składników.

— Ja tu nie wchodzę — mówi Beth i dźga jedną meduzę patykiem. Meduza skręca się z szoku, wciąga swoje macki i wystrzeliwuje je z powrotem z zaskakującą prędkością. Chwytam siostrę i udaję, że wpycham ją do morza. Beth wydaje przeraźliwy wrzask, a potem zaśmiewając się, wyrywa z moich objęć, a ja momentalnie zostaję oślepiona jej włosami, którymi wiatr okleja mi twarz.

Kładziemy się na brzuchu w płytkim zagłębieniu, wycinamy nogami kręgi w piasku. Wspieram podbródek na dłoniach. Po plaży powoli przetaczają się ostatnie opary mgły. Beth nawija pasma włosów na palec i pogwizduje. Czuję, że chcę jej coś powiedzieć, coś, co na mnie ciąży, ale kiedy otwieram usta, żeby przemówić, dociera do mnie, że właściwie nie wiem, co to takiego. Mija nas pędem jakiś pies, z pyska powiewa mu czerwony, bezwładny jęzor. Przelotnie mierzy nas spojrzeniem, ale galopuje dalej, zbyt czymś zaabsorbowany, żeby się zatrzymać.

— Juuuuu-huuuuuu!

Głos naszej matki przedziera się do nas poprzez krzyki ptaków. Wykręcam szyję i zerkam pod pachą, by zobaczyć, że biegnie tak, jak biegają wyłącznie kobiety w jej wieku — niezdarnie i skromnie, cały czas łącząc kolana, jakby jednak wolała iść, a nie biec. Wymachuje aparatem fotograficznym. Beth i ja uśmiechamy się posłusznie do słońca, kiedy rozlega się kliknięcie migawki. To zdjęcie będzie wisiało u mnie na ścianie aż do ostatniego roku w college'u, kiedy to urządzę imprezę, podczas której zniknie, być może zadeptane na podłodze razem z niedopałkami papierosów albo ukradzione przez kogoś, komu się spodobałyśmy.

Ojciec dołącza do nas pospiesznie, nie chcąc zostawać sam na sam z Mariem. Mario wlecze się z tyłu. Zdjął koszulę i napręża mięśnie ramion. Jeśli nie będę go dopuszczać w pole mojego widzenia, to uda mi się wmówić sobie, niemal skutecznie, że jego tu nie ma. Po wydmach wieńczących plażę toczy się na wietrze gazeta matki.

– Idziesz pływać czy nie? – Mario patrzy na mnie twardym wzrokiem.

Wstaję. Mój kostium jest wilgotny, zimny i oblepiony piaskiem.

– Za dużo meduz – mówi mu Beth.

Mario zaciska dłoń na moim nadgarstku i biegnie w stronę morza, wlokąc mnie za sobą, a ja czuję, jak kości przegubu trzeszczą i uginają się pod jego naciskiem. Kaskady wody wytryskują spod moich łomoczących stóp, meduzy wirują we wzburzonej wodzie i słyszę czyjś krzyk, ale to nie mewy tak krzyczą. Nagle Mario zatrzymuje się jak wryty, a ja czuję bryzgi lodowatej wody na piersiach i jego ręce na ramionach, zmuszające mnie do przysiadu. Z ugiętymi kolanami patrzę, jak tafla wody zamyka mi się nad głową. Wyrywam się i miotam w jego uścisku, na oślep okładając go pięściami, połykając wielkie hausty gorzkiej wody. Piecze mnie skóra, przestraszona niespodziewaną chłostą macek meduz. Dotyk jego palców rezonuje drżeniem śmiechu. I nagle odzyskuję wolność. Moja głowa szybuje w górę, przebija powierzchnię wody i wtedy zalewa mnie blask słońca. Uszy wypełnia mi ryk plaży; łykam łapczywie powietrze, krztusząc się i kaszląc. Ocieram oczy z wody rozdygotanymi dłońmi i patrzymy na siebie przez ułamek sekundy, po czym znowu zostaję wepchnięta w milczenie morza. Tym razem trzymam usta zamknięte. Woda huśta się razem ze światłem, a jego palce odciskają małe, owalne sińce na moich ramionach. Tuż pod powierzchnią wody wiszą całe gromady meduz, podobnych do spadochronów. Dalej, na brzegu, widzę sylwetki moich rodziców, dalekie i rozmazane.

Wiem, gdzie jestem. Wiem więcej, niż im się wydaje. Ktoś oficjalnym głosem powiedział dzisiaj, blisko mojego ucha: „Może odzyska świadomość, może nie. To loteria". Loteria. Bardzo śmieszne.

Dzisiaj nie daje mi spokoju podanie o królu Kanucie. (Powiedziałam „dzisiaj" z nawyku – nie mam pojęcia, czy to noc czy dzień ani jak długo tu jestem. Najdziwniejsze jest to, że czasem trudno mi sobie przypomnieć nazwy rzeczy. Wczoraj, czy kiedykolwiek to było, zapomniałam, jak się nazywa ta drewniana konstrukcja, która służy do siedzenia i ma cztery nogi. Przetrząsnęłam pamięć i stwierdziłam, że pamiętam teorię semiotyki de Saussure'a, spore fragmenty *Króla Leara* i przepis na „pieczoną alaskę", ale tego słowa za nic nie mogłam sobie przypomnieć.) Ale mówiłam o królu Kanucie. Otóż zgodnie z tym podaniem był oczywiście przywódcą aroganckim i despotycznym, który uważał, że jest w stanie rządzić dosłownie wszystkim – nawet przypływami i odpływami morza. Wyobrażamy go sobie na plaży, w otoczeniu poddanych, z berłem w ręku, jak wydaje rozkazy beztroskim falom; mówiąc w skrócie, robi z siebie durnia. A jeśli zrozumieliśmy wszystko na opak? A jeśli w rzeczywistości był królem tak dobrym i tak potężnym, że jego lud zaczął go wynosić do statusu boga i uwierzył, że Kanut jest zdolny do wszystkiego? I dlatego Kanut, chcąc im udowodnić, że jest zwykłym śmiertelnikiem, zabrał ich na plażę i kazał falom się cofnąć, a te oczywiście nadal wylewały się na plażę. Jakie by to było okropne, gdybyśmy tak się pomylili, gdybyśmy przez tak wiele, wiele lat błędnie odczytywali jego czyny.

Może nie powinnam wracać, może tak byłoby lepiej. Ale jeśli nie wrócę, to nigdy niczego się nie dowiem, nigdy nie zadam nikomu żadnych pytań. Tylko czy naprawdę chcę znać odpowiedzi?

– Zechce pan chwilę poczekać? – Susannah nakryła słuchawkę ręką. – Alice, to jakiś namolny dziennikarz. Pogadasz z nim? Mam dzisiaj tysiąc rzeczy do zrobienia i nie trzeba mi jeszcze tego.

Alice, która właśnie stała na szczycie aluminiowej drabinki z naręczem książek, wepchnęła te książki byle jak na półkę. Fundacja Wspierania Literatury przechodziła wielki kryzys: nie dość, że przeprowadzali się właśnie z zimnego, za dużego jak na ich potrzeby, walącego się budynku w stylu georgiańskim w Pimlico do ciasnej kamieniczki w Covent Garden, to jeszcze dowiedzieli się poprzedniego dnia, że ich główny sponsor wstrzymał im grant i wyrzucił ich dyrektora. Nowy dyrektor został już mianowany i następnego dnia zaczynał urzędowanie. Alice i Susannah, które jeszcze nie do końca pogodziły się z tymi wieściami, musiały się zająć rozpakowywaniem pudeł z Pimlico.

— No nie! — jęknęła Alice — Sępy już krążą! Czego on chce? Powiedział? — Wytarła dłonie o swój kombinezon roboczy, pozostawiając na nogach grube smugi kurzu.

— Nie. Chciał rozmawiać z biurem prasowym.

— Z biurem prasowym? — powtórzyła Alice. — Za kogo on nas uważa? Zechcesz go spytać, o co tu chodzi? Może mogłabym oddzwonić do niego.

Susannah wróciła na linię.

— Przepraszam, że tak długo pana trzymałam. Nasze biuro prasowe jest w tej chwili wyjątkowo zabiegane... Tak, stoi na drabinie... Tak... A mogę spytać, w jakiej sprawie? — Susannah zrobiła minę na użytek Alice, gdy tymczasem głos po drugiej stronie linii brzęczał cicho, niczym pszczoła pochwycona w pułapkę. — OK. Oczywiście. Proszę poczekać. — Znowu odłożyła słuchawkę. — Alice, to John jakiś tam, korespondent... — Susannah wymieniła tytuł ogólnokrajowej gazety. — Mówi, że chce zebrać materiał na nasz temat... na temat nowego profilu Fundacji Wspierania Literatury. Dlaczego się przeprowadziliśmy, jakie są nasze plany i tak dalej, i tak dalej.

— Rozumiem — odparła Alice, kiedy już zeszła tyłem z chwiejących się stopni drabiny. — Stawiam odpowiednik mojej wagi w czekoladzie, że tylko węszy za jakimiś brudami.

Pracowałam w Fundacji Wspierania Literatury od dwóch miesięcy i uwielbiałam to. I całe szczęście, bo poza tym nic nie szło jak należy. Mieszkałam na najwyższym piętrze przebudowanej wiktoriańskiej kamienicy w Finsbury Park. Dzielnica była dość nędzna, a czynsz niski – w fundacjach tego typu nie zarabia się dużo. Dom musiał kiedyś być piękny i jego istnienie stanowiło potwierdzenie faktu, że swego czasu była to kwitnąca dzielnica. Później z jakichś powodów uległa degeneracji i wszystkie inne domy, oprócz tego jedynego ciągu przylegających do siebie dziewięciu czy dziesięciu kamienic ze schodkami, zostały zastąpione płaskimi, rozkraczonymi budynkami z lat siedemdziesiątych. Schodki wiodące do głównego wejścia wyglądały na opuszczone i zaniedbane, ot taka wyspa elegancji pośród morza brzydoty i rozkładu.

Właśnie rozstałam się z Jasonem, nauczycielem muzyki, z którym mieszkałam około roku, i przeprowadziłam się tutaj, bo nie miałam dokąd. To było pierwsze mieszkanie, jakie obejrzałam po wielu dniach studiowania ciasnych kolumn „Loot". Właściciel domu był chciwym łobuzem, który nigdy nie odpowiadał na moje telefony, kiedy zalewało mikroskopijną łazienkę albo kiedy żądałam jakichś mebli do mojego tak zwanego umeblowanego mieszkania. Przez wiele miesięcy nie miałam zasłon i ani jednego krzesła w kuchni. Przyzwyczaiłam się jeść na stojąco, wsparta plecami o głośno szumiącą lodówkę.

Żeby dojść do moich drzwi, należało pokonać trzy kondygnacje schodów. Mieszkałam na najwyższym piętrze, na którym w dawnych czasach zapewne kwaterowało się służących, teraz jednak znajdujące się tam mieszkania były odnowione, przebudowane i podzielone nie do poznania. Przez cały ten czas, kiedy tam mieszkałam, ani razu nie spotkałam żadnego z pozostałych lokatorów kamienicy. Ponieważ nie znosiłam przebywać w tym mieszkaniu, organizowałam sobie cowieczorne wypady. Wiodłam szalone życie towarzyskie: umawiałam się z przyjaciółmi w Soho czy Covent Garden albo organizowałam wieczory literackie; wracałam po północy i wyczerpana padałam na łóżko, żeby już o ósmej rano wstać i wyjść. Wiedziałam, że mieszkają tam inni ludzie, jedynie na podstawie basowych odgłosów ich muzyki, rytmów i częstotliwości ich orgazmów. I należy tu jeszcze dodać, że cały budynek stanowił śmiertelną pułapkę. Frontowe drzwi były wiecznie zaryglowane i zamknięte na podwójny zamek, przeciwko włamaniom, do których przy tej ulicy dochodziło nader często; nie było tam żadnych dróg pożarowych, a moje mieszkanie znajdowało się na wysokości stu stóp ponad ziemią. Gdyby wybuchł tam pożar, straciłabym życie, bo nie miałabym jak uciec. Kiedy tak leżałam już w łóżku, po kolejnej, nocnej wyprawie na miasto, zwykłam zastanawiać się nad ludźmi, którzy mieszkali na piętrach pode mną. Czy zaliczali się do osób tego pokroju, które palą papierosy w łóżku albo które zapalają świece i zapominają o nich, albo zostawiają omyłkowo zapalony gaz? Nie pozwalali mi zasnąć, ci lokatorzy bez twarzy i ich urojone piromaniackie wyczyny; nieodmiennie powierzałam im swoje życie.

— Dzień dobry, Alice Raikes przy telefonie. — Alice mówi to i jednocześnie bawi się biurowym spinaczem. Znajdująca się po drugiej stronie pokoju Susannah wykrzywia się szpetnie, ale Alice ją ignoruje.

— Witam panią, Alice Raikes. — Mężczyzna wydaje się zarozumiały i czymś rozbawiony; Alice już go nie lubi. — John Friedmann przy telefonie.

— Czy ja się do czegoś przydam? Podobno pisze pan o nas artykuł.

— Tak, właśnie. Rozmawia pani ze mną z drabiny czy zeszła już pani na ziemię?

— Ależ... — doświadcza ukłucia irytacji — jak pan wie, właśnie się przeprowadziliśmy.

— Tak słyszałem. Jak pani ocenia waszą nową siedzibę, Alice?

— Jest dość wygodna, dziękuję — odpowiada ze zniecierpliwieniem. — Nie wiedziałam, że pańska gazeta potrafi darzyć taką troską i zainteresowaniem. Gdybym o tym wiedziała, poprosiłabym, żeby pan tu przyszedł i pomógł nam przenosić pudła.

Mężczyzna śmieje się.

— A rzeczywiście, trzeba było.

Alice słyszy, jak szeleści swoimi papierami.

— Nie wiem, czy pani koleżanka o tym wspomniała, ale chciałbym napisać artykuł o Fundacji, o waszej przeprowadzce, waszych nowych celach i tak dalej.

— Bardzo proszę. Co w takim razie życzy sobie pan wiedzieć?

— Otóż zastanawiałem się, czy moglibyśmy omówić wasze plany na następny rok...

— OK.

— ...a także...

— Tak?

— ...czy mogłaby pani potwierdzić, że cofnięto wam grant i że wasz dyrektor dostał wymówienie.

Alice wzdycha głęboko.

— Byłam ciekawa, kiedy pan poruszy ten temat — mówi.

— Może to pani potwierdzić? Czy wasz dyrektor został wyrzucony? Jeśli tak, to dlaczego? Czy pani...

— Tacy jak pan naprawdę mnie wkurzają — wchodzi mu w słowo Alice.

— Słucham?

— Fundacja Wspierania Literatury od pięćdziesięciu lat prowadzi ogólnodostępne kampanie na rzecz wspierania twórczości literackiej. Wiedział pan o tym? Zdawał pan sobie z tego sprawę, zanim pan do mnie zadzwonił?

— Tak, wiedziałem o tym.

— Nie wierzę panu — odpowiada Alice. — Jest pan dziennikarzem specjalizującym się w twórczości literackiej, prawda?

— Tak... — mówi z wahaniem mężczyzna.

— To proszę wymienić choć jeden projekt, który realizowaliśmy w zeszłym roku. No proszę. Tylko jeden.

Po drugiej stronie zapada milczenie.

— Proszę posłuchać — mówi w końcu John — tu raczej nie o to chodzi, prawda? Chcę tylko spytać...

— Wiem, o co chce pan spytać, i nie zamierzam panu odpowiadać.

– Dlaczego?

– Ponieważ jesteśmy państwową organizacją zajmującą się wspieraniem literatury, a pan jest dziennikarzem piszącym o literaturze i nie potrafi pan nazwać ani jednego naszego dokonania. Kiedy zajmujemy się organizowaniem tak ważnych i przydatnych przedsięwzięć jak warsztaty w więzieniach i szkołach albo sprowadzamy pisarzy Commonwealthu na objazd Wielkiej Brytanii, albo organizujemy ogólnokrajowe konkursy dla debiutantów, was to w ogóle nie obchodzi. Interesujecie się dopiero wtedy, gdy coś idzie nie tak.

– Proszę posłuchać, ja rozumiem, dlaczego podchodzi pani do tego tak emocjonalnie...

– Nie sądzę, by pan to rozumiał. Nie sądzę, by pan rozumiał cokolwiek. Jeśli naprawdę chce pan zebrać materiał na temat naszych celów i działań, jak pan zaznaczył na początku, to proszę bardzo, pomogę panu. Ale jeśli dzwoni pan w poszukiwaniu brudów, to ja panu nie pomogę. Przykro mi to mówić, ale wy, dziennikarze, jesteście wszyscy tacy sami.

– Doprawdy? A w jakim sensie?

– Po prostu rozdmuchujecie skandale, wszyscy bez wyjątku, czy to z brukowców, czy to z poważnych gazet; wszyscy postępujecie tak samo. Tak bardzo by się przydało, gdyby znalazł się ktoś ze świeżym spojrzeniem. Albo gdyby ktoś rzeczywiście się przejął tym, czym się zajmuje Fundacja Wspierania Literatury albo czym w ogóle zajmuje się literatura, zamiast dzwonić do mnie z łatwymi do przewidzenia pytaniami o rzeczy, które na dłuższą metę nie mają żadnego znaczenia... – Urywa. Brakuje jej tchu.

– Rozumiem – mówi John. – Świeże spojrzenie. Czyli jakie?

– Gdybym chciała być dziennikarką, pracowałabym w jakiejś gazecie. Ja nie napiszę pańskiego artykułu za pana. To od pana zależy, jakie to będzie spojrzenie. Ja jestem tutaj, by odpowiadać na pytania, przewidywalne albo nie.

Następuje zatrważająca cisza, zarówno po drugiej stronie linii, jak i w biurze. Dociera do niej, że wszyscy na nią patrzą wstrząśnięci, więc odwraca się od nich, stając twarzą do ściany.

– No tak. Tak. Rozumiem. Ma pani absolutną rację.

– A mam – odpowiada bezlitosnym tonem Alice. – I nie udzielę panu wywiadu, jeśli panu nie będzie się chciało zebrać tego materiału samodzielnie.

Znowu milczenie. Słyszy, że mężczyzna wypuszcza oddech.

– No tak, no tak... – Zawiesza głos. Alice czeka. – Mhm... w takim razie... oddzwonię do pani. OK?

– OK. – Odwiesza słuchawkę.

– No i pięknie – mówi Susannah, przeglądając swój pojemnik ze sprawami do załatwienia na biurku po drugiej stronie pokoju – facet zastanowi się dwa razy, zanim znowu do nas zadzwoni. A jaki on właściwie był?

– Kompletny dupek.

Tego dnia Alice czuła w żołądku znajomy węzeł irytacji, mocno zaciągnięty i obrzmiały. Gdyby spróbowała go rozplątać, pękłby i poharatał jej paznokcie. Nie podobała się sobie.

Za nic nie umiała zrozumieć – i nigdy jej się to nie uda, jak się z czasem przekona – skąd ta niestałość uczuć u ludzi: że jednego dnia cię lubili, a już następnego, z powodu czegoś tak przypadkowego, jak na przykład przyznanie się nauczycielowi, że hodujesz na parapecie rzeżuchę na mokrej ligninie, wypadało się z łask.

Od morza nadchodziła gęsta mgła. Zaległa ciężko nad miastem i powoli posuwała się dalej, w górę zbocza, aż do budynku szkoły. Na dziedzińcu panował ziąb, nad wszystkim wisiała mżawka. Law, po prawej stronie budynku szkoły, wydawało się ogromne i ciemne, jego szczyt był ukryty w oparach mgły. Alice bardzo się starała nie oglądać w stronę miejsca, gdzie jej przyjaciółka – jej była przyjaciółka – Emma skakała na skakance z czterema czy pięcioma innymi koleżankami. Skakanka z każdą chwilą robiła się coraz bardziej mokra; trzaskała o wilgotny beton i przy każdym takim uderzeniu wzniecała fontannę, która moczyła włosy skaczących. Emma skakała w górę i w dół, idealnie dostrojona do ruchów skakanki, nie zwracając uwagi na opadające kolanówki.

– Nie możesz się z nami bawić – oświadczyła, nosowym głosem wyrażającym pogardę, że Alice w ogóle ośmieliła się zapytać. A teraz razem z innymi śpiewała: „Koniczyno zielona, koniczyno zielona, urosłaś taka bujna, czemuż mój najmilszy, czemuż umrzeć musiał?"

Alice rozejrzała się w poszukiwaniu Kirsty i Beth. Zazwyczaj znajdowała je bez trudu, bo jaskrawe, białe złoto ich włosów lśniło pośród głów innych dzieci. Zauważyła Kirsty, wspartą o mur okalający boisko, pogrążoną w rozmowie z parą swoich koleżanek. Beth była przy piaskownicy; z wyższością beształa małą, przestraszoną dziewczynkę, która ośmieliła się rzucić garść mokrego piasku w powietrze.

Alice miała w kieszeni schowany rybi łeb, owinięty starannie w sztywny, lśniący, przezroczysty papier. Wzdrygnęła się na myśl o płynach wyciekających z surowej, mokrej rany po amputacji, tworzących ciemną plamę na jej wełnianym płaszczyku. Wystarczyło ścisnąć policzki i ryba otwierała pysk. Miała wąski język, szary, pokryty siwym nalotem. Za to te oczy – rybie oczy! – takie idealnie okrągłe, lśniące, srebrne kulki. Obracały się dookoła w tych oczodołach. Sprawdziła własne oczy – też się potrafiły tak obrócić? Po jej lewej ręce stał ginący w cieniu masyw budynku szkoły, po prawej był mur; przed nią, na zalanym deszczem boisku, obok szopy z dachem wspartym na szerokich przęsłach pląsały sylwetki innych dzieci. Bardzo żałowała, że nie ma takich srebrnych oczu.

Naciągnęła sobie kaptur na oczy i usta, przez co kołnierz płaszcza zawisł na szczycie jej głowy, a sam kaptur zadyndał niczym torba pod brodą. Szkoła, szopa, sylwetki, wszystko zniknęło. Słyszała ich odgłosy jakby przez wodę – z daleka i zniekształcone. Była teraz tylko ona i ryba, samotne w płynnym mroku.

Pięć minut później znowu dzwoni telefon.

– Pomyliłam się! Pomyliłam się! – krzyczy Susannah i macha słuchawką w stronę Alice. – To ten dziennikarz!

Alice wydaje głośny jęk i przejmuje słuchawkę.

– Halo? John? Proszę nie mówić: znalazł pan wszystko, co chciał pan wiedzieć o literaturze i Fundacji, przez pięć minut. Nie posiadam się z wrażenia. Zawsze pan jest taki szybki? – Alice zdaje sobie nagle sprawę z tej niezamierzonej dwuznaczności i czuje rumieniec na twarzy, co rzadko się jej zdarza. W duchu zanosi gorące modły dziękczynne za to, że on jej nie widzi.

– Szybki czy nie... – I tu śmieje się, sukinsyn. – ...mam dla pani, Alice, propozycję.

– Jaką?

– Odrobię lekcję na temat Fundacji, pod warunkiem że pani udzieli mi wywiadu nie telefonicznie, tylko osobiście.

Alice milczy przez chwilę, a potem pyta:

– Gdzie?

– W siedzibie Fundacji. A ma pani jakiś inny pomysł?

Alice czuje, że jej twarz znowu robi się gorąca. A niech go jasny szlag.

– Tu teraz panuje niesamowity bałagan. Nie odważyłabym się zapraszać kogoś takiego jak pan. Pełno tu kartonów i wszystko jest okryte kurzem. Ale proszę posłuchać, jutro i tak muszę być w Docklands. Mogłabym wpaść do pańskiej redakcji. To Canary Wharf, prawda?

– Dokładnie tak. No cóż, byłbym zachwycony. Która godzina pani odpowiada?

– Aktualnie mam mnóstwo zajęć... Może w porze lunchu? Moglibyśmy coś zjeść i jednocześnie pogadać.

– Zawsze mi wpajano, że tak jest nietaktownie.

– Mnie brak taktu w niczym nie przeszkadza.

– Czyżby?

Na litość boską, mówi sobie Alice, to już się robi idiotyczne, natychmiast to przerwij.

– W porządku – warczy niemalże. – W takim razie do zobaczenia jutro, o pierwszej – rzuca i odkłada słuchawkę, nie czekając na odpowiedź.

Ann i Ben biorą taksówkę z dworca. Przeprawa przez miasto nie przebiega gładko, taksówka z początku jedzie szybko, po chrzęszczącym asfalcie, potem trafiają na korek, w którym tkwią, jak się zdaje, całe wieki; silnik pracuje na jałowym biegu, tylna część taksówki wypełnia się kwaśnymi wyziewami, czerwony taksometr tyka. Ann siedzi wyprostowana, tak sztywno, że pod skórą jej szyi odznaczają się wyraźnie ścięgna, i wygląda przez szybę samochodu takim wzrokiem, jakby chciała zlikwidować korek telepatycznie. Ben wierci się na skórzanym siedzeniu, w garniturze, który pogniótł się cały podczas jazdy pociągiem. Rzadko przyjeżdża do Londynu i zawsze zapomina, że to miasto wydaje mu się takie krzykliwe. Wystawia głowę za okno, chcąc zobaczyć, co tarasuje jezdnię, i momentalnie razi go w oczy jednolity, białawy blask bijący od ulicy. Słońce, znacznie tutaj cieplejsze niż w Szkocji, wydaje się wyjątkowo agresywne, obrysowuje ludzi, sprawia, że barwy ich ubrań krzyczą, i Ben ma wrażenie, że to ciężkie powietrze otaczające jego głowę wrze. Mija ich pędem rowerzysta, z twarzą zamazaną pod maską zanieczyszczenia i kasku z lusterkiem; opony roweru chrzęszczą, kiedy lawiruje między unieruchomionymi samochodami. Ben cofa głowę do wnętrza taksówki i zasuwa szybę. Nigdy nie zrozumie, dlaczego Alice wolała wyjechać ze Szkocji i zamieszkać tutaj.

Należało jechać metrem. Niewykluczone, że byłoby szybciej. Ale z kolei metro jest zarówno dla niego, jak i dla Ann czymś strasznym: piekielną machiną, do której wsysają cię, wloką w dół tłumy i ruchome schody, z której wypluwają cię na poczerniałe perony, gdzie z przerażającą prędkością przyjeżdżają i odjeżdżają pociągi: jeśli chcesz znaleźć tu drogę, musi ci starczyć plan stworzony z poplątanych, kolorowych kresek i obco brzmiących nazw. W kieszonce na piersi ma adres szpitala i nazwisko lekarza. Podyktowano mu to przez telefon tego ranka. Wkłada dłoń do tej kieszonki i słucha szelestu papieru, by dodać sobie pewności, i akurat wtedy taksówce udaje się przecisnąć na sąsiedni pas jezdni.

Pędzą teraz przez ulice, prawie się nie zatrzymując. Ben nabiera przeświadczenia, że wjeżdżają na jakieś wzgórze. Z powietrza odrywają się i wlatują do wnętrza samochodu strzępki okrzyków, rozmów, muzyki i klaksonów. I zmieniają się widoki – podrzędne ulice z okolic King's Cross ustępują miejsca wielkim domostwom z epoki edwardiańskiej, z poręczami, drzewami i lśniącymi samochodami parkującymi od frontu. Ben nie ma pojęcia, gdzie się znajdują. Jego wiedza o Londynie ogranicza się do dwóch miejsc – dworca i domu Alice w Camden Town. Był raz w biurze Alice w centrum miasta i w National Gallery, która musiała być gdzieś blisko, bo poszli tam pieszo w któryś piątek, kiedy Alice skończyła już pracę. Raz, może nawet podczas tej samej wizyty, zabrała ich do parku w północnym Londynie, gdzie ludzie pływali po słonawym, porośniętym glonami jeziorze. Alice też pływała: wyraźnie zapamiętał jej ciemną głowę, lśniącą jak u foki, kołyszącą się w pewnej odległości od tego miejsca na brzegu, gdzie siedział. Nigdy nie utracił tego ojcowskiego instynktu: zawsze, gdy któraś z jego córek szła popływać, sprawdzał, czy po zanurkowaniu do wody wypłynęła potem na powierzchnię. John też pływał tamtego dnia, przypomina sobie teraz Ben, skakał ze śliskiego, drewnianego pomostu. Czy ten park jest gdzieś tu blisko? Nie rozumie, dlaczego tak jest, że te miejsca, tak oddalone od siebie zarówno pod względem geograficznym, jak i czasowym, tak bardzo do siebie pasują.

Szpital jest wielki i szary, przycupnął na wzgórzu. Jeszcze nie wysiedli z taksówki, Ben jeszcze odlicza monety na wyciągniętą

dłoń mężczyzny, a już ich dobiega stłumiony szum jego aktywności – klimatyzatory, generatory, piece. Wchodzą po stopniach,
trzymając się za ręce, tak samo jak wtedy, kiedy się dopiero
zaręczyli. Ben trzyma zwiniętą gazetę nienaturalnie wysoko
przy piersi. Ukryte w niej główki późnych żółtych róż kołyszą
się do rytmu jego kroków.

We wnętrzu szpitala wszystko jest oblepione zielonkawą łuną
sztucznego światła. Nie przypomina to szpitali, w których Ben
bywał dotąd – dość obskurnych przybytków ze złuszczonymi
płytkami na posadzkach i spłowiałą farbą na ścianach. Ten zbudowano niedawno i urządzono nowocześnie; Benowi przypomina lotnisko. Ann podchodzi do recepcji, pochylając się, by usły-
szano jej głos przez otwór w szybie z pleksiglasu. Pielęgniarka,
której płaskie londyńskie samogłoski utrudniają Benowi rozu-
mienie, prowadzi ich w głąb korytarza, a potem trafiają do obcego, tętniącego echem labiryntu oświetlonego przytłumionym
światłem. Skręcają w lewo, jeszcze raz w lewo, później w prawo
i dalej już Ben traci orientację: idzie po prostu śladem gumo-
wych żłobień podeszew pielęgniarki, które skrzypią na różowym
linoleum. Mijają ciężkie, drewniane odrzwia na niemych zawiasach, rzędy ludzi siedzących na plastikowych krzesełkach, sto-
łówkę, windy, klatki schodowe, szklany korytarz, za którym
znajduje się wyłożony płytkami zbiornik, gdzie krążą dwie pomarańczowe złote rybki, stojaki na złożone fotele na kółkach,
hałaśliwy korytarz pełen ludzi i pokrzykiwań, oddział z kolorowymi bohaterami z kreskówek namalowanymi na ścianach,
gdzie na łóżkach siedzą po turecku dzieci o pustych twarzach,
młodego mężczyznę, który trzyma papierowy kubek pod dys-
trybutorem wody i posyła baloniki powietrza do wnętrza od-
wróconej do góry dnem butli. Aż wreszcie przechodzą przez
jakieś wahadłowe drzwi. Za nimi jest cisza i pokój z dużym
oknem z jednej strony, okalającym drzewa, samochody i niebo.
I tam na łóżku leży Alice. Zapomniał, jaka ona jest wysoka: to
pierwsza myśl, jaka przychodzi Benowi do głowy. Jej ciało wydaje się długie i chude, jakby chciało zająć całą długość łóżka.

Obchodzi je dookoła i kładzie gazetowy rożek z różami na podręcznym stoliku. Podnosi wzrok, chcąc podziękować pielęgniarce za przyprowadzenie ich tutaj, ale ta jakby się gdzieś zapodziała. Ann zagryza wargę; Ben wie, że powstrzymuje się od płaczu. Ich oczy spotykają się nad łóżkiem. Do niego w tym momencie dociera, że oboje boją się ją dotknąć. Sięga prędko do jednej z dłoni Alice. Jest bezwładna, a jednak ciepła, palce są luźne i dają się uginać, nie ma w nich ani oporu, ani energii. Gdyby wypuścił tę dłoń, opadłaby sama na łóżko. Gładzi białe wgłębienie u podstawy jej czwartego palca. Ma postrzępione skórki wokół paznokci, które są przycięte równo w białe półksiężyce. Kiedy po raz ostatni trzymał swoją córkę za rękę?

Układa z powrotem tę rękę obok jej biodra, składając palce do wnętrza dłoni, i potem obchodzi łóżko, w stronę Ann, obejmuje ją ramieniem i całuje we włosy. Alice nie ma już włosów; zostały wygolone tak blisko głowy, że prześwieca przez nie biel czaszki.

— Pamiętasz, jak wróciła z Tajlandii ze swoim tatuażem? — pyta Ben. — Byliśmy tacy źli.

Ann kaszle śmiechem przez łzy.

— A ona się tym zupełnie nie przejęła.

Z ust Alice wystaje cienka, przezroczysta rurka, przymocowana do twarzy kawałkiem przylepca. Maszyna wentylująca wzdycha głęboko w regularnych odstępach. Inna, cieńsza rurka łączy ramię Alice z przezroczystą torebką zawieszoną wysoko na stojaku. Ben znowu pochyla się nad nią. Ma blade, bezkrwiste wargi. Sińce ocieniają większą część lewej połowy twarzy i jeden z oczodołów; na kości policzkowej ma zadrapanie. Ben zauważa, że przez jej powieki biegną drobniutkie fioletowe żyłki. Ukryte pod nimi oczy są nieruchome, jakby zahipnotyzowane przez jakąś wizję odciśniętą na wewnętrznej stronie powiek.

Ben i Ann, niemalże jednocześnie, sięgają po krzesła i zasiadają po przeciwnych stronach łóżka, wspierając łokcie na materacu. Łóżko jest osobliwie wysokie i Ben czuje się jak dziecko przy stole dorosłych.

— Cześć, Alice. To my — mówi, czując się nieco skrępowany,

tak jak wtedy, kiedy rozmawia z bardzo małymi, bardzo nieśmiałymi dziećmi. – Mama i ja przyszliśmy do ciebie w odwiedziny.

Ann gładzi ją po policzku.

– Niemal boję się ją dotykać, bo jeszcze mogłabym odłączyć którąś z tych maszyn – szepcze. – Myślisz, że ona wie, że tu jesteśmy?

Ben nie jest pewien, co myśli, ale z przekonaniem kiwa głową. Potem oboje patrzą znowu na córkę. Benowi przychodzi na myśl, że poświęcili tyle uwagi organizacji podróży i kwestii dostania się do szpitala, że żadne z nich tak naprawdę się nie zastanowiło, co zrobią, kiedy już tu dotrą.

Ann napełnia zlew. Woda lśni i rzuca lodowate strzałki światła na sufit. Jest czyste, jasne, świeże popołudnie – najlepsza pogoda w North Berwick. Może później przejdzie się na plażę, gdzie wiatr będzie lodowaty i ostry jak skalpel. Widoczna za oknem wyspa Craigleith odcina się wyraźnie na tle ciemnoniebieskiego nieba. Morze służy jej za wiatrowskaz; widzi je praktycznie z każdego miejsca w domu. Jego barwa i faktura zmienia się z każdą godziną; potrafi obejmować wszystko, od posępnego granatu w burzliwe dni po głęboką zieleń bezchmurnych dni w sierpniu. Ann nie dowierza prognozom pogody, ale z kolei czerpie pewien rytmiczny spokój ze słuchania prognoz dla rybaków. Wiele lat temu Ben, przekonany, że będzie tym zainteresowana, kupił jej mapę, na której były zaznaczone wszystkie te miejsca – Wyspy Owcze, Fairisle, Northutshire, Fisher, Forties, Cromarty. Nie rozumiał, że jej nie obchodzi, gdzie one są – bo, na litość boską, czemu miałoby? – że właśnie dlatego tak lubiła te prognozy, bo dla niej były kompletnie pozbawione znaczenia. Ann wzdycha. Powiesiła oczywiście tę mapę, żeby nie ranić jego uczuć. I któregoś dnia jedna z dziewczynek ją rozdarła, kiedy wparowała tylnymi drzwiami do kuchni w napadzie nastoletniej złości – prawdopodobnie Alice. No jakże, to na pewno była Alice. Ann sekretnie cieszyła się, że może ją zdjąć i poskładać, dzięki czemu w koszu na śmieci północne Hebrydy delikatnie pocałowały wyspę Wight, jedne poszarpane linie brzegowe otarły się o drugie.

Gwałtowny trzask dobiegający z pokoju na górze sprawia, że podskakuje nerwowo. Patrzy na sufit, nasłuchując kroków Elspeth. Chwila przeciąga się, jej dłoń wciąż tkwi w zimnej wodzie w zlewie. Cisza.

— Elspeth? — Jej głos brzmi dźwięcznie, akcent wciąż jest angielski mimo upływu tylu lat. — Elspeth! Jesteś tam?

Ann wyciera ręce kwiaciastą ścierką, przechodzi przez salon, wspina się po schodach. Drzwi do pokoju Elspeth są zamknięte. Wciąż zajmuje sypialnię od frontu. Ann co jakiś czas przeżywa z tego powodu napady irytacji; pokój, który zajmują ona i Ben, jest mniejszy i wychodzi na Marmion Road. Gdy człowiek wychyli się przez boczne okno, może rzeczywiście zobaczyć kwadratowy skrawek morza, ale to nic w porównaniu z długą linią horyzontu, przerywaną jedynie przez wystające skały Craigleith, Fidry i Lamb, która dominuje nad całą jedną stroną pokoju Elspeth. „Mój widok", nazywa go trochę zbytecznie Elspeth.

Ann stuka do drzwi paznokciami.

— Elspeth? Czy coś ci się stało? — Jej głos drży nieznacznie. Naciska klamkę.

Elspeth leży wyciągnięta na dywanie, z jedną ręką wyrzuconą nad głową. Jej ciało tworzy idealnie równoległą linię do linii horyzontu, który, zauważa Ann, zaczyna ciemnieć. Ann puszcza klamkę, która odskakuje z głośnym trzaskiem, podchodzi bliżej, staje nad leżącą. Jej twarz jest szara, wykrzywiona. Pozycja, w jakiej upadło jej ciało, jest dziwnie uwodzicielska, jak u gwiazdy filmowej; jedna ręka nad głową, druga udrapowana na piersi, nogi podciągnięte. Ann nachyla się. Ani śladu oddychania.

Prostuje się i wycofuje z pokoju na palcach. W połowie drogi zastanawia się, dlaczego właściwie idzie na palcach. Rozmyślnie zostawia drzwi pokoju otwarte i schodzi na dół.

W kuchni wysypuje do zlewu ubłocone ziemniaki z papierowej torby. Obijają się o siebie w wodzie i ziemia rozpuszcza się powoli, opadając na dno i tworząc błotnisty osad. Kiedy u jej boku powstaje sterta mokrych obierzyn, dociera do niej, że nie będzie potrzebowała aż tylu ziemniaków, ale nie przestaje obierać.

Później słyszy Bena, który wchodzi do domu i krzyczy: „Halo!" Ben idzie na górę, a ona słyszy szum spuszczanej wody w toalecie; kiedy ta woda płynie przez dom, on wchodzi do sypialni. Nigdy dotąd nie zauważyła, jak on ciężko stąpa. Czeka, nasłuchuje, z dłońmi wspartymi o zlew. Zapada chwilowa cisza. Skubie odstającą skórkę przy paznokciu, sięga po pilnik, ale zaraz go odkłada. I w tym momencie Ben wykrzykuje jej imię trzy razy: „Ann, Ann, Ann!", a ona czeka, z głową skierowaną w stronę drzwi, z twarzą ubraną w wyraz zlęknionego zatroskania.

Nigdy wcześniej nie byłam w Canary Wharf, choć wieżę, najwyższy budynek tej dzielnicy, oczywiście widziałam. Trudno przeoczyć taki rzucający błyski, podobny do piramidy szczyt na tle zamglonego od smogu nieba Londynu. I mimo że ta wieża nigdy mi się nie podobała, poczułam się lekko przytłoczona, kiedy stanęłam tuż pod nią i odchyliłam głowę, by przyjrzeć się tej prostej bryle szybującej ku niebu.

Przy stanowisku kontroli kazano mi wypełnić formularz, podać, skąd jestem, dlaczego tu jestem i do kogo przyszłam. Tyle razy przerabiałam w głowie ten moment, kiedy to po raz pierwszy piszę jego imię i nazwisko, kiedy mięśnie i ścięgna moich palców, dłoni, rąk i ramion spiskują ze sobą, by utworzyć krzywe, szpice, ogonki i laseczki składające się na te dwa słowa: „John Friedmann". Czy poczułam coś?

Nie wierzę w przeznaczenie. Nie wierzę w wygłuszanie swoich niepokojów systemem wiary, który mówi ci: „Nie przejmuj się. To może jest twoje życie, ale i tak nie masz nad nim kontroli. Jest coś albo ktoś, co cię strzeże – to już zostało zorganizowane". Wszystko opiera się na przypadku i wyborach, które potrafią wzbudzać znacznie większy lęk.

Wolałabym myśleć, że kiedy winda szybowała w górę, czułam, że za chwilę stanie się coś ważnego, że moje życie zaraz się odseparuje od moich oczekiwań wobec niego. Ale oczywiście niczego takiego nie czułam. Czy w ogóle to się komukolwiek zdarza? Życie jest właśnie takie okrutne – nie udziela ci żadnych wskazówek.

Alice wybija się na samą powierzchnię snu. Dzwoni telefon. Od jak dawna dzwoni? Jest dziwnie cicho, a do niej dociera, że główna droga, która biegnie za ich frontowymi drzwiami, której ryk słyszy bez udziału świadomości przez cały dzień, jest cicha i pusta. Potrafi ją sobie wyobrazić – mile wyludnionego asfaltu, wypranego z koloru przez pomarańczowe światło latarń. Telefon dzwoni i dzwoni. Wytęża słuch, by sprawdzić, czy któraś z jej współmieszkanek wykonuje jakikolwiek ruch, by go odebrać.

W chwili, w której do niej dotarł pierwszy sygnał – może nawet wcześniej – wiedziała, że to Mario. Kto inny dzwoniłby w środku nocy i tak uparcie?

To pierwszy semestr drugiego roku Alice na uniwersytecie. Wyprowadziła się z szarych korytarzy akademika do domku, który wynajęła razem z Rachel i dwiema innymi dziewczynami. To mały domek, bez centralnego ogrzewania, z wąskimi i chwiejnymi schodami, za kuchnię służy im elektryczna kuchenka w kącie głównego pokoju. Jednak one go lubią. Bo smakuje wolnością i niezależnością, bo daje do zrozumienia, że poza egzaminami, rodzicami i zasadami jest jeszcze jakieś życie. Odwiedzają ich znajomi, którzy wciąż jeszcze mieszkają w akademiku, siadają na niedopasowanych fotelach i patrzą, jak Alice lub któraś z pozostałych gotuje makaron na maleńkim białym kwadracie kuchenki.

W nagłym przypływie zdecydowania (unikała jego telefonów przez wiele tygodni i pozostałe dziewczyny nabrały dużej wprawy w okłamywaniu go na temat miejsca jej pobytu) odrzuca kołdrę i wyskakuje z łóżka – materaca rozłożonego na podłodze. Uderza ją fala chłodu i ma wrażenie, że weszła do tunelu aerodynamicznego. Zbiega na dół bosymi stopami i chwyta słuchawkę. Milczenie. Sama też nic nie mówi.

– Alice?

– Mario, wiesz, która godzina?

Z linią coś się dzieje. Druty pokrzyżowały się niczym chromosomy i Alice słyszy echo swojego głosu, niepokojąco blisko własnego ucha.

— Cholera jasna, wiem, misiu, po prostu musiałem zadzwonić. Obudziłem cię?

— Ażebyś, kurwa, wiedział. Czego chcesz?

— Wiesz, czego chcę.

— Już ci mówiłam, Mario. To koniec. Masz przestać do mnie dzwonić.

Odbicie jej głosu, kiedy do niej wraca, wydaje się cienkie i lękliwe. Zezłoszczona potrząsa słuchawką.

— Kiedy ja wiem, że wcale tak nie myślisz. Przecież to się da jakoś naprawić, uwierz mi. Sam rozumiem, że to trudne, bo jesteśmy tak daleko od siebie. Dlatego przyjedziesz na Gwiazdkę do mnie, do Stanów. Ja funduję. Po prostu musimy się zobaczyć i pogadać.

Alice wpatruje się w dywan w jaskrawe wzory i odmienia możliwości — nie kocham cię, nie pokocham cię, nigdy cię nie kochałam.

— Nie.

— Co znaczy „nie"? Alice, nie mogę bez ciebie żyć. Kocham cię. Tak bardzo cię kocham.

Mario zaczyna płakać. A jej przychodzi na myśl, że te pochlipywania i jęki dochodzące z telefonu są jakby obsceniczne; z zainteresowaniem zauważa, że jego płacz nie robi na niej żadnego wrażenia. To, co przydarzyło się jej z Mariem, wydaje się teraz takie dalekie, jak coś, o czym czytała albo słyszała — to nie była ona. Ledwie pamięta, jak on wygląda. W ogóle nie potrafi przywołać żadnych wspomnień — zastraszający rozmiar jego sylwetki, kiedy był blisko niej, tak, ale niewiele więcej; nie jego zapach ani ciężar, ani dłonie, nic.

Jego płacz osiąga crescendo, z którego Mario, jako aktor, powinien być dumny. Alice siedzi na oparciu fotela, dygocząc w cienkiej piżamie. Żałuje teraz, że przed zejściem na dół nie włożyła skarpetek.

— Mario. To się musi skończyć. Mówię poważnie. Między nami wszystko skończone. Musisz to przyjąć do wiadomości i zacząć żyć własnym życiem.

– Nie mogę! – Mario krzyczy teraz, zupełnie się zatracając. – Ja ciebie potrzebuję!

Alice wzdycha gniewnie.

– Nie, to nieprawda. Zapomnij o wszystkim, Mario, to koniec. Po prostu zostaw mnie w spokoju. Nie chcę więcej z tobą rozmawiać. Jestem naprawdę zmęczona, bardzo zmarznięta i teraz już wracam do łóżka.

– To niemożliwe. Nie zgadzam się. Nie wolno ci mówić, że to koniec.

– Mario... po prostu... po prostu się odwal.

Z Ameryki napływa oszołomiona cisza.

– Odwal się? Powiedziałaś, że mam się odwalić?

– Tak, tak powiedziałam i powtarzam to raz jeszcze. Odwal się. – Alice trzaska słuchawką.

John podnosi głowę, słysząc pukanie do szklanych drzwi jego gabinetu. Na progu stoi młoda kobieta z bardzo długimi, ciemnymi włosami kołyszącymi się delikatnie na plecach. Przyciska do piersi książkę.

– Dzień dobry. Szukam Johna Friedmanna.

– To ja – mówi John. – Alice? Proszę, niech pani wejdzie.

Dziewczyna wchodzi do środka i zamiast usiąść na krześle, które jej wskazuje, staje przy oknie. Jest z lekka oszołomiony: spodziewał się nieciekawej z wyglądu, poważnej intelektualistki w okularach i rozwłóczonej, długiej spódnicy, toteż jest nieco wytrącony z równowagi widokiem tej wysokiej, uderzająco pięknej kobiety w spódniczce mini, botkach do kolan i rajstopach w czarno-zielone paski.

– Niesamowity widok.

– A prawda. To jedyna rekompensata za pracę w tym przebrzydłym miejscu. – Jest też odrobinę zbity z tropu tym, że ona niejasno mu kogoś przypomina: jest wręcz przekonany, że już ją gdzieś kiedyś widział, ale nie potrafi jej umiejscowić. To w jakiś sposób odbiera mu przewagę. Tamta dość agresywna wymiana zdań przez telefon wydaje się teraz nierealna. – Wczoraj pojawiła się tu niesamowita tęcza – zdaje się zaraz po naszej rozmowie – nad całym wschodnim Londynem. – Robi w powietrzu łuk naśladujący krzywą tęczy. – Utrzymywała się całe wieki. Bardzo często można je stąd oglądać. To pewnie przez tę wysokość.

– W takim razie garniec ze złotem jest ukryty gdzieś w Leytonstone. – Alice patrzy teraz na niego.

Czy to jest uwodzicielskie spojrzenie? Nie. Ona go wyraźnie szacuje. Ma ciemne oczy, równie ciemne jak włosy, z bursztynowymi plamkami dookoła źrenic. John z wysiłkiem odwraca wzrok i kroczy mężnie w stronę biurka. Co z nim, do diabła? Atrakcyjna kobieta wchodzi do jego gabinetu, a on od razu topi się jak masło?

– Nie wygląda pani jak ktoś, kto mógłby pracować w Fundacji Wspierania Literatury. – Liczy, że ona się roześmieje. Nie śmieje się.

– A jak według pana mają wyglądać ludzie, którzy mogliby pracować w Fundacji Wspierania Literatury?

– Właściwie to nie wiem. – Uchyla się od odpowiedzi, czym jeszcze bardziej ją złości.

– A właśnie, że pan wie. Pana zdaniem my wszyscy reprezentujemy typ zakurzonego pracownika naukowego w okularach. Czemu się do tego nie przyznać, skoro pan tak myśli?

– Nie! Wcale tak nie myślę. – Udaje, że jest zaabsorbowany zapisywaniem tekstu, który jest wyświetlony na ekranie jego komputera. Alice tymczasem siada naprzeciwko niego. – A zresztą – dodaje mało przekonująco – pani sama ma, zdaje się, równie krytyczne zdanie na temat dziennikarzy. Pani uważa, że wszyscy piszemy różne wersje tych samych z góry wyrobionych sądów.

Alice obraca głowę na bok i mruży oczy. Jakie one piękne. I ta cudowna szyja. Na litość boską, facet, weź się w garść.

– Z chęcią dam się przekonać, że jest inaczej. I na tym właśnie polega różnica między nami.

Jej słowa zawisają w powietrzu. Słychać szum twardego dysku komputera. Patrzą sobie w oczy. Johnowi przychodzi na myśl, że nigdy w życiu słowo „nami" nie podobało mu się bardziej, i owłada nim przyprawiająca o zawrót głowy wizja, w której nad nimi krąży wszechobecna kamera filmowa; wydaje się teraz, że Canary Wharf, a właściwie cały Londyn zupełnie opustoszał, wyjąwszy to wnętrze, gdzie oni dwoje siedzą naprzeciwko siebie. Przypomina mu się jeden z wierszy Johna Donne'a. Jak to było? Że miłość sprawia, że najmniejsza izdebka staje się wszystkim? Jest wszędzie?

Alice patrzy na niego z lekkim przestrachem. Czy przypadkiem nie zagapił się na nią jak głupi? Nerwowo szuka w myślach czegoś, co mógłby powiedzieć, i w przypływie boskiego natchnienia natrafia wzrokiem na książkę, z którą tu przyszła. Położyła ją przed sobą na biurku i częściowo teraz zakrywa dłonią okładkę. I tak widzi tytuł. *Wyznania usprawiedliwionego grzesznika przez niego samego spisane.*

– Widzę, że jakiś ciężki kaliber.

Alice uśmiecha się po raz pierwszy.

– Chyba tak. Nie mogłabym żadną miarą powiedzieć o sobie, że mam jakąś ulubioną książkę, ale tę czytałam wiele razy. Chciałam w niej czegoś poszukać, więc zabrałam ją z sobą na podróż metrem. – Podaje mu książkę. Na okładce zamieszczono reprodukcję utrzymanego w mrocznych barwach portretu chłopca o złowrogiej minie.

– O czym to jest?

– Trudno powiedzieć. Musiałby pan to przeczytać. To najlepsza książka, jaką w życiu czytałam. Chłopaka ściga i nęka stale zmieniający postać diabeł o imieniu Gilmartin. Akcja dzieje się w Szkocji i Gilmartin ugania się za nim po tych wszystkich ponurych, nagich krajobrazach. Czytelnik nigdy nie jest do końca pewien, czy diabeł jest prawdziwy, czy raczej stanowi projekcję albo eksternalizację złych stron natury bohatera. – Alice znowu się uśmiecha, choć przez jej ciało przebiega dreszcz.

– Ach – mówi John, lekko zamroczony. Znów szuka w myślach czegoś odpowiedniego, dostatecznie nietrywialnego, ale ostatecznie pyta tylko: – Pani jest Szkotką, prawda?

— Tak. Ale odkryłam to dopiero wtedy, kiedy wstąpiłam na uniwersytet. W głównej bibliotece była czytelnia z ogromnym, kopułowym sklepieniem. Nie wolno tam było rozmawiać; wręcz wystarczyło głośno odetchnąć i już na ciebie krzyczeli. Zawsze wypełniały ją całe tabuny poważnych naukowców z niezrozumiałymi, przestarzałymi tomiskami. Któregoś dnia czytałam tam tę książkę, późnym popołudniem, kiedy na dworze już zmierzchało. Właśnie dotarłam do dosyć strasznego momentu — gdzie wykopują starożytne ciało jeszcze nie dotknięte rozkładem — kiedy poczułam, że od tyłu chwyta mnie czyjaś ręka. Wydałam z siebie głośny wrzask, który odbił się echem od tego wysokiego sklepienia. I wszystkich przeraziłam. A tymczasem to był tylko kumpel, który chciał spytać, czy przejdę się z nim na herbatę. Jego też śmiertelnie nastraszyłam.

John wreszcie się połapał — dzięki temu opisowi czytelni.

— Ja też tam byłem! — krzyczy.

— Gdzie?

— W bibliotece... To znaczy na uniwersytecie... no, chcę powiedzieć, że studiowaliśmy razem!

Natychmiast robi się podejrzliwa.

— Naprawdę?

— Kiedy pani skończyła?

— Zaraz... pięć lat temu. Nie, cztery.

— Wiedziałem! Wiedziałem! — John ma ochotę wstać i puścić się w taniec dookoła pokoju. — Wiedziałem, że już panią gdzieś widziałem! Ja zrobiłem dyplom sześć lat temu, czyli to musiało być...

— Kiedy ja zaczynałam pierwszy rok albo go kończyłam — odpowiada za niego Alice i przyglądając się badawczo jego twarzy, mówi bez ogródek: — A ja pana zupełnie nie pamiętam.

— Nie, bo tak naprawdę to ja też pani nie pamiętam. W każdym razie nie tak jak trzeba. Po prostu wydaje się pani dziwnie znajoma. Pewnie otarliśmy się o siebie w bibliotece czy podobnym miejscu, choć raczej nie słyszałem pani wrzasków.

— Chyba nie opisze pan tego w swoim artykule? — Udaje, że jest autentycznie zaniepokojona.

– Nie. Nie posunę się aż tak daleko, w każdym razie sławetnych ostatnich słów dziennikarza nie będzie.

Następuje chwila milczenia. John rozpiera się wygodniej na swoim krześle, splatając dłonie na głowie.

Alice rozgląda się dookoła.

– No to... – mówi w końcu. – Czy to tutaj będziemy to robili?

– Co?

– Wywiad.

– Oczywiście, oczywiście. Wywiad. Pomyślałem, że moglibyśmy się przejść do bufetu. Co pani na to?

Alice kiwa głową i wstaje.

W tym wszystkim najdziwniejsze jest to, że myśl potrafi trwać, krążyć po twoim umyśle, że nie potrafisz pokonać tej obsesji, że nie istnieją żadne hamulce, które dałoby się zastosować wobec rzeczy, o których nie chcesz więcej myśleć. W normalnym życiu starasz się czymś zająć – bierzesz gazetę, idziesz na spacer, włączasz telewizor, dzwonisz do kogoś. Możesz zapłacić swojemu umysłowi okup, wmówić sobie, że nie dzieje się z tobą nic złego, że znalazło się rozwiązanie na to coś, co nie daje ci spokoju. Oczywiście nie na długo – na godzinę, dwie, jeśli dopisze ci szczęście – bo nikt nie jest taki głupi, bo te rzeczy zawsze wracają do ciebie, kiedy znowu owłada tobą apatia. W samym środku nocy, kiedy od kołysania autobusu pustoszeje ci umysł.

Te stany biorą się z tego, że bezustannie padasz ofiarą wyczerpujących, natrętnych myśli – w tym cały problem. Teraz na przykład nie daje mi spokoju jedno: jakie to straszne, że on o niczym nie wie.

On, który zna mnie lepiej niż ktokolwiek inny, nie ma o niczym pojęcia. Nawet się nie domyśla. Wydaje nam się, że wiemy wszystko, co można wiedzieć o drugiej osobie. I nagle odkrywam taką potworność, która odmienia całe moje życie.

To przypomina te kiczowate kartki o tematyce religijnej, które można kupić w katolickich krajach; te pokryte żebrowaną, plastikową powłoczką, które wydają się dziwne, ponure i trójwymiarowe, dopóki takiej nie przekrzywisz i nie odkryjesz, że pod pierwszym obrazkiem ukryty jest drugi. Tak więc sama decydujesz, co oglądasz: Matkę Boską wznoszącą ręce do modlitwy, błogosławiącego cię Pana Jezusa czy płaczące anioły. W każdym razie mam takie wrażenie, że w moim życiu wszystko zostało przekrzywione i wtedy ujawnił się ten drugi obrazek, który cały czas tam istniał, tylko nie było go widać.

Cały czas się staram − nie przestaję się starać, bo nie potrafię tego wyłączyć, nie potrafię się ogłupić jakimiś bezmyślnymi czynnościami − wyobrazić sobie, co by on powiedział, jak by zareagował, gdybym wróciła do domu, do domu, w którym bym go zastała, i powiedziała: „John, widziałam dzisiaj coś niewiarygodnie strasznego. Nie uwierzysz, co ja widziałam, muszę ci to opowiedzieć".

− Nie ruszaj się, Alice − beszta ją Ann, unieruchamiając jej łydkę między swoimi kolanami.

Alice siedzi na kuchennym blacie. Nadepnęła na pszczołę i została użądlona w miękką część stopy. Znowu.

− Ile razy ci powtarzaliśmy, że po ogrodzie nie chodzi się boso? Ile razy?

Alice wzrusza ramionami, pochlipując. Tak naprawdę to bardziej z przeżytego szoku niż z bólu. Aczkolwiek ból jest dość zdumiewający, promieniuje wyżej kolana, sprawia, że stopa puchnie jej jak bania, tak strasznie, że kości kostki znikają w ciele niczym rodzynki w zarobionym cieście.

Alice wolałaby, żeby robiła to Elspeth, ale nie bardzo wie, gdzie ona jest. Kiedy to się stało, sama zaczęła przeraźliwie wrzeszczeć i Kirsty wparowała do domu z krzykiem: „Maaaamooooo! Alice znowu nadepła na pszczołę!" Zaraz potem do ogrodu wbiegła Ann, która porwała ją na ręce i usadowiła tutaj w kuchni.

− Wsadź nogę do wody. − Ann napełniła miskę stojącą obok

Alice zimną wodą. Alice, z powodów nieodgadnionych zarówno dla niej samej, jak i dla Ann, odmawia. – Powiedziałam: włóż nogę, Alice.

– Gdzie jest babcia? – udaje jej się wykrztusić między kolejnymi spazmami. Zauważa, że twarz matki zapada się nieznacznie, że jej rysy ściągają się w dół.

Ann jednak błyskawicznie odzyskuje panowanie nad sobą, chwyta Alice za kostkę i siłą wsadza jej nogę do wody. Alice wydaje z siebie ogłuszający wrzask i zaczyna się szamotać, usiłując wyciągnąć nogę. Obie są mokre. Siłują się i Ann udaje się unieruchomić obie ręce Alice przy jej bokach. Kiedy Alice jest już obezwładniona, Ann syczy przez zaciśnięte zęby:

– Jeśli nie wsadzisz nogi do zimnej wody, opuchlizna nie zejdzie. Jeśli opuchlizna nie zejdzie, nie wyjmiemy żądła. Jeśli nie wyjmiemy żądła, nie przestanie boleć. Dlaczego nigdy nie robisz tego, o co cię proszę?

Alice znowu wyrywa się z objęć matki. Ann ściska ją jeszcze mocniej i opiera się całym ciężarem na ciele dziecka.

– Nie dasz sobie powiedzieć, prawda? Jesteś taka sama jak twój cholerny ojciec.

Słowa są wypowiedziane ledwie słyszalnie, a jednak brzmią złowrogo i wylatują z ust Ann niczym szerszenie. Alice jest zdumiona, mimo że ma tylko osiem lat. Wygląda przez okno, w stronę swego ojca, który zgięty wpół robi dołki w rabacie z boku domu. Podąża za nim maleńka sylwetka jej młodszej siostry, która wrzuca do tych dołków cebulki z brązowej papierowej torby, którą ojciec trzyma w ręku.

– Zuch dziewczynka – mówi ojciec do Beth – bardzo ładnie.

Alice czuje ciepło bijące od twarzy matki, przyciśniętej do jej twarzy podczas walki, a kiedy obraca głowę, widzi, że matka wbija zęby w dolną wargę, że jej blade policzki są zabarwione nagłym napływem krwi.

Ann puszcza ją, ale Alice nie rusza się z miejsca, już nie płacze, pozwala matce szukać żądła w jej pięcie. Zdaje sobie sprawę, że coś się stało, ale nie wie, co dokładnie. Czy matka jest zdenerwowana, bo spytała o Elspeth? Chce o to spytać, ale nie znajduje właściwych słów. Ann milczy, z pochyloną głową, jej dłonie są teraz delikatne. Alice czuje pod swoimi żebrami coś dziwnego, jakby mokrego. Chce przeprosić, przeprosić za to, że była taka niegrzeczna, że pytała o babcię. Chciałaby, żeby matka przycisnęła swe dłonie do jej wilgotnej, zamazanej twarzy.

Ann prostuje się z triumfem.

– Mam!

Stawia Alice na podłodze i pokazuje jej żądło. Obie mu się przyglądają. Jest maleńkie, podobne w kształcie do włóczni, brązowe i kruche. Przykleja się do spiral i bruzd na palcu Ann. Alice jest zdumiona, że coś tak małego mogło spowodować tyle bólu.

– Dostanę je? Dostanę?

– Nie.

– Proszę.

– Jak słowo daję, na co ci to?

Alice nie potrafi wymyślić powodu, ale wie, że chce je mieć. Chce je potrzymać, patrzeć na nie długo. Uwiesza się u ramienia matki.

– Proszę! Dasz mi je?

Nietypowo dla niej Ann ulega i pochyliwszy się, przenosi je ze swojego palca na palec Alice. A potem wychodzi z kuchni i Alice słyszy, jak wchodzi szybko na górę i zamyka za sobą drzwi do sypialni. Jednak w danym momencie nie zastanawia się nad tym; zaciska żądło w zagięciu środkowego palca i nosi je tak aż do końca dnia.

Później odprowadził ją do windy. Winda zdawała się nie przy-jeżdżać bardzo długo i Alice jakoś nie przychodziło do głowy nic, co mogłaby mu powiedzieć.

– Nie musisz tu czekać ze mną. Na pewno znajdę drogę do wyjścia.

– Ależ nie, nie. Przecież to drobiazg.

Przez korytarz przechodził akurat otyły mężczyzna w rozluźnionym krawacie; „Brawo, John!", rzucił w przelocie i obrzuciwszy Alice taksującym spojrzeniem, mrugnął do niego. Udała, że tego nie zauważyła, za to John był wściekły – widziała to. W jego skroni pulsowała niebieska żyłka.

– Masz dzisiaj dużo roboty po południu? – spytała, by przerwać milczenie.

– Tak, jak zwykle.

– Kiedy zostałeś dziennikarzem?

– Zaraz po studiach. Zrobiłem dyplom na City University, a potem chałturzyłem. Tu jestem od roku.

Winda zaanonsowała swój przyjazd komputerowym dzwonkiem.

– No to dzięki za lunch. Kiedy ten artykuł się ukaże?

– Chyba w przyszły czwartek. Jeśli chcesz, zadzwonię, żeby cię poinformować.

Wsiadła do windy.

– Ależ nie rób sobie kłopotu. Na pewno i bez tego masz dość zajęć.

– Nie, to żaden kłopot... Alice! – Wstawił stopę między zamykające się drzwi, które otworzyły się z trzaskiem. – O psiakrew... to bolało.

– Chyba nic ci się nie stało?

Rozmasował stopę, opierając się na jednej połowie drzwi, żeby się nie zamknęły.

– O mały włos. Ale to nie jest śmieszne, bo widzisz, mogłem stracić stopę i to byłaby twoja wina.

– Nie powiedziałabym. A jeśli już, to byłby raczej wypadek przy pracy, mam rację? Dostałbyś kilka milionów w ramach odszkodowania.

W tym momencie do windy wsiadła kobieta o ponurej twarzy.

– Chciałem spytać, czy... czy zechciałabyś... – zawahał się, a kobieta tymczasem wskazała znacząco na zegarek. – ...Em... chciałem spytać, czy mógłbym pożyczyć tę książkę.

Była zaskoczona.

— Ależ tak. Naprawdę chcesz?

— Jak najbardziej.

Sięgnęła do torebki i wręczyła mu książkę. Wziął ją i cofnął się.

— Oddam ci ją, obiecuję.

Alice już miała powiedzieć, że nie musi, ale drzwi windy się zamknęły.

Rachel wróciła właśnie z porannego wykładu i zapukała do drzwi Alice.

— Alice? Wstałaś? Jesteś już ubrana?

Alice siedziała na łóżku z książką ułożoną na kolanach. Zasłony na jej oknach były rozsunięte i słońce późnego poranka formowało świetlne trójkąty na dywanie.

— Właź. Jak tam wykład?

Rachel stanęła na progu, wciąż ubrana w płaszcz i szalik; w rękach ściskała jakąś paczkę.

— Straszne nudy. Zgadnij, co dostałaś pocztą.

— No co?

— Przesyłka z Nowego Jorku.

Alice dramatycznie zakryła oczy.

— Nie chcę tego! Zabieraj to stąd!

Rachel usiadła na łóżku i wcisnęła paczkę na podołek Alice.

— Otwieraj, no już. To może być coś fajnego albo drogiego.

Alice obróciła paczkę w dłoniach. Brakowało adresu zwrotnego, ale pismo bez wątpienia należało do Maria. Była to zwykła brązowa koperta z wyściółką; jej wnętrze kryło coś lekkiego, bezkształtnego i miękkiego, coś, co uginało się posłusznie pod naciskiem palców. Jakiś ciuch?

— Ty to otwórz — powiedziała, wpychając kopertę w ręce Rachel.

— No coś ty. Jest zaadresowane na ciebie, więc sama sobie otwórz.

Alice oderwała taśmę zabezpieczającą jeden z brzegów i wytrząsnęła zawartość. I przeżyła taki szok, że wszystko zarejestrowało się w jej głowie jakby w odwrotnej kolejności. Włosy. Mnóstwo włosów. Czarne włosy. Kręcone, poplątane włosy. Znajome włosy. Włosy ścięte jednym ruchem z czyjejś głowy. Włosy, których już kiedyś dotykała. Włosy Maria.

Obie wrzasnęły przeraźliwie i odskoczyły od łóżka. Objęły się histerycznie po drugiej stronie pokoju, Alice jak oszalała strzepywała luźne pasma, które przywarły do jej palców, i wpatrywała się przerażonym wzrokiem w czarną kępę, która zagnieździła się w pościeli niczym jakiś przerośnięty gryzoń.

– Jezu Chryste, ten facet to świr – mruknęła Rachel.

Alice podskakiwała w miejscu, wycierając dłonie o piżamę.

– Bleeeee! Ohyda! Boże, jak można zrobić coś takiego! – Trzymanie ich w dłoniach, dotykanie tych splątanych spiral z siłą ciosu w twarz przypomniało jej tamten dzień, kiedy mu się oddała. Miała wrażenie, że on tu jest, w tym pokoju, razem z nimi, a nie tysiąc mil dalej, za lodowatym Atlantykiem. Rozejrzała się dookoła zrozpaczonym wzrokiem. – Co my z nimi zrobimy?

– Wyrzucimy.

– Nie dam rady. Nie dotknę ich za żadne skarby świata.

Rachel wzięła kosz na śmieci i wymachując nim, podeszła dziarsko do łóżka. Zgarnęła włosy i zniosła kosz na dół. Alice usłyszała, jak opróżnia go do kubła stojącego przed domem.

– Dzięki, Rachel! – zawołała.

– Nie ma za co.

Jednak jeszcze przez wiele tygodni Alice znajdowała zabłąkane pasma przylepione do filiżanki, owinięte wokół mydła albo nawet przyklejone do jej języka; pluła wtedy i syczała jak kotka.

John błąkał się jak nieprzytomny po holu, uderzając się książką po głowie.

– Ty popaprany tchórzu, ty durny, durny tchórzu.

Potrzebował wszystkiego, tylko nie tej książki.

Kiedy Alice wróciła do biura tamtego popołudnia, powitał ją promienny uśmiech na twarzy Susannah.

— A tobie co, Kocie z Cheshire? — spytała Alice, siadając za biurkiem.

— Był do ciebie telefon — odparła Susannah i w tym momencie jej uwagę odciągnęło coś w komputerze.

— Kto dzwonił?

— Tamten facet — odparła nieobecnie Susannah z twarzą wlepioną w ekran.

John Friedmann, pomyślała irracjonalnie Alice i natychmiast zezłościła się na siebie. Zaczęła przerzucać swoją kartotekę.

— Jaki facet? — spytała takim tonem, jakby zupełnie jej to nie obchodziło.

— No ten. Jak mu tam. No wiesz.

Alice przestała wertować.

— Suze, może zechcesz wyrażać się jaśniej?

— Przepraszam. — Susannah obróciła się twarzą w jej stronę, skupiając się na niej teraz. — No ten facet z Paryża.

— Ach tak. — Alice stłamsiła uczucie głębokiego rozczarowania. — Ten facet. — To idiotyzm. Zupełnie jej chyba odbiło na punkcie tego dziennikarza. A może to dobrze?

— To przypadkiem nie ten, do którego dobijałaś się cały tydzień? — Susannah gapiła się na nią, zdumiona tym brakiem entuzjazmu.

— Tak. Tak, to on. — Otworzyła notes, żeby zająć czymś ręce.

— No i oddzwonił. To chyba dobra wiadomość? — Susannah nie ustępowała. — Przecież z tego wynika, że jest gotów ci pomóc w twoim projekcie, prawda?

— Mam nadzieję. Zadzwonię do niego za chwilę.

Umilkły. Alice, czując, że Susannah wciąż na nią patrzy, nie podnosiła głowy znad notesu, zajęta wpisywaniem terminów mało istotnych spotkań.

— A tak nawiasem, jak wywiad?

— Co?... Dobrze... nic specjalnego... poszło jak trzeba. A... właściwie... no dobra, powiem. Było nieźle.

Na dźwięk dzwonka dyndającego nad drzwiami Elspeth wychodzi z zaplecza sklepu organizacji dobroczynnej „Oxfam" i widzi, że jej popołudniowa zmiana rozbiera się już przy kasie: tęgawa kobieta o czerstwej twarzy w turkusowym płaszczu przeciwdeszczowym.

– Wcześnie dziś pani przyszła – zauważa Elspeth.

– A prawda – odpowiada kobieta – lubię wyrwać się z domu wcześniej, jak jest taki ładny dzień.

Elspeth nigdy nie wie, co o niej myśleć. Ta kobieta nosi okulary, które reagują na światło; wystarczy takie jaskrawe słońce jak tego dnia i nie da się w ogóle zobaczyć jej oczu. A nie można ufać komuś, kto nie pokazuje oczu. I przyprowadza swojego psa do sklepu. To miły pies, ale śmierdzi. Odstrasza ludzi.

Po wyjściu ze sklepu Elspeth się namyśla. Powinna iść do supermarketu, zrobić zakupy, żeby mieć co dać dziewczynkom do herbaty, kiedy wrócą ze szkoły, ale przecież ni stąd, ni zowąd trafiło jej się pół godziny wolnego. Wiedziona dziwnym impulsem, zamiast iść w stronę domu, zawraca i wędruje do końca High Street, pozdrawiając po drodze znajomych. Skręca tuż przy kiosku z frytkami w Quality Street i idzie dalej, w stronę parku Lodge Grounds.

Nie przychodzi tu często, ale to jedno z jej ulubionych miejsc. Podoba się jej sztucznie wykreowane piękno, jakby pochwycone w pułapkę między rozległym i płaskim bezmiarem plaż a porośniętą krzakami janowca niedostępnością Law. Niby to środek tygodnia, zwykły dzień, a jednak po nierównych, krętych ścieżkach wylanych betonem przechadzają się ludzie z wózkami spacerowymi, podziwiając rośliny albo zwyczajnie rozkoszując się słońcem. Obok ptaszarni wzdryga się. Nigdy nie potrafiła pojąć, co można podziwiać w widoku ptaków zamkniętych w klatce. Tuż pod szczytem wzgórza zauważa grupkę nastolatek w czerwono-czarnych mundurkach liceum. Szybki rzut oka upewnia ją, że nie ma wśród nich ani Kirsty, ani Alice. Jednej środy, zeszłego roku, o jedenastej rano natknęła się obok przystani na zawstydzoną Kirsty i jej dwie koleżanki. Elspeth obiecała, że nic nie powie, jeśli Kirsty da jej słowo, że to się więcej nie powtórzy.

Elspeth, która sama czuje się trochę jak dziecko wypuszczone wcześniej ze szkoły, siada na zielonej ławce; za plecami ma pole golfowe, przed nią rozciąga się widok na miasto i morze. To właśnie w tym miejscu spacerowała ze swoim narzeczonym Robertem, kiedy spotkali mężczyznę, którego Robert przedstawił jej jako Gordona Raikesa. Elspeth znała rodzinę Raikesów, ich wielki dom przy Marmion Road i ich wytwórnię sprzętu do golfa na przedmieściach, ale nigdy nie poznała ich najmłodszego syna, Gordona. Nie było go w mieście, bo wyjechał do gimnazjum do Edynburga, a potem na Uniwersytet St Andrews, wyjaśnił Robert, gdy tymczasem ona i Gordon patrzyli na siebie ogłupiałym wzrokiem. Później często mu powtarzała, że równie dobrze mogła zsunąć z palca pierścionek Roberta już tam i wtedy. Potem oddaliła się razem z Robertem i kiedy zbaczali z drogi, by zejść w dół zbocza, Elspeth odwróciła się i zobaczyła go raz jeszcze: wciąż stał przy żywopłocie z ligustru i odprowadzał ich wzrokiem. To musiało być tutaj. Rzecz jasna wtedy ścieżki nie były jeszcze wylane betonem, tylko zwyczajnie wydeptane w ziemi. Po deszczu wypełniały się błotem.

Spotkała go tydzień później na hałaśliwej High Street, oboje towarzyszyli swoim matkom, oboje byli obarczeni zakupami. Matki pogrążyły się w zdawkowej rozmowie, on zaś mrugnął do niej. Elspeth zadziwiła samą siebie – i jego też, bez wątpienia – bo również do niego mrugnęła. Kilka dni później stała akurat blisko przystani i przyglądała się łodziom rybackim wypływającym w morze, kiedy wyłonił się zza rogu.

– Witaj, Elspeth – powiedział i zatrzymał się, by razem z nią patrzeć na łodzie.

Na pokładach wiły się i ślizgały świeżo złowione ryby, trzepocząc ogonami, otwierając i zamykając wyschłe pyski. W regularnych odstępach rozlegało się głośne „Łup!"; to rybacy wrzucali swoje kosze na pomosty.

– Zawsze nazywają cię Elspeth? – spytał.

– Nie zawsze. Niektórzy skracają to do Ellie.

– Założę się, że tego nie lubisz – powiedział, opierając się łokciami o poręcz obok niej.

Pokiwała głową.

– Prawda, nie lubię.

– Tak myślałem. Nie pasujesz do zdrobnień.

Zaprowadził ją w ustronne miejsce za basenem pływackim; usiadła tam, obejmując kolana rękami, lekko rozkojarzona tym bezustannym wznoszeniem się i opadaniem fal, które obijały się o skały tak blisko pod nimi, i silną bryzą, która oplatała jej twarz włosami. A on tymczasem mówił jej, że chce zostać duchownym, a potem misjonarzem.

– Ojciec życzy sobie, żebym przejął po nim interesy, ale to raczej nie dla mnie. Nie rozumiem, jak miałbym znaleźć w tym szczęście. A przecież to jest chyba najważniejsze, nie uważasz, Elspeth?

Przestał ciskać kamyki do zielonkawych wód morza i spojrzał na nią. Nic nie powiedziała, czując suchość w ustach, myśląc tylko o jednym: co, na litość boską, powiedzą rodzice?

– Nie uważasz, Elspeth, że człowiek zawsze powinien się starać, by być jak najbardziej szczęśliwy? – spytał.

Zadarła podbródek i spotkała jego natarczywy wzrok.

– Tak, tak. Myślę, że to prawda.

Przykucnął, dzięki czemu jego twarz znalazła się teraz na jednym poziomie z jej twarzą.

– Naprawdę chcesz wyjść za Roberta?

– Sama nie wiem...

– Nie wychodź za niego. Wyjdź za mnie – poprosił. A potem podpełzł ku niej po kamieniach i zrobił coś, czego Robert nie zrobił nigdy – pocałował ją w usta.

Elspeth osłania oczy przed słońcem i odwraca głowę, kierując wzrok w stronę wschodu, w stronę Bass Rock. Nieco dalej przy ścieżce, gdzie drzewa i poszycie rosną gęściej, zauważa błysk jasnych włosów, nie dający się pomylić z żadnym innym, i znajomą, drobną sylwetkę. Ann. Elspeth czuje nagłe ukłucie zdumienia. Czy nie mówiła, że jedzie dzisiaj do Edynburga? Elspeth wychyla się do przodu ze swej ławki, podnosi rękę, żeby pomachać, gromadzi oddech, by zawołać ją po imieniu... i zastyga w miejscu.

Z ręką wciąż uniesioną przygląda się ciemnowłosemu mężczyźnie, który przyciąga Ann do siebie; dotąd zakładała, że to tylko jakiś przechodzień. Blask słońca ulega częściowemu zaćmieniu między ich ciałami, kiedy Ann i ten człowiek się całują. Elspeth opuszcza rękę na kolana i wbija wzrok w ziemię. Na pewno tutaj właśnie poznała Gordona? A nie było to gdzieś dalej, bliżej tamtego dębu? Jeszcze raz zerka w kierunku ścieżki. Ich ciała rozłączają się teraz, znowu rozbłyska między nimi słońce. Rozmawiają. Ann obejmuje dłonią jego szczękę. Elspeth tak dobrze zna ten gest: widziała, jak Ann robiła to dzieciom, Benowi.

Mężczyzna odchodzi prędko, oddalając się od Elspeth. Ann rusza w przeciwną stronę. Elspeth obserwuje swoją synową, jak schodzi wolniej krętą ścieżką biegnącą w odległości stu jardów od niej, a potem znika za bramami Lodge Grounds. Elspeth patrzy jeszcze raz na malejące plecy mężczyzny, a potem garbi się, jakby doświadczała fizycznego bólu, przyciskając stuloną w pięść dłoń do swych zamkniętych oczu. Do głowy przyszło jej znienacka coś jeszcze straszniejszego.

Dwa dni później wczesnym przedpołudniem Alice odpowiedziała na sygnał domofonu w biurze.

– Ja do Alice Raikes.

W przewodach coś trzeszczało, a na to jeszcze nakładało się grzmiące echo ulicy. Nie rozpoznała głosu.

– Kto mówi?

– Nazywam się John Friedmann...

Odruchowo trzasnęła słuchawką.

– O kurczę!

Wszyscy w biurze podnieśli głowy. Wdusiła przycisk, żeby go wpuścić.

– O Matko Boska. – Nerwowo otwarła torebkę, wydobyła szczotkę i zaczęła nią wodzić długimi, nerwowymi ruchami po włosach.

– Kto przyszedł? – zawołała Susannah.

Anthony, nowy dyrektor, wyszedł ze swojego gabinetu.

– Co się dzieje? – spytał dobrotliwym tonem. – Dlaczego Alice tak się miota?

– O Boże. Nie pytaj... psiakrew... Co ja mam robić? Jak ja wyglądam? – Alice zwróciła się do Susannah.

– Jakbyś kompletnie zwariowała.

Pokonała galopem pierwszą część schodów, potem zwolniła krok, żeby nie poczerwienieć na twarzy i nie dyszeć, kiedy już go zobaczy. Stał tuż obok wejścia na klatkę schodową, wczytywał się w plakat poświęcony walce z analfabetyzmem.

– Cześć.

Odwrócił się w jej stronę i uśmiechnął w taki sposób, jakby

go przyłapano na niecnym uczynku. Alice tymczasem usiłowała nie zwracać uwagi na swój żołądek, który wyraźnie próbował wtłoczyć się jej do gardła.

– Cześć – odparła, opierając się o balustradę, z nadzieją, że robi to niewymuszenie. – Co tu robisz? Zapomniałeś o coś spytać podczas wywiadu?

Potrząsnął głową.

– Przeczytałeś książkę?

– Nie. Jeszcze nie.

Kolejna chwila bolesnego milczenia. Zaczęła się bawić włosami, wsuwając jedno pasmo do ust.

– Właśnie przejeżdżałem przez Covent Garden i... – Urwał, westchnął i przewrócił oczami. A potem cisnął swoją torbę na podłogę, spojrzał na nią i nagle wypalił: – Chyba oboje wiemy, że to kłamstwo.

Z twarzą Alice działo się coś osobliwego. Mięśnie dookoła jej ust, te odpowiedzialne za uśmiech, zostały jakby owładnięte spazmem: musiała zagryźć wargi, żeby to nie wyglądało tak, jakby głupawo się szczerzyła. Wbiła wzrok w podłogę. Z ulicy dobiegł ich warkot przejeżdżającej właśnie taksówki. John potarł dłonią zarost.

– Musisz iść ze mną do kina. I to dzisiaj.

Jej uśmiech natychmiast zbladł.

– Co to znaczy „muszę"? Nie powinieneś przypadkiem używać wyrażeń typu „proszę" albo „zechciałabyś może"?

– Nie. Po co, skoro dla mnie to absolutnie oczywiste, że jesteś wiedźmą i że rzuciłaś na mnie jakiś urok?

Podszedł do niej. O Boże, chce ją pocałować? I to akurat tutaj? Spanikowała i cofnęła się do stolika z ulotkami o konkursie poetyckim. Podszedł tak blisko, że czuła na szyi powiew jego oddechu: była pewna, że musi słyszeć łomot jej serca. Zmusiła się, by spojrzeć mu w oczy i nie uśmiechać się przy tym.

– Uwielbiam, kiedy się złościsz – wyszeptał.

W tym momencie śmiech wylał się z niej niczym woda z przerwanej tamy i z całej siły uderzyła go pięścią w pierś.

– Nie znam nikogo równie wkurzającego jak ty. W życiu nie pójdę z tobą do kina! Za żadne skarby świata! Nawet gdyby... gdyby... – szukała najbardziej bolesnej sytuacji – ...nawet gdyby to był ostatni pokaz mojego ukochanego filmu i ty miałbyś ostatni wolny bilet. Nawet wtedy!

John potarł to miejsce, w które go uderzyła.

– Za każdym razem, kiedy cię widzę, doznaję jakiegoś uszkodzenia ciała. Ale jestem optymistą. Nawet wiedźma nie jest w stanie wyrządzić wielu szkód w kinie.

– Nie pójdę! – krzyknęła.

– A właśnie, że pójdziesz! – odkrzyknął.

– Nie pójdę! Nigdy przenigdy nie pójdę z tobą donikąd!

Dostrzega go pierwsza, pod kinem na Shaftesbury Avenue; lekko się krzywiąc, pochyla głowę nad jakąś gazetą. Co jakiś czas popatruje w stronę ulicy, ale nie w jej kierunku. Zauważa, że wsparł jedną stopę na drugiej, że jest dość wysoki, że w ruchach jego szyi, kiedy omiata wzrokiem zatłoczone chodniki, odciska się zaniepokojenie.

– Hej – mówi Alice, przytykając w gazetę – przecież nie jesteś w pracy. Możesz już ją schować.

Kiedy na nią spogląda, na jego twarzy rozlewa się ulga. Nie dotykają się, tylko stoją naprzeciwko siebie.

– Spóźniłaś się, Alice Raikes. Już myślałem...

– Ja się zawsze spóźniam.

– Będę o tym pamiętał...

Alice zauważa, że już chciał dodać „następnym razem", ale się powstrzymał.

– Wejdziemy do środka czy też będziemy tak tu stali i uśmiechali się do siebie przez cały wieczór?

John wybucha śmiechem.

– Moglibyśmy, ale nie chciałbym, żebyś umarła z nudów. Wchodzimy.

Idą obok siebie i rozmawiają o filmie; Alice trzyma ręce w kieszeniach kurtki. Kiedy chce zaakcentować jakąś myśl, zwraca się całym ciałem w jego stronę i mówi: „Nie uważasz?" Jest ubrana w obcisłe, granatowe dżinsy i botki na grubych podeszwach, z metalowymi obcasami, które błyskają odbiciami neonów Soho. Obok baru, w którym serwują japoński makaron, zatrzymuje się i z przymkniętymi oczyma wącha powietrze.

– Co ty tak wąchasz? – pyta John.

– Uwielbiam ten zapach.

John pociąga nosem, ale czuje tylko gorzko-słodki odór gnijących warzyw i gryzącą spaleniznę potraw smażonych w głębokim tłuszczu.

– On mi naprawdę przypomina Japonię – mówi Alice.

– Byłaś w Japonii?

– Tak. Spędziłam prawie miesiąc w Tokio.

– Serio? Kiedy?

– Podczas jednych z moich uniwersyteckich wakacji. Dużo wtedy podróżowałam, te długie wakacje to była najlepsza rzecz w studiowaniu.

– Podobało ci się w Japonii?

– Było wręcz bosko. Ale w końcu miałam dosyć i wyjechałam. Tokio to takie nerwowe, szalone miasto. Stamtąd pojechaliśmy prosto do Tajlandii, żeby odbyć kilkutygodniową rekonwalescencję na plaży.

„My?" – zastanawia się John.

– Z kim tam byłaś? – pyta zdawkowo.

– Z moim byłym chłopakiem.

Jest zmuszony boleśnie przełknąć ślinę, żeby nie krzyknąć: Kto to był? Kochałaś go? Jak długo z nim byłaś? Kiedy się rozstaliście? Spotykasz się z nim jeszcze?

– Co chciałabyś teraz robić? – pyta zamiast tego.

– Nie wiem. A masz jakieś pomysły?

– Raczej problem, nie pomysły.

– Jaki problem? – Alice patrzy na niego z ukosa przez zasłonę z włosów, które musiała rozpuścić podczas seansu; przedtem były upięte w węzeł tuż nad karkiem. John stwierdza, że jej wzrok potrafi być niepokojący.

– No cóż, ponieważ owładnięty nastoletnią udręką spędziłem sporą część dnia na uganianiu się po Covent Garden za pewną kobietą... – tu patrzy na nią uważnie; skłoniła głowę i zasłona z włosów jeszcze mocniej skryła jej twarz – ...więc nie odrobiłem lekcji. Do dziewiątej rano muszę napisać artykuł na temat niezależnego kina amerykańskiego, na dwa tysiące słów.

– Rozumiem. – Odrzuca włosy na plecy. – Rzeczywiście masz problem.

– Przynajmniej mogę siebie okłamywać, że dziś wieczorem zbierałem materiały. – Kiwa głową w kierunku kina.

– No tak. – Alice kołysze się na obcasach. – W takim razie chyba wrócę do domu.

– A gdzie mieszkasz?

– W Finsbury Park. A ty?

– W Camden. Mogę cię podwieźć?

– To ty masz samochód?

– Tak. To jedyny luksus w moim życiu. Wmawiam sobie, że jest mi potrzebny do realizacji obowiązków zawodowych. A co? Potępiasz to?

– Ale skąd. To czysta zazdrość.

– A jeśli cię podwiozę, to pomogę ci się wyleczyć z tej zazdrości czy tylko ją jeszcze bardziej pogłębię?

Widzi, że Alice się waha, że nie może się zdecydować.

– Alice, nie bój się, przecież nie piłem. Nie jestem szaleńcem, który morduje siekierą, i uroczyście przysięgam, że nie będę cię molestował. – No chyba, że tego chcesz, dodaje w duchu.

Alice trzaska drzwiami samochodu i dopiero wtedy pyta:

– Chcesz wstąpić na chwilę? Ale jeśli musisz już jechać, to może...

W niespełna kilka sekund wysiada z samochodu; wyjmuje nawet klucze z jej rąk i wyręcza ją w otwieraniu drzwi.

– Na górę? – pyta, kiedy stoją już pod klatką schodową.

– Do samego końca.

Czeka na nią pod drzwiami mieszkania.

– Mieszkasz sama? – pyta nieznacznie napiętym głosem.

– Tak. Tak mi odpowiada. Przez jakiś czas mieszkałam ze znajomymi, ale w ogóle ich nie widywałam, wyjąwszy kłótnie o to, czyja kolej na mycie łazienki. Potem zamieszkałam z moim chłopakiem, byłym chłopakiem, powinnam dodać, ale raczej nic z tego nie wyszło. – Mówi to, unikając jego wzroku, czując jego zaciekawienie zawisłe między nimi. – To ma być tylko przejściowe lokum, choć mieszkam tu już od pięciu miesięcy.

Ze zdumieniem patrzy, jak on zainteresowany ogląda wszystko, jak wtyka głowę w każdy zakamarek małego mieszkanka.

– Ponure, co? – woła do niego.

– Jest OK. Widywałem gorsze – odpowiada i wchodzi do kuchni.

– To ty? – Przygląda się fotografii, na której jest plaża, a na niej ona i Beth. Są ubrane w kostiumy kąpielowe, leżą na brzuchach, na kamieniach.

– O Boże, nie patrz na to. – Staje za nim, zagląda mu przez ramię. – Miałam wtedy jakieś osiemnaście lat. To moja młodsza siostra, Beth. Zawsze lubiłam to zdjęcie, ale je kiedyś gdzieś tam zgubiłam. Beth przysłała mi tę odbitkę tydzień temu. To zabawne, że wtedy w ogóle do mnie nie docierało, że to ostatnie chwile, kiedy mieszkam w domu, razem z moimi siostrami. Cała aż się paliłam, żeby wyjechać, a tymczasem nawet nie zauważyłam, kiedy wreszcie to zrobiłam. To się po prostu samo stało.

John zdejmuje zdjęcie ze ściany i podnosi je do oczu jedną ręką; w drugiej obraca pineskę, którą było przymocowane do ściany.

– Zawsze miałaś długie włosy? – pyta.

– Nie zawsze. Miałam krótkie włosy w dzieciństwie i potem raz je ścięłam, tuż po tym, kiedy zrobiono to zdjęcie.

John patrzy na nią i wtedy do niej dociera, jak blisko siebie stoją. W atmosferze czuć zmianę.

– Jak długo odrastały? – pyta półgłosem.

– Zaraz... – W danej chwili Alice nie pamięta niczego dokładnie. – Około czterech lat – strzela.

On wyciąga rękę, żeby dotknąć jej włosów, i powoli nawija sobie jedno pasmo wokół palca. Alice dygocze.

– Zimno ci?

– Nie.

Nachyla się w jej stronę, oplatając palcami szyję. Jego wargi ocierają się bardzo delikatnie o jej wargi, które wydają się zdumiewająco miękkie, ciepłe. A ona przywiera do niego, obejmuje go ramionami w pasie, przyciąga do siebie. Czuje łomotanie jego serca przez sweter i zamyka oczy.

– O cholera – mówi nagle on, z niezrozumiałą gwałtownością, i się odsuwa.

Alice chwieje się, zarówno pod wpływem jego ruchu, jak i z szoku. Bliska upadku wyciąga rękę, żeby odzyskać równowagę, i zawadza miękkim fragmentem podstawy kciuka o kant stołu. Momentalnie przez jej rękę przebiega bolesny skurcz, aż po łokieć; odruchowo podnosi ją do ust.

John pada na kuchenne krzesło, z teatralną przesadą, zdaniem Alice, i obłapia głowę dłońmi, wspierając łokcie na stole. Postanawia, że za nic nie przemówi pierwsza. John, kiedy wreszcie się odzywa, mówi stłumionym głosem.

– Alice, strasznie cię przepraszam.

Alice nie jest w stanie odpowiedzieć i tylko stoi tam, gdzie dotąd, z dłonią przyciśniętą do ust. John wreszcie podnosi wzrok.

– Skaleczyłaś się?

Wyciąga rękę w jej stronę, ale ona robi krok w tył. Wtedy on się wzdryga. Oboje milczą przez kilka chwil – Alice stoi, a John patrzy na nią błagalnie. A potem robi głęboki wdech.

– Chodzi o to... rzecz w tym, że... To brzmi tak okropnie... No bo ja jestem jakby... jestem teraz z kimś innym...

Alice kiwa głową, ale ma wrażenie, że jej ciało rozpoczęło przyprawiający o mdłości, chwiejny spadek w dół stromego urwiska.

– Ale to dla mnie nic nie znaczy, Alice... To nie tak, jak myślisz...

– Nie mów nic, proszę. Po prostu... zapomnijmy o tym.

– To nie tak, jak myślisz – powtarza nerwowym tonem – zapewniam cię.

– A co ja takiego myślę, twoim zdaniem? – pyta ona. Własne słowa brzmią dla niej dziwacznie: przesadne, sztucznie dobrane.

– Że jestem draniem, który gra na dwa fronty – mówi on. – To nie tak. Chodzi o to...

– Zapomnij o tym – przerywa mu – po prostu zapomnij. Masz dziewczynę. Poprzestańmy na tym.

John przeciąga dłonią po włosach.

– Sophie nie jest moją dziewczyną... to znaczy nie na poważnie... i chodzi o to, że...

– Litości. – Alice odwraca się, podchodzi do okna. – Naprawdę nie mam ochoty tego wysłuchiwać.

Cztery piętra niżej mkną samochody, ich reflektory omiatają samochód Johna, zaparkowany tuż pod jej domem.

– Chyba powinieneś już iść – mówi.

Jeśli będzie tak tu stała, tyłem do niego, to on sobie pójdzie i już go nigdy więcej nie zobaczy.

– Nie mówisz tego szczerze – słyszy go za plecami i wtedy okręca się na pięcie, staje twarzą ku niemu.

– Mówię to jak najbardziej szczerze. Wynoś się z mojego domu. Natychmiast.

On jednak nie rusza się z miejsca przy jej stole. Alice wpatruje się w niego, nie dowierzając, patrząc mu w oczy po raz pierwszy, odkąd – kiedy to było? – dotknął jej włosów i zaraz mieli się pocałować. Czas jakby się rozpadł na kawałki; wydaje się, że było to wiele godzin temu.

– Życzę sobie, żebyś stąd poszedł – oświadcza wolno i wyraźnie, jakby wyjaśniała coś cudzoziemcowi. – Nie pozwalam nikomu robić mnie w konia.

– Musisz mi uwierzyć – mówi John. – Ja cię nie robię w konia. Przysięgam, że nie. Po prostu pozwól sobie wytłumaczyć...

– Wytłumaczyć? – Alice naskakuje na niego. – A co tu tłumaczyć? Że sprawy z twoją dziewczyną nie idą najlepiej, więc pomyślałeś, że zamiast tego spróbujesz ze mną? Ale nie martw się, do niczego nie doszło. Nie będziesz musiał jej okłamywać. John wbija wzrok w stół. Układa dłonie na blacie imitującym drewno, wnętrzem w dół, rozczapierzając palce.

— Ile razy mam ci powtarzać? Sophie nie jest moją dziewczyną. Nic dla mnie nie znaczy. Mnie też ma w nosie, to tylko...

— Seks? — podpowiada Alice.

— Nie. — John podnosi wzrok, jest rozzłoszczony. — Wcale nie to chciałem powiedzieć.

Wstaje, idzie przez kuchnię w jej stronę. Alice odwraca wzrok, krzyżuje ręce na piersi.

— Jak możesz mówić, że do niczego tu dzisiaj nie doszło?

Alice przepycha się obok niego, wychodzi na korytarz, gwałtownym ruchem otwiera drzwi.

— Wynoś się. Nie będę więcej tego powtarzać.

John waha się, po czym sięga po swoje kluczyki leżące na stole i idzie za nią. Żeby wyjść, musi ją minąć bardzo blisko; robiąc to, ujmuje ją za rękę i próbuje pocałować w policzek. Alice wyrywa się, jakby ją oparzył, przy okazji uderzając głową o framugę drzwi. John nakrywa dłonią jej dłoń, przyciskając ją do jej skroni.

— Przepraszam — mówi szeptem, tuż obok ucha.

Alice, czując, że jest coraz bliższa łez, odpycha jego rękę.

— Idź już. Proszę — mówi z wzrokiem wbitym w jego stopy.

— Uporządkuję te sprawy, zadzwonię do ciebie jutro i wszystko wyjaśnię, OK?

Alice wzrusza ramionami.

Potem on wychodzi i przez jej otwarte drzwi wlatuje zimny przeciąg. Zamyka je, nasłuchując łomotu kroków na schodach. Odchodzi stamtąd dopiero wtedy, gdy słyszy trzask frontowych drzwi, a potem warkot odjeżdżającego samochodu.

Wchodzi do łazienki i do oporu odkręca kurek z gorącą wodą. Rury bulgoczą i kaszlą. Trzyma dłoń pod letnim strumieniem i kiedy wreszcie woda robi się cieplejsza, wkłada zatyczkę do odpływu. Wnętrze powoli wypełnia się parą, a ona tymczasem staje przed lustrem.

Już nigdy się z nim nie spotkam, przysięga sobie w duchu. Miejsca, których dotykał – szyja, usta, ręka – zdają się szczypać, niemal boleć. Patrzy sobie w oczy, prowokując się do płaczu. A potem przyciska dłoń do serca, przez bluzkę, i mówi, głosem jej zdaniem silnym i bezceremonialnym:

– Już nigdy w życiu się z tobą nie spotkam.

Wyczuwa jedynie lekkie przyspieszenie uderzeń serca, tylko lekkie ściśnięcie gardła. Do jutra będzie miała to doskonale wyćwiczone.

Ben ma trudności ze skoncentrowaniem się na tym, co mówi lekarz. Za jego plecami, na podświetlonych kasetonach, wiszą przekroje mózgu Alice. Widzi jej oczodoły, kości policzkowe, czoło, nos: wszystko wytrawione na upiornym, szarym negatywie fotograficznym. Sam mózg to poskręcana, żebrowana plątanina ciemnych plam, uskoków, dolin, fałd.

– Na tym etapie naprawdę nie mogę powiedzieć państwu nic więcej – mówi lekarz, rozkładając ręce, jakby kończył jakąś magiczną sztuczkę.

– Ale co... co my mamy robić? – pyta Ann.

– Możecie do niej mówić, puszczać jej muzykę, która coś dla niej znaczy, czytać na głos. To bardzo ważne; należy próbować wyrwać ją z tego stanu. – Lekarz zawiesza głos przy tym punkcie, krzywiąc się jak krótkowidz, chodząc tam i z powrotem za biurkiem. – Wiecie państwo – zaczyna znowu – policja i niektórzy świadkowie twierdzą, że... ten wypadek... że być może Alice próbowała odebrać sobie życie... Na razie nie jesteśmy jeszcze tego pewni, ale...

Gardło Bena wypełnia się smakiem słomy. Kątem oka widzi, że Ann krzyżuje i na powrót prostuje nogi, że podaje się do przodu.

– To znaczy... że to było samobójstwo? Że Alice próbowała popełnić samobójstwo?

– Jest taka możliwość. Nie są pewni. Ale należy to brać pod rozwagę.

– Pod rozwagę? – powtarza Ben oszołomiony. – W jakim sensie?

– Trzeba bezustannie ją stymulować, koniecznie. – Lekarz głośno nabiera powietrza. – Chcę powiedzieć, że ona się nie obudzi, jeśli nie będzie miała do czego.

Siadają na łóżku Alice, nic nie mówiąc. Ann ma dłonie oplecione paskiem swojej torebki. Ben gładzi palcami małą, plastikową torbę zawierającą rzeczy, które Alice miała przy sobie podczas wypadku. Dostali to od jej lekarza. Ben wyobraża sobie, że ten lekarz tam był, kiedy wyciągano albo wycinano te rzeczy z rozdartych, zakrwawionych kieszeni Alice: portfel z dwoma funtami i osiemdziesięcioma pensami w bilonie, pół opakowania miętowej gumy do żucia (bez cukru), platynowa obrączka i kółko z trzema kluczami patentowymi o ząbkowanych brzegach i dwoma bardziej topornymi kluczami do kłódki. I nic więcej. Do kółka doczepiona jest jeszcze mała emaliowana rybka z bokami z malachitu i ruchomym ogonkiem umocowanym na mikroskopijnych mosiężnych zawiasach. Ben wie, że ta rybka jest z Japonii, ale nie może sobie przypomnieć, skąd to wie. Od Alice? Wyciąga obrączkę z torebki i podnosi ją do światła między kciukiem i palcem wskazującym. W dotyku wydaje się lekka i ciepła. Niczego na niej nie wygrawerowano.

– Nie wierzę w to – odzywa się nagle Ann. – Nie wierzę. Alice by tego nie zrobiła.

– Tak uważasz?

– Z całą pewnością. Oni się mylą. Po prostu nie byłaby do tego zdolna. Właściwie to nawet swego czasu przychodziło mi na myśl, że mogłaby to zrobić. Po Johnie i w ogóle. Ale to jakoś nie pasuje do Alice, prawda? Ona jest zbyt... buntownicza.

– Mhm. Może. – W tym momencie Ben przypomina sobie o czymś: – Kirsty mówiła, że Alice była wczoraj w Edynburgu.

– W Edynburgu?

– Tak. Miałem ci o tym powiedzieć. Kirsty powiedziała mi o tym dziś rano przez telefon.

– Alice była wczoraj w Edynburgu? – Ann marszczy czoło, jakby uważała, że Ben kłamie. – O jakiej porze dnia?

— Nie wiem. Zdaje się, że zadzwoniła z pociągu i Kirsty i Beth wyszły po nią na Waverley.

— Na Waverley? — Ann łamie się głos. — O której?

— Nie wiem — powtarza Ben. — Kirsty powiedziała, że zatrzymała się na jakieś pięć minut, a potem po prostu wsiadła do pociągu jadącego z powrotem do Londynu.

Ann podnosi się tak gwałtownie, że jej torebka upada na podłogę. Portmonetka, gazeta, grzebień, chusteczki, papierosy, szminki, klucze rozsypują się na płytkach, pod łóżkiem, między nogami krzesła. Pochyla się, by pozbierać te rzeczy jedną po drugiej, przyciskając je do brzucha.

— Dobrze się czujesz? — pyta Ben, schylając się, aby jej pomóc.

— Tak. Oczywiście. Niby co miałoby mi być? — Ann podchodzi do drzwi. — Chyba się przejdę na papierosa — dodaje już z korytarza.

— Dobrze, idź — woła za nią Ben. — Do zobaczenia.

A lice, to ja. Posłuchaj – jego głos drży – wszystko się już rozwikłało.

Alice zaciska palce wokół słuchawki, ale nic nie mówi.

– Alice? Jesteś tam?

– Tak.

– No to powiedz coś.

– Nie wiem co.

– Po prostu... po prostu powiedz, że wczoraj wieczorem nie zawaliłem wszystkiego.

– John, tu nie było czego „zawalać", by użyć twojego określenia. Masz kogoś, zrobiłeś ze mną wywiad, poszliśmy razem do kina. Nic się nie stało.

John milczy. Dobiegają go odgłosy jego biura: telefony, cicha kakofonia stukania na klawiaturach.

– Alice – ciągnie dalej z wysiłkiem – nie mam nikogo. Tak naprawdę wcześniej też nie miałem, a już z pewnością nie mam teraz.

Alice nie odpowiada. Próbuje więc jeszcze raz.

– Alice, proszę... nie możesz mówić, że nic się nie stało... Posłuchaj, nie wiem, co zrobić... To nie jest dla mnie normalna sytuacja.

Alice odsuwa słuchawkę od ucha. Jej dłoń się waha. Rozłącz się, rozkazuje sobie, rozłącz się. Żeby dodać sobie siły, próbuje odtworzyć tamto uczucie raptownego osuwania się w przepaść, które owładnęło nią ubiegłego wieczoru, kiedy on odsunął się nagle od niej.

– Nie rozłączaj się! Proszę, nie... Alice? Wiem, że tam jesteś. Proszę, powiedz coś albo... albo... Albo ja oszaleję.

– Nie bądź taki melodramatyczny.

– Och, witaj. Przez chwilę myślałem, że jestem sam. Dlaczego jesteś taka uparta?

– Nie jestem uparta. Po prostu nie życzę sobie, żebyś robił ze mną, co ci się podoba. Bo niby z jakiej racji? A co z Sophie? Co ona...?

– Pieprzyć Sophie – przerywa jej porywczym tonem. – Musisz to przyjąć do wiadomości: ona nic dla mnie nie znaczyła i ja nic nie znaczyłem dla niej. To nie z nią był problem.

– No więc co to było?

John ociąga się z odpowiedzią.

– Nie mogę ci teraz powiedzieć.

– Czemu nie?

– Po prostu nie mogę.

– Dlaczego? Bo jesteś w biurze?

– Nie, to nie to. Po prostu wyjaśnienie wszystkiego potrwałoby zbyt długo. Alice, proszę, daj mi jeszcze jedną szansę. Tylko jedną, to wszystko, o co proszę, i jeśli znowu to schrzanię, to przysięgam, już nigdy nie będę szpecił twojej linii swoim głosem. Naprawdę cię przepraszam za wczoraj wieczór. Po prostu daj mi szansę się wytłumaczyć. Proszę.

Jej umysł mozolnie przetwarza uzyskane informacje – to nie jest jego dziewczyna, on nie może mówić o tym w biurze, wyjaśnienie zabrałoby zbyt dużo czasu. Co to może być? Jeśli to nie inna kobieta, to w takim razie... nie... na pewno nie to.

– John?

– Tak?

– Ten twój problem...

– Alice, powiedziałem ci. Teraz ci tego nie wytłumaczę. Muszę się z tobą spotkać i wtedy ci wszystko powiem. Obiecuję.

– To nie... Ty nie jesteś...

– Co?

– Jesteś... chory?

– Chory? – powtarza.

Alice wzdycha z rozdrażnieniem.

— Masz HIV-a? Bo jeśli tak, to lepiej powiedz mi o tym już teraz.

John wybucha urywanym śmiechem.

— Boże, nie, nic takiego. Nie, jestem idealnie zdrowy, choć może niekoniecznie powiedziałbym to o moim zdrowiu psychicznym.

— Aha.

Następuje długa cisza, pełna napięcia. Alice bierze do ręki czarny długopis i gryzmoli wściekłe, spiczaste bazgroły w leżącym przed nią notesie.

— Posłuchaj — odzywa się w końcu John — nie możemy rozmawiać o tym przez telefon. Masz tam coś do pisania?

— Uhu.

— No to zapisz: Hotel „Helm Crag". To dwa słowa, Ha-E-
-eL-eM i crag, Ce-....

— Wiem, jak się pisze „crag", ale dlaczego...

— Po prostu zapisz. Zapisałaś?

— Tak, ale co...

— OK, podaję adres: Easedale Road, Grasmere. I teraz tak: o piątej piętnaście z Euston odchodzi pociąg. To też zapisz. Będziesz musiała się przesiąść w Oxenholme, na pociąg do Windermere. Stamtąd możesz wziąć taksówkę do hotelu, który jest na obrzeżach Grasmere, w dolinie o nazwie Easedale. Rezerwacja jest na moje nazwisko.

— John, jeśli myślisz, że ja...

— To tyle. Muszę napisać recenzję z przedstawienia, które wystawiają dzisiaj w Manchesterze, więc przyjadę trochę później. Może nawet około drugiej albo trzeciej nad ranem.

— Do diabła, co...

— Wiem. Przepraszam za to, ale nie mogę się z tego wykręcić. I z Manchesteru będę jechał samochodem. Ale ty możesz zjeść kolację i przejść się na spacer...

— John! Posłuchaj mnie!

— Co?

— Nie życzę sobie już nigdy... — Alice wygłasza pierwsze słowa przemowy, którą przećwiczyła w wannie poprzedniego wieczoru, ale natychmiast zapomina dalszego ciągu.

– W każdym razie – kontynuuje John, jakby ona nic nie powiedziała – będziemy mogli spędzić razem całą sobotę i niedzielę. Wątpię, czy uda mi się załatwić wolne na poniedziałek, ale tak czy owak...

– O czym ty gadasz? Nie ma mowy, absolutnie nie ma mowy, że pojadę do Krainy Jezior i zamieszkam tam z tobą w jakimś hotelu. Mogę cię o tym zapewnić już teraz.

– Dlaczego nie?

– Dlaczego nie? Co znaczy dlaczego nie? Prawie cię nie znam, nie mówiąc już o całej reszcie. Jesteś chyba nienormalny, jeśli myślisz, że ni stąd, ni zowąd rzucę wszystko i wskoczę do pociągu, żeby spędzić z tobą jakiś rozpasany weekend.

– Kto powiedział, że on ma być rozpasany?

– Nie widzę sensu, żeby w ogóle o tym dyskutować. Zresztą i tak mam własne plany.

– To je odwołaj.

– Nie ma mowy. Ten wyjazd w ogóle nie wchodzi w rachubę.

– Ale ty musisz przyjechać. Proszę cię. Musimy pogadać o różnych sprawach i chyba oboje powinniśmy uciec z Londynu. Wszystko jest załatwione. To najpiękniejszy hotel na świecie. Spodoba ci się. Jest stuprocentowo wegetariański.

– Skąd wiesz, że jestem wegetarianką?

– Powiedziałaś mi o tym w bufecie, kiedy robiliśmy wywiad.

– Czyżby? Nic nie pamiętam.

– A ja tak. Alice, przyjedź, proszę. Co mam zrobić, żeby cię przekonać? Powiedz mi, a ja to zrobię.

– Jesteś najbardziej bezczelnym facetem, jakiego znam. Podaj mi jeden powód, tylko jeden dobry powód, dlaczego miałabym odwoływać wszystkie swoje plany i spędzić weekend w miejscu, gdzie najprawdopodobniej będzie lało, w towarzystwie człowieka, który... ma jakieś podejrzane sprawki na sumieniu.

– Bo jeśli tego nie zrobisz – mówi cicho John – to nie wiem, jak ja to zniosę.

Molly, dziewczynę, która tamtej nocy pełniła dyżur, obudził chrzęst kół samochodu wjeżdżającego na żwirowany podjazd. Podniosła się i po omacku poszukała zegarka. Była druga dwadzieścia cztery. Wstała chwiejnie, potykając się o własne buty, które wcześniej zrzuciła z nóg kopniakami, i włożyła sweter na kwiaciasty uniform hotelowy, w którym zasnęła.

W holu stał ciemnowłosy mężczyzna. Na oko młody. Przystojny. Wśród ich gości rzadko zdarzali się młodzi ludzie. Zazwyczaj były to starsze osoby, które przyjeżdżały podziwiać widoki, albo brodaci turyści, żeby chodzić po górach. Ten trzymał w rękach czarną torbę podróżną i przenośny komputer. Uśmiechnął się, kiedy zobaczył, jak schodzi na palcach ze schodów.

– Dobry wieczór. Przepraszam, że budzę panią tak późno – powiedział szeptem.

– Nie ma za co przepraszać. Pan Friedmann, prawda?

– Zgadza się.

– Jedzie pan z daleka?

– No cóż, jeszcze po południu byłem w Londynie, a wieczór musiałem spędzić w Manchesterze.

– Ach tak. Interesy?

– No niby tak to można nazwać. Musiałem odcierpieć najgorsze i najbardziej wyczerpujące przedstawienie teatralne z wszystkich, jakie widziałem w życiu.

Molly się roześmiała.

– A to dlaczego?

– To moja praca. Ktoś musi to robić.

– Jest pan krytykiem czy kimś takim?

Przytaknął.

– Chce pan coś zjeść?

– A to duży kłopot dla pani? Nie musi być nic na gorąco. Wystarczy kanapka.

– Jasne. Proszę się tylko tu podpisać – Molly podała mu księgę gości – a oto pański klucz.

Cofnął się ze wstrętem, jakby podała mu na talerzu psią kupę.

– Klucz?

– Tak. Klucz do pańskiego pokoju. Może pan zanieść swoje bagaże, a ja tymczasem zrobię panu kanapkę.

– Twierdzi pani, że to klucz do mojego pokoju i że on wciąż jest tu, w recepcji? – Bredził teraz jak jakiś idiota.

– No właśnie tu je trzymamy. – Z tym facetem działo się coś zdecydowanie dziwnego. Miał taką minę, jakby dostał najgorszą wiadomość w życiu, jakby mu właśnie powiedziała, że umarła mu matka czy coś w tym stylu.

– Ach tak.

– Jakiś problem, panie Friedmann?

– Problem?

Gapił się na nią tak długo, że aż zrobiło się jej nieswojo. Zaczęła się zastanawiać, jak głośno będzie musiała się wydzierać, żeby pozostałe dziewczyny ją usłyszały. Ten facet był jakiś dziwny.

– Nie, nie. Żaden problem – zapewnił ją żałobnym tonem i podniósł torbę. – Zaniosę to do swojego pokoju.

– Tylko proszę nie hałasować. Pańska żona położyła się spać wiele godzin temu.

– Moja co? – warknął.

– Pańska żona. – Nie rozumiał jej akcentu czy jak?

– Moja żona! – krzyknął, nagle nie posiadając się z radości. – To ona tu jest? Znaczy, że przyjechała?

– Ano tak. Zameldowała się dość wcześnie, zjadła kolację, a potem poszła prosto na górę.

– Naprawdę? Rewelacja! – Poderwał się, promieniejąc jak wariat, i ruszył na górę, biorąc po dwa stopnie za jednym zamachem.

– To chce pan jeszcze tę kanapkę, panie Friedmann, czy nie? – syknęła za nim.

– Nie, proszę sobie nie robić kłopotu. I dziękuję za pomoc. Dobranoc.

Molly zaczęła wertować kartotekę z rezerwacjami. Na jak długo on się tu zatrzymuje?

John zamknął za sobą drzwi i w tym momencie znalazł się w całkowitym mroku; nic nie widział po oślepiających światłach korytarza. Stał bez ruchu, wciąż ściskając torbę i komputer, czekając, aż jego wzrok przyzwyczai się do ciemności. Gdzieś z wnętrza pokoju dobiegał go oddech Alice. Nagle owładnęło nim dojmujące, całkiem niestosowne pragnienie, by wybuchnąć histerycznym śmiechem – aż musiał odstawić torbę i nakryć dłonią usta. Pragnienie ustąpiło, na całe szczęście. Pewnie nie przyjęłaby tego z wdzięcznością, gdyby w środku nocy obudził ją dziki rechot. Potem uderzyła go myśl, że nie pamięta imienia wariatki z *Jane Eyre*. Zaczynało się chyba na B. Alice na pewno to wiedziała, ale czuł, że to jeszcze gorszy powód, by ją budzić. Beryl? Beryl Rochester jakoś nie brzmiało dobrze. Beryl... Beattie... Beatrice... Bridget? Nie. Cholera, jak, do diabła, ona miała na imię? Jeśli sobie teraz nie przypomni, będzie go to dręczyło całą noc. Jego mózg pomocnie dostarczał kolejnych kobiecych imion zaczynających się na B. Biddy... Beth... Bridie... Zamknij się, mózgu. Mózgu, siedzieć! Leżeć! Zostań!

Widział teraz jasną łunę prześwitującą z zewnątrz przez zasłony. I widział też biel pościeli, a także – odziękicibożejużdokońcażyciabędęcodziennierobiłprzynajmniejjedendobryuczynekprzyrzekam – biel skóry Alice i czerń jej włosów. Leżała na boku, plecami do niego, oddychając miarowo. Usiadł na krześle po swojej stronie łóżka i rozsznurował buty. Zawsze sypia po tej stronie? A po której sypiał jej były chłopak? Może powinien położyć się na waleta? Rany boskie, facet, właź po prostu do tego wyra, co? Rozebrał się do bokserek – no bo lepiej nie demonstrować zbytniej bezczelności, a już na pewno nie chciałby jej śmiertelnie nastraszyć. W co ona jest ubrana? Ostrożnie pochylił się nad łóżkiem. Trudno było orzec. Ramiona miała okryte płaszczem z włosów. Może jest naga. Pod wpływem tej myśli miał ochotę wskoczyć prosto do łóżka, tu i teraz. Ale, chwila, chwila, jeśli jest naga, a on wskoczy do łóżka w samej bieliźnie, to jeszcze sobie pomyśli, że jest jakimś smętnym niedojdą. Albo co gorsza, że jeszcze nigdy w życiu tego nie robił. Ale jeśli nie jest naga, a on położy się obok w stroju adamowym, to jeszcze oszaleje ze strachu i pomyśli, że on jej wycina jakiś brudny numer. Co zresztą robił. Rozejrzał się bezradnie po pokoju w poszukiwaniu wskazówek. Na krześle po jej stronie łóżka leżały jej rzeczy. Uderzyła go kolejna myśl. Gdzie on schował te prezerwatywy, które kupił w Manchesterze? Już miał się zabrać do przetrząsania bagażu, kiedy wyobraził sobie taki oto potworny scenariusz: Alice budzi się, obraca do światła i widzi go, jak nad nią majaczy, ubrany tylko w bokserki, wymachując prezerwatywami.

Odrzucił kołdrę i wsunął się do łóżka. Błagam, obudź się. No już. Tak byłoby idealnie. Gdyby się teraz obudziła i wyczuła, że on tu jest. Wtedy mogliby się przytulić i może – nie, na litość boską, jeszcze nie.

– Alice? – szepnął. Nie mógł się powstrzymać.

Przesunął się w jej stronę. Miała na sobie koszulę nocną. Dzięki ci, Boże. To jakiś cienki, jasny materiał.

– Alice? – wymruczał raz jeszcze. Proszę, obudź się, Alice.

Z krańcowym, absolutnym przerażeniem uzmysłowił sobie, że ma ogromną, naglącą erekcję. Cholera, cholera, cholera. Psiakrew, tak ją budzić – wsadzając jej wielkiego fiuta między nogi. Cześć, kochanie. Tęskniłaś? Cały oblał się potem paniki i odsunął się od niej jak najszybciej, tak by jednocześnie nie wprawiać materaca w drgania. O Chryste, ona się rusza, przewraca na drugi bok. A jeśli się zaraz obudzi? Co on wtedy zrobi? Położy się na brzuchu i będzie udawał kamień? Wtedy ona pewnie sobie pomyśli, że jest jakiś opóźniony w rozwoju albo co najmniej zdecydowanie dziwny. Cześć, Alice. Ależ skąd, nic mi nie jest. Tylko tak tu sobie leżę. A tak nawiasem, jak minęła podróż? Budziła się, John był teraz o tym przekonany. Jej oddech stał się wyraźnie płytszy, a tymczasem jego erekcja ani trochę nie opadała. Kurka wodna, co on ma robić? Myśl o innych rzeczach, szybko... no tego... zimne prysznice... co jeszcze, co jeszcze... badania lekarskie w szkole... rozkłady jazdy. Rozkłady jazdy! Jeden razy osiem równa się osiem, dwa razy osiem równa się szesnaście, trzy razy osiem równa się...

Zerknął ukradkiem na Alice. Ciągle śpi czy już się obudziła i leży tam teraz, nic nie mówiąc, bo ją zamurowało na widok zboczeńca w łóżku? Nie, leżała na plecach, wciąż pogrążona w głębokim śnie. Nie przestawał się przyglądać. Kołdra osunęła jej się do pasa i przez cienki materiał koszuli widział zarysy piersi i – psiakrew, wracał do punktu wyjścia. W ogóle nie zaśnie tej nocy i rano będzie bełkotliwym, niewyspanym idiotą. Nie ma co, idealne towarzystwo dla Alice, która spała już od dobrych pięciu godzin.

Ann wparowuje bocznymi drzwiami do ogrodu, ciskając przekleństwo, kiedy zahacza nadgarstkiem o stalową klamkę. Ma wrażenie, że to powietrze ją oblepia; płachta z szarych chmur, wisząca tuż nad połyskującymi kominami szpitala, zdaje się napierać na miasto, więżąc pod sobą spaliny i stęchłe powietrze.

Ann opiera się o mur pokryty zdobnym tynkiem. Z wszystkich czterech stron otacza ją szpital. Ogród został w całości wykonany z prefabrykatów: zauważa wyraźne krawędzie trawnika ułożonego z gotowych płatów darni. Zapada już zmrok. Po jej lewej ręce biegnie korytarz wiodący do pokoju, w którym leży jej nieprzytomna córka, z ogoloną głową, niewrażliwa na otaczający ją świat, córka, której płuca co cztery sekundy przymusza do oddechu automat.

Ann otwiera paczkę, wyciąga papierosa i włożywszy go do ust, przetrząsa kieszenie w poszukiwaniu zapałek. Musi trzy razy potrzeć czerwony łepek zapałki, zanim wreszcie udaje się jej skrzesać ogień. Trzyma dym w ustach, przyglądając się, jak czubek papierosa rozjarza się na pomarańczowo w ciemniejącym powietrzu, po czym wciąga go w głąb klatki piersiowej, czując, jak wnika do wszystkich pęcherzyków płucnych. Liczy okna korytarza, starając się określić, które okno to okno Alice.

Wie, że powinna zgasić papierosa o ten mur, wrócić do pokoju, usiąść obok męża i córki. Ale jeszcze tego nie robi. Stoi, wydmuchując dym w nieruchome powietrze, przyglądając się paskom światła, które wykwitają w metalowych żaluzjach na oknie Alice.

Elspeth stoi przy wykuszowym oknie na tyłach domu, przygląda się wnuczkom. Na trawniku Beth robi gwiazdy i co jakiś czas woła do Alice:

– Miałam proste nogi? Patrzyłaś? To patrz teraz!

Alice, która niedawno wystrzępiła brzytwą końcówki swoich włosów i ufarbowała jedno długie pasmo na niepokojący błękit piór zimorodka, leży na brzuchu tuż przy skraju patio, cała ubrana na czarno, i czyta. Beth robi kolejny obrót, błyskając chudymi nogami, białymi majtkami i zmiętą spódniczką.

– To ci wyszło świetnie – mówi Alice, nie podnosząc wzroku znad książki.

– Naprawdę? – pyta Beth, z twarzą zarumienioną z wysiłku. – Kirsty, naprawdę?

Kirsty, ubrana w bikini, siedzi na słońcu, z kłębkami waty wepchniętymi między palce u stóp. Potrząsa buteleczką z lakierem i odkręcając korek, potwierdza:

– O tak. Doskonale, Beth.

– To prawdziwa zbrodnia – mówi głos za plecami Elspeth.

Elspeth odwraca się i widzi stojącą obok niej Ann. Minęły trzy dni od tamtego popołudnia w Lodge Grounds. Jest weekend, Ben gra w golfa na wydmach.

– To znaczy co? – pyta Elspeth.

– Ano to – wyjaśnia Ann z rozdrażnieniem i wskazuje Alice palcem. – To zbrodnia zrobić coś takiego z tak pięknymi włosami. Nie wiem, co ona sobie ubrdała.

Elspeth wspiera dłoń o parapet i patrzy na Ann. Nad ich głowami widnieją czarne pasma sadzy, które są tam od owego dnia przed wielu laty, kiedy Alice z niewytłumaczalnych powodów wywołała pożar.

– Bywają gorsze zbrodnie.

Ann patrzy na nią, bez wątpienia zdumiona zajadłym tonem, jaki towarzyszy tym słowom.

– Zgadzasz się ze mną, Ann? – naciera dalej Elspeth.

Ann czerwieni się pod wpływem zapalczywego spojrzenia Elspeth. Wpatrują się w siebie, Elspeth modli się w duchu, by to nie ona pierwsza spuściła wzrok. Ann odwraca głowę w stronę ogrodu.

– Wiesz, co Grecy robili z cudzołożnicami, Ann?

Nie słyszy nic w odpowiedzi. Ann przyciska dłoń do ust.

– Wiesz?

Ann kręci głową, wciąż nic nie mówiąc.

– Przywiązywali je do grzbietu klaczy na środku dziedzińca wypełnionego członkami rodziny mężczyzny. Potem wpuszczali tam ogiera i wszyscy się przyglądali, jak kobieta ginie, miażdżona na śmierć przez ogiera dosiadającego klaczy.

– Przestań... Proszę – mówi Ann.

– I wiesz co jeszcze? Kiedyś zawsze uważałam, że to barbarzyństwo. Aż do teraz.

– Czy Ben wie?

– Nie. I nie dowie się, jeśli mi przysięgniesz, że już nigdy więcej nie spotkasz się z tym mężczyzną.

Obie wyglądają przez okno, Elspeth na dziewczynki, Ann skupia wzrok na czymś za horyzontem.

– Kochasz go? – pyta Elspeth.

– Kogo? Bena?

Elspeth wybucha urywanym śmiechem.

– Nie. Nie Bena. Wiem, że nie kochasz Bena. Tego drugiego.

Ann butnie wzrusza ramionami.

– Chyba nie muszę odpowiadać na to pytanie.

– Od jak dawna to... ty...?

– Od lat.

Elspeth widzi, że Ann odwraca się, chcąc odejść. Wyciąga

rękę, chwyta jej drobny, kruchy nadgarstek i ciągnie ją z powrotem do okna.

— Ludzie zawsze zwracali uwagę... ot tak sobie, zawsze mi się wydawało, a teraz się zastanawiam, ile osób wie... że to takie dziwne: mamy dwie dziewczynki o jasnych włosach i jedną z ciemnymi. — Elspeth obraca Ann i zmusza ją, by wyjrzała razem z nią za okno. — Mnie samej nieraz przychodziło do głowy, że to dziwne. Pomyśl zresztą. Alice przy swoich siostrach wygląda jak przedstawicielka innego gatunku, jakby pochodziła z innej rodziny. Albo od innego ojca. Dziwne też, że Alice ani trochę nie ma upodobań naukowych jak wszyscy pozostali w naszej rodzinie; spędza cały dzień na czytaniu albo grze na pianinie. I rzuca się też w oczy, że jest bardziej porywcza i impulsywna niż my. Nie znam nikogo w naszej rodzinie, kto byłby do niej podobny. A ty znasz? Czy ona przypomina ci kogoś? Kogokolwiek?

Ann walczy z silnym uściskiem Elspeth. Elspeth uwalnia ją w końcu.

— Powiedz mi.

— Co mam ci powiedzieć?

— Czy Alice jest córką Bena?

Ann wygląda przez okno na Alice, która stoi teraz na trawniku obok Beth, gotowa chwytać ją za kostki, kiedy ta staje na rękach.

— Powoli — mówi — powoli, Beth. Bo jeszcze kopniesz mnie w twarz.

Kirsty maluje sobie paznokcie pracowitymi pociągnięciami pędzla, na uszach ma słuchawki walkmana.

— Ja... nie wiem... nie mam pewności... W zasadzie jestem pewna, że jest jego córką.

— W zasadzie? A co to znaczy?

— To znaczy to, co znaczy.

A lice wzdryga się i budzi. Coś jest nie tak. Wiedzie
podejrzliwym wzrokiem z lewa na prawo. Jest już
rano. Przez wielkie okno do pokoju sączy się blask
słońca. Żadnych samochodów. Słyszy śpiew ptaków. Ptaki? Jej
ubranie leży na staroświeckim krześle tuż przed nią. Porusza
głową o ułamek cala. Poduszka jest obleczona w białą bawełnę
obrzeżoną koronką. Podnosi wzrok; leży na łożu z baldachimem.
Patrzy w dół; jej klatkę piersiową oplata męskie ramię. Wpatruje się w nie pustym wzrokiem. Jest silne, opalone, porośnięte czarnymi włosami. Palce tej dłoni oplatają się wokół kciuka.
A właściciel dłoni leży zapewne za nią, przyciśnięty do jej pleców.

Zanim udaje się jej przeprowadzić dokładniejszą inspekcję,
słyszy pukanie do drzwi. Otwiera usta, ale nie wydobywa się
z nich żaden dźwięk. Kilka sekund później patrzy ze zdumieniem na dziewczynę z burzą kręconych loków, ubraną w długą
kwiaciastą spódnicę, która wnosi ogromną tacę.

– Dzień dobry, pani Friedmann – mówi. – Śniadanie. Posta-
wię je obok okna.

Alice już ma spytać, dlaczego, u diabła, tytułuje ją panią
Friedmann, kiedy nagle dociera do niej prawda w całej swej roz-
ciągłości. O Chryste, o Boże, co ona tu robi?

Kiedy drzwi się zamykają, wyskakuje z łóżka niczym spło-
szona antylopa, wyrywając się z objęć Johna; on mruczy coś
przez sen i osuwa się w zagłębienie, które pozostawiło w materacu jej ciało. Alice czeka nerwowo, balansując na jednej nodze.
John otwiera oczy.

— Cześć. — Przeciera twarz sennym gestem. — Ślicznie wyglądasz.

Alice zdaje sobie sprawę z istnienia silnego niebezpieczeństwa, że na jej twarzy maluje się głupawy uśmiech. John na pewno uśmiecha się głupawo.

— Przynieśli śniadanie — mówi Alice, idąc w stronę okna.

— Boże, umieram z głodu. Nic nie jadłem od wczorajszego popołudnia.

Żeby coś zrobić, odsuwa zasłony, strasznie się wstydząc swej kusej koszulki. Rany boskie, przecież ona ledwie zakrywa jej tyłek. No tak, ale żadnej innej nie miała. Podejrzewa też, że w tym świetle jest bardzo przezroczysta. Kiedy staje twarzą ku niemu, widzi po jego rozanielonej minie, że rzeczywiście jest przezroczysta.

— O której przyjechałeś? — pyta dość oficjalnym tonem.

— Około trzeciej.

— A jakie wrażenia?

Przez chwilę nie wiedzieć czemu wygląda na spanikowanego, a potem odpowiada z wyraźną ulgą:

— Ach, pytasz o przedstawienie. Okropne.

— Chcesz grzankę?

— Chodź tu — prosi i wyciąga ramiona.

— John — mówi Alice zduszonym głosem — ja nie mogę. To wszystko jest jakieś takie... dziwaczne. Nie radzę sobie z tą sytuacją... — Ogarnia wnętrze pokoju gestem ręki, obejmując ich bagaże, zmięte ubrania, ogromne łoże. — Zanim my... jeszcze się nawet nie całowaliśmy. W każdym razie nie tak, jak trzeba.

John opuszcza ręce.

— Tak, rozumiem.

— A poza tym — dodaje Alice — jeszcze mi nie ujawniłeś tej swojej niesamowitej tajemnicy. No bo przecież właśnie z tego powodu się tu znaleźliśmy, prawda?

John milczy. Alice przesuwa filiżanki na tacy ze śniadaniem i udaje, że podziwia widok na dolinę Easedale.

– Bardzo się cieszę, że powiedziałaś „jeszcze" – mówi on cicho.

– Słucham?

– Bardzo się cieszę, że użyłaś słowa „jeszcze". Powiedziałaś „Jeszcze się nawet nie całowaliśmy".

– No raczej nie byłoby mnie tutaj, gdybym... to znaczy... – Podchodzi kilka kroków bliżej. – John?

– Tak.

– Czy ty... ? – Parska śmiechem.

– Czy ja co?

– Czy ty... ? – Alice znowu się śmieje. – Czy ty masz na sobie jakieś ubranie?

John uśmiecha się z dumą.

– A tak. Mam. Nie zdjąłem bielizny.

Odkopuje kołdrę i wstaje. Stoją tak, Alice w koszulce, John w bokserkach, w odległości jakichś trzech stóp, wpatrzeni w siebie.

– Coś mi się wydaje – zaczyna powoli John – że powinniśmy przejść się na spacer.

Jeśli to jest życie, to przypomina życie w jaskini albo w łodzi podwodnej: z zewnętrznym światem łączy cię tylko bardzo cienki peryskop, tak cienki, że wychwytuje jedynie zapach i dźwięk, a i to rzadko.

Wczoraj, w zeszłym tygodniu, w tym roku, minutę temu, tego ranka, dwa miesiące temu – mogła to być dowolna z tych opcji – mój nos wychwycił z powietrza i przeniósł tu, gdzie teraz jestem, pewien zapach. Mówią, że powonienie to najbardziej wrażliwy z wszystkich zmysłów. (Swego czasu zastanawiałam się, czy związać się z mężczyzną, który miał bardzo ograniczony zmysł powonienia – wolę myśleć, że nic między nami nie wyszło właśnie z tego powodu. Rachel spotkała go tylko raz i stwierdziła, że jest emocjonalnie niedorozwinięty, i miała rację. Ale nawet gdybym była bardziej miłosierna, to czy należało się po nim spodziewać, że wykształci w sobie pełną zdolność do odczuwania emocji bez tego narzędzia asocjacyjnego? Czy ktokolwiek jest w stanie żyć bez tego zasadniczego ogniwa spajającego najbliższe otoczenie z indywidualną pamięcią?)

Kiedy ten zapach do mnie dotarł, przypomniały mi się podróże samochodem, kiedy byłam mała – unieruchomione, obolałe, bose nogi przyklejone do siedzeń, łokieć Beth wpijający się w mój bok, my trzy błagające o otworzenie okna i nasza matka, która się nie godzi, bo wiatr mógłby zniszczyć jej fryzurę – oraz szafa, której nie wolno nam było otwierać, pełna nieruchomych sukien zawieszonych na wyściełanych wieszakach. To perfumy mojej matki, które raz dziennie opryskiwały najpierw jej tętnicę szyjną, a potem nadgarstki, po czym ulatywały w powietrze, zanim zdążyła włożyć ubranie. To zapach, który wlecze się za nią niczym ogon, wgryza się w atmosferę dowolnego pomieszczenia, w którym przebywa, w dowolne ubranie, które wkłada.

To może oznaczać tylko jedno: ściągnęli tu moją matkę. Z jakiegoś powodu czuję, że to działa na moją niekorzyść – ona może mnie zobaczyć, podczas gdy ja jej nie. Czy ona jest tu teraz, właśnie teraz, w tej chwili – czymkolwiek jest „ta chwila"? To koszmar, ta myśl, że ona jest być może tutaj, że siedzi tuż przy mojej skórze, gdy tymczasem ja tu czekam, skulona, przyczajona. Ona gdzieś tam jest, być może z moimi siostrami i może nawet z ojcem.

Alice i John obchodzą jezioro Easedale Tarn wąską ścieżką z kamieni i zbitej gleby. Teren zmienia się bezustannie pod jej nogami, z połaci suchej trawy w kląskające od wody, jadowicie zielone błotniste obszary, które wsysają stopy, kiedy chce zrobić krok do przodu. Wciąż mijają ich jacyś ludzie. Alice pozdrawia ich radośnie i podobnie John, choć on z mniejszym entuzjazmem. Idzie w odległości trzech kroków za nią, przeważnie w milczeniu; zdjął sweter i obwiązał się nim w pasie. Ona czeka, aż on wygłosi jakieś wyznanie albo oświadczenie, ale do tej pory żadne takie nie padło. Czuje, że przepełniające ją rozdrażnienie powoli sięga zenitu, i wie, że jeśli on zaraz czegoś nie powie, to ona zrobi coś strasznego.

Jakby chcąc wybić sobie tę myśl z głowy, zatrzymuje się i rozgląda dookoła. Z trzech stron otaczają ich wysokie szczyty, a przed nimi rozciąga się rozległa, nieruchoma jak lustro, szara jak eternit połać wody. Ta gładź jeziora wzbudza w niej niepokój: nie ma wiatru i powierzchnię wody mącą jedynie linie nakreślane przez kaczki, które suną nerwowymi, hałaśliwymi grupkami wzdłuż brzegów.

John zatrzymuje się tuż obok niej. Coś za blisko, stwierdza Alice, zważywszy, że już od dobrej godziny każe jej czekać na swoją cholerną spowiedź. Czuje nagle, że on ją ujmuje za rękę. Spogląda zdziwiona. A tymczasem John splata palce z jej palcami, na moment nie przestając patrzeć na jezioro, jakby nie zdawał sobie sprawy z tego, co robi jego ręka. Tak zdecydowanie nie powinno być. Alice wyrywa mu się i idzie dalej. Słyszy, jak on mruczy za jej plecami: „I dobrze ci tak", ledwie zdziwionym tonem.

– Alice – mówi John, bardziej teraz słyszalnie – usiądziemy tu na chwilę?

Alice obraca się, z jedną ręką wspartą na biodrze, ogląda się na niego.

– Proszę bardzo.

Kiedy jednak siadają, on znowu milczy, pociąga łyk wody z butelki. Co może być aż tak poważne? – zastanawia się Alice. John siedzi z łokciami wspartymi na kolanach, twarzą do jeziora. Ma nieszczęśliwą minę, jakby właśnie zamierzał powiedzieć coś okropnego.

– No więc... – zagaja stanowczym tonem Alice.

– No więc... – powtarza on, obracając się ku niej, uśmiechając nieswojo.

Ich twarze są teraz bardzo blisko. Ona patrzy na jego usta i przyłapuje się na wyobrażaniu sobie, jak by to było, gdyby się pocałowali. Tak naprawdę. Przypomina sobie dotyk jego warg na swoich wargach i nagle przed jej oczyma wykwita wizja, w której oboje leżą na tej wilgotnej darni nad jeziorem; dociera do niej, że jej kręgosłup mimo woli zaczyna się wyginać w jego stronę. Umysł naciska na jakiś awaryjny hamulec i oto znów siedzi sztywno wyprostowana. Powtarza sobie radę Rachel, której ta udzieliła jej zeszłego wieczoru przez telefon: nie idź z nim do łóżka, dopóki ci nie powie, o co tu chodzi. Nie rób tego, Alice, nie wolno ci. Nagle owłada nią przerażenie: co może być aż tak złego? John opiera dłoń na jej nadgarstku.

— Alice, co ty... do mnie czujesz?

Alice kręci głową.

— Nie powiem ci tego teraz, skoro za chwilę mi wyznasz, że masz żonę i dwanaścioro dzieci albo że chcesz wyemigrować do Australii, albo że jesteś recydywistą, który w przyszłym tygodniu zacznie odsiadywać dożywocie, albo że ostatnio stwierdziłeś, że być może jesteś gejem.

John wybucha śmiechem.

— Ciepło? — pyta Alice.

— Ani trochę.

Znowu pogrąża się w milczeniu, jego palce gładzą rozgałęzienie żył na jej nadgarstku. Alice patrzy na niebo i zauważa ptaka zataczającego wielkie, zamaszyste kręgi. Spuszcza wzrok i w tej sekundzie odbicie ptaka pada na powierzchnię jeziora. Dość tego, myśli, mam tego powyżej uszu. Opuszcza rękę i zaczyna rozsznurowywać buty.

John stwierdza z przerażeniem, że Alice rozpina dżinsy i zdziera je z siebie.

— Co ty wyprawiasz? — pyta, rozglądając się dookoła, by sprawdzić, czy nikt ich nie widzi. O co tu chodzi? Już miał jej o wszystkim powiedzieć, a tu nagle ona zaczyna się rozbierać.

— Wchodzę — odpowiada Alice, jakby zadał jej jakieś wyjątkowo niepojęte i bezsensowne pytanie.

— Gdzie...?

– A tam – odpowiada, wskazując jezioro.

– Ale... przecież zmarzniesz na kość. Alice, nie rób tego. Wracaj.

Alice ignoruje go, ciemna woda głośno pluszcze, kiedy wchodzi do niej ostrożnie, z rękoma wyciągniętymi na boki dla zachowania równowagi. Podnosi jedną stopę w górę, rozcapierzając palce.

– Strasznie zimna! – krzyczy, a potem brnie dalej nieco szybciej, zostawiając za sobą szlak z bąbelków.

John, kompletnie tym wszystkim skołowany, wstaje i podchodzi do skraju wody. Alice jest już dość daleko, po kolana w wodzie.

– Alice, proszę wracaj – woła za nią idiotycznie – jeszcze się poślizgniesz i przewrócisz. Dostaniesz hipotermii.

– Nie jest tak źle, wystarczy się przyzwyczaić.

– Przestań udawać, że jesteś bohaterką jakiejś legendy arturiańskiej, i wyjdź stamtąd, błagam.

Jej śmiech biegnie ku niemu, odbijając się od powierzchni wody. John zauważa parę ludzi w średnim wieku, która siedzi nieco dalej przy brzegu; żona pokazuje Alice palcem, a wtedy jej twarzysz, prawdopodobnie mąż, rzuciwszy jedno spojrzenie na nią – ubraną tylko w obcisły T-shirt i koronkowe majtki – przykłada do oczu lornetkę. Alice wydaje przeraźliwy wrzask i John widzi, jak przechyla się gwałtownie w jedną stronę, jak walczy o odzyskanie równowagi, a potem odwraca twarzą ku niemu. Woda sięga jej teraz do ud.

– No dobrze, panie Friedmann – woła ponad wodą, przykładając dłonie do ust – to pańska ostatnia szansa.

Para w średnim wieku i kilku innych gapiów, którzy zatrzymali się na ścieżce, zerkają na niego wyczekująco.

– O czym ty mówisz?

– Jeśli mi nie powiesz, o co ci wtedy chodziło, z czym masz problem, to ja płynę do tamtego brzegu – wskazuje przeciwległy brzeg – i już mnie nigdy nie zobaczysz.

John patrzy w tamtym kierunku. Szacuje, że prawdopodobnie ona dopłynie do tego brzegu szybciej, niż on tam dojdzie. To jakiś sprawdzian? Wyzwanie? Czy ona się spodziewa, że on wejdzie za nią do wody?

— Chcesz, żebym ci powiedział właśnie teraz? — pyta, grając na zwłokę.

— Właśnie teraz — odpowiada, a potem dodaje złośliwie: — Teraz albo nigdy.

— Alice — stara się przemówić jej do rozumu — czy nie możemy porozmawiać o tym... — wskazuje gestem obserwujących ich ludzi — ...trochę bardziej prywatnie?

Alice kręci głową.

— Miałeś cały ranek na to, żeby porozmawiać ze mną prywatnie. Nie mogę dłużej czekać. Powiedz mi teraz.

Patrzy na nią ponad wodą: Alice ma głowę przekrzywioną na bok, dłonie splecione na plecach, cała dygocze w tej lodowatej wodzie. Rzeczywiście popłynie, jeśli on jej nie powie? Nie może ryzykować.

— Jestem Żydem! — odkrzykuje w jej stronę.

Odpowiada mu milczenie. Alice patrzy na niego takim wzrokiem, jakby się spodziewała, że on rozwinie temat. John wzrusza bezradnie ramionami. Obserwatorzy zebrani na brzegu mają wzrok utkwiony w Alice, czekają na jej reakcję.

— I to wszystko? — pyta ona.

— Tak.

— Więc dlaczego to taki problem?

— Bo... ty nie jesteś Żydówką.

Alice zdaje się nad tym zastanawiać, chwilę wpatruje się w niebo, potem znowu w niego. Przez dłuższą chwilę panuje milczenie, Alice stoi w jeziorze, John umiera w tym zawieszeniu na brzegu, w otoczeniu gapiów. Właśnie się zastanawia, czy nie zdjąć butów i spodni i wejść za nią do wody, kiedy Alice odzywa się ponownie:

— A więc tobie chodzi o to, że nie możesz się ze mną związać, bo nie jestem Żydówką? O to właśnie? I to dlatego... — urywa, szukając słów, zapewne przez wzgląd na ich publiczność — tak kręciłeś wtedy w kuchni?

– Uważałem, że nie wolno mi – poprawia ją John. – Wydawało mi się, że nie-Żydówki są dla mnie zakazane.

– A teraz?

– Teraz... Teraz mam to chyba gdzieś.

Alice nie odpowiada. John czeka, bardzo zdenerwowany, przestępując z nogi na nogę.

– Alice, proszę cię, wróć tu zaraz.

– Zastanawiam się.

– OK. Przepraszam.

John odwraca się, by spojrzeć groźnie na ludzi, którzy rozchodzą się, udając, że idą dalej. Kiedy znowu obraca się w stronę Alice, ta brnie przez wodę ku niemu, z bardzo poważną miną. Wyciąga rękę, by ją podtrzymać, i kiedy wreszcie udaje mu się schwycić jej ręce, są zimne jak lód. Wyciąga ją z wody i przytula do siebie.

– Boże, ty cała przemarzłaś – wykrzykuje i dotykając jej ust czubkami palców, dodaje: – Wargi ci zsiniały.

Alice wyrywa się i obdarza go bardzo chłodnym spojrzeniem.

– Musimy o tym pogadać – mówi.

– Wiem.

Alice wyjmuje kostki cukru z miseczki, jedną za drugą, i buduje z nich maleńki mur, popychając ich krawędzie palcem, przez co konstrukcja chwieje się, grożąc, że zaraz się zawali. John nie odrywa od niej oczu.

– Pewnie to cię śmieszy – odzywa się po chwili.

Alice właśnie dodaje piątą warstwę do swojego muru. Kiedy sięga po kolejną kostkę, osłania murek dłonią, jakby chciała go chronić przed silnymi przeciągami.

– Nie – mówi po namyśle – to wcale nie jest śmieszne. – Wpycha kostkę w niewielką szczelinę, ale to już o jeden element za dużo i murek rozpada się z towarzyszeniem głośnego łoskotu. – A niech to – denerwuje się Alice i zmiata wszystko z powrotem do cukierniczki. Ściera luźne kryształki czubkami palców, zerkając na potępiające spojrzenie kelnerki ukrytej bezpiecznie za automatem do cappuccino, potem wspiera łokcie na skraju stołu i spogląda na Johna, koncentrując się na nim teraz jak należy. – Nie śmieszne – powtarza – chyba raczej dziwne. Staroświeckie. Chcę powiedzieć, że słyszałam już takie historie, ale działo się to chyba tylko z ludźmi należącymi do jakichś fanatyzujących sekt religijnych. Pewnie doszłabym do tego, że jesteś Żydem, biorąc pod uwagę twoje nazwisko, a także fakt, że raczej nie wyglądasz na Aryjczyka, ale nigdy by mi nie przyszło do głowy, że to może być jakiś problem.

– Kwestia w tym – mówi John – że tu właściwie nie chodzi o religię. Trudno mi to wyjaśnić. To ma więcej wspólnego z... z... z tożsamością społeczną niż z Bogiem. To bardziej problem rasy niż wiary. Bo widzisz... chodziłem do żydowskiej szkoły trzy razy w tygodniu i... no cóż... wszystko to wbito mi do głowy w bardzo wczesnym wieku.

– Rozumiem – mruczy ona, trochę teraz wyrwana z zamyślenia. Wygląda przez okno. Po głównej ulicy Grasmere wędrują turyści. Kobieta w długim, czerwonym płaszczu narzuconym na szorty i kalosze zatrzymuje się tuż obok niej, za szybą, by przeczytać treść menu wywieszonego tuż nad jej głową. Alice gapi się na nią, dziwiąc się, że jakaś obca osoba uważa, że może stanąć tak blisko, bo dzieli ją szklana tafla. Kobieta spuszcza wzrok, zauważa przyglądającą jej się Alice i robi krok w tył. Z zagniewaną, a jednocześnie zawstydzoną miną, próbuje teraz czytać menu z większego dystansu, mrużąc oczy z wysiłku. – Więc Sophie była...?

John parska śmiechem, a potem zagryza dolną wargę.

– Z Sophie to było jedno wielkie nieporozumienie. To znajoma rodziny. Miła Żydówka, jak by powiedział mój ojciec. Bodajże wydawało mi się... Chyba obojgu nam się wydawało, że byłoby dobrze, gdyby jakimś magicznym zrządzeniem coś z tego wyszło, ale oczywiście tak się nie stało. Zamierzałem z nią zerwać właśnie w zeszły weekend, ale nie miałem okazji się z nią spotkać i to w jakiś sposób przeważyło. Mój ojciec tak bardzo liczy, że poznam jakąś Żydówkę... – Milknie, wspierając podbródek na dłoniach.

Alice obserwuje go, czekając na ciąg dalszy.

– Nie będzie tym uszczęśliwiony, ale ostatecznie... – lekceważąco wzrusza ramionami – ...to moja sprawa. Wszystko się pogmatwało, bo widzisz, umarła moja matka i ojciec stał się bardzo religijny... – Urywa nagle.

– Ojej – Alice jest wstrząśnięta. – Bardzo ci współczuję. To znaczy śmierci matki.

W tym momencie pojawia się kelnerka, obdarzając ich, zdaniem Alice, dość złowrogim uśmiechem. Następne zdanie więźnie jej w gardle i oboje opadają na oparcia, gdy tymczasem tamta stawia przed nimi kolejne kawy. Zdaje się, że cały wiek zbiera brudne talerzyki i filiżanki na swoją tacę, a kiedy hałaśliwie ustawia świeżą zastawę na stoliku, Alice zerka ostrożnie na Johna. On patrzy na nią i w tym momencie jest już kompletnie zbita z tropu – tym, co jej właśnie powiedział, tym, że nie wie, co się teraz stanie, tym, że nie potrafi orzec, czy on zmienił zdanie, czy sama zmieniła zdanie – i czuje, że na jej twarzy rozlewa się denerwujące ciepło. Odwraca wzrok, zaczyna dmuchać na swoją parującą kawę, niepotrzebnie poprawia łyżeczkę leżącą na talerzyku.

– Alice, mówiąc, że ojciec nie będzie tym specjalnie uszczęśliwiony – zapewnia ją pospiesznie John, kiedy kelnerka wreszcie odchodzi – to wcale niczego nie zakładam... chcę powiedzieć, że nie zakładam z góry, że będziemy... że się zwiążemy ze sobą czy coś takiego. Bo to przecież zależy od tego, co ty o tym myślisz... Zwłaszcza że co nagle, to po diable... – Urywa.

Alice podnosi łyżeczkę i przygląda się jej. Po jednej stronie widzi swoją twarz, zniekształconą, złożoną z samych ust i nosa, po drugiej widzi wnętrze kawiarni i kelnerkę rozciągniętą niczym wykrzyknik, spacerującą po suficie. Z powrotem układa łyżeczkę na talerzyku, a potem skupia wzrok na siedzącym przed nią mężczyźnie – na jego dłoniach spoczywających w odległości kilku cali od niej na czerwonym blacie, na jego ramionach, na oczach, ustach. Nagle owłada nią onieśmielenie – nie jest to uczucie, do którego przywykła. Teraz, kiedy tak siedzą w tej kawiarni, dotknięcie go wydaje się czymś znacznie trudniejszym niż tam, nad jeziorem. Czuje, że nie jest w stanie wyciągnąć ku niemu ręki, a jednocześnie boi się ruszyć, bo a nuż jakiś ruch zostałby odczytany jako gest odrzucenia.

John wyciąga ręce ponad stołem i ujmuje jej głowę swymi dłońmi. Kilka chwil później całują się, całują bez końca, jakby obok nich nikogo w tej sali nie było; ludzie przy sąsiednich stolikach patrzą na nich chwilę, a potem odwracają wzrok; kelnerka prycha i przewraca oczami; przechodnie na chodniku trącają swych towarzyszy, pokazują ich sobie palcami.

W niedzielę, około dziewiątej rano, John wychodzi z łazienki, ubrany w hotelowy szlafrok.

– Wiesz co? – pyta Alice z łóżka.

– Co?

Zauważa, że jest ubrana w jego bluzę, i robi mu się miło. Alice leży na brzuchu i czyta książkę, machając stopami w powietrzu. Wygląda, jakby miała czternaście lat.

– Równie dobrze mogliśmy zostać w Londynie. No bo prawie nic nie zobaczyliśmy z Krainy Jezior.

– Jak możesz tak mówić! A ten spektakularny widok? – Teatralnym gestem rozsuwa zasłony. – Ty mieszczko. – Siada przy stoliku pod oknem, gdzie ustawił swój komputer, i zaczyna energicznie wycierać włosy.

Słyszy tupotanie jej bosych stóp po podłodze, potem czuje na sobie jej dłonie.

– John, jeśli nie przestaniesz tak robić, wyłysiejesz przed trzydziestką.

– Potrzebuję choć trochę ukrwić mózg, jeśli mam kiedykolwiek napisać ten artykuł. A zresztą – dodaje spod ręcznika – łysina mi nie grozi. Pochodzę z długiego rodu mężczyzn o bardzo włochatych głowach.

– Jesteś tego pewien? – Macha ręcznikiem nad jego głową

niczym fryzjerka, po czym wsuwa dłonie pod jego szlafrok, całując go przy tym w kark.

– Alice... tylko nie to – protestuje John, chcąc powiedzieć: Alice, rób tak dalej i w ogóle, rób, co chcesz. – Muszę... no tego... naprawdę powinienem... – Jak sparaliżowany przygląda się jej palcom rozplątującym węzeł paska. Gdzie ta synapsa, która mogłaby wydać rozkaz jego dłoniom, żeby złapały ją za ręce i powstrzymały proces zdejmowania szlafroka? No gdzie się podziała? To ona ją jakoś uszkodziła? A może rozpadł mu się mózg? Alice siada okrakiem na jego kolanie, a potem zaczyna wodzić dłońmi i ustami po jego ciele, coraz to niżej. Boże, już do końca życia nie uda mu się zabrać do żadnej pracy.

Odtrąca ją z najwyższym wysiłkiem.

– Dosyć. Przestań mnie torturować. Muszę napisać tę cholerną recenzję, bo inaczej wpadnę w gówno po uszy. Trzymaj się ode mnie z daleka, słyszysz?

Alice śmieje się i idzie do łazienki. Słyszy nagły syk uruchamianego prysznica. Jego notatki z piątkowego wieczoru są praktycznie nie do odczytania – całe strony bazgrołów. Wzdycha i patrzy na góry w poszukiwaniu natchnienia. Alice zaczyna coś śpiewać. Chyba po szkocku, a może po irlandzku. Ma ładny głos. John obraca się na krześle, w stronę łazienki. Ona stoi teraz pod prysznicem, cała mokra. Może już namydlona. Zerka znów na notatki. Mógłby zwyczajnie... nie. Musi to skończyć. Stanowczym ruchem wsadza sobie zatyczki do uszu i uruchamia komputer. „Pomijając kwestie oczywiste, piątkowe przedstawienie było..." – zaczyna i urywa. No właśnie. Jakie było? Jeszcze raz przelatuje wzrokiem słowa i próbuje przypomnieć sobie ogólne wrażenie wyniesione ze spektaklu. Jedyne ogólne wrażenie, jakie w danej chwili przychodzi mu do głowy, to upajanie się odurzającym szczęściem zabarwionym posmakiem pożądania – nie ma to nic wspólnego z „*Peer Gyntem* wystawianym przez teatr w Manchesterze. Usuwa to, co już napisał, i zaczyna jeszcze raz: *Peer Gynt* Ibsena nie jest sztuką, w której przypadku można skąpić na warsztacie aktorskim". Jest dobrze. Wreszcie do czegoś zmierzamy.

I nagle ona jest tutaj, pod stołem, między jego kolanami, rozchyla poły szlafroka. John podskakuje nerwowo i na ekranie komputera pojawia się „akdjneuskjnlkfhakew". Wyciąga zatyczki dokładnie w tym momencie, w którym ona bierze jego penisa do ust. Efekt jest natychmiastowy: jakby cała jego krew porzuciła pozostałe części ciała i zabrała się dziarsko za jego usztywnianie. Czuje, jak mu się kręci w głowie.

Jej usta są miękkie, usłużne, nadzwyczaj gorące. Czuje żebra jej podniebienia napierające na niego i co jakiś czas lekki nacisk zębów. Uwalnia jej włosy od spinki, którą je spięła pod prysznicem, i wtedy rozsypują się na jej uda i ramiona. Ubiegłej nocy po raz pierwszy w życiu przestraszył się, że skończy przedwcześnie, kiedy pochyliła się nad nim w mroku i oplotła tymi włosami jego penisa. Ujmuje ją za ramiona i przyciąga ku sobie.

Stolik numer siedem, tuż przy oknie, wciąż jest pusty, a zbliża się już koniec pory śniadaniowej. Kogo brakuje? Molly rozgląda się prędko po sali jadalnej. Młodej pary z Londynu, oczywiście. Pozostali goście, starsi i bardziej przyzwyczajeni do przebywania w hotelach, zeszli na dół w porę i teraz uroczyście pochłaniają swoją sałatkę owocową i naleśniki z syropem klonowym, ledwie z sobą rozmawiając. Molly zerka na zegarek. Chce dziś wyjść wcześniej, jeśli to będzie możliwe. Jej chłopak, który pracuje w muzeum Wordswortha w wiosce, przyjeżdża zobaczyć się z nią dzisiaj po południu. Będą pływać łódką po Grasmere.

Jej stopy tupią dźwięcznie na wypastowanej (przez nią) podłodze, kiedy podchodzi posprzątać z właśnie zwolnionego stolika. Członkowie rodziny, wychodzący już z sali, uśmiechają się do niej.

– Zdaje się nadchodzi jesień – zauważa ojciec.

Molly przypomina sobie ledwie dostrzegalną ostrą nutę w powietrzu, którą poczuła, gdy wyrzucała śmieci tego ranka.

– Oj, chyba ma pan rację.

– Pewnie jest tu pięknie, z tymi drzewami.

– To prawda, ale mnie już tu wtedy nie będzie. Za kilka tygodni wyjeżdżam.

John obejmuje ją, bierze na ręce i chwiejnymi krokami podchodzi do łóżka. Chichocząc, padają na nie gwałtowniej, niż zaplanował.

– Nic ci się nie stało? – pyta z niepokojem.

– Chyba nie. Nieczęsto ląduje na mnie osiemdziesiąt kilo męskiego cielska, i to z taką szybkością... O cholera. – Mówi teraz zduszonym głosem, a po chwili gryzie go w ramię. – Co ty ze mną wyprawiasz?

John wyswobadza się, wspierając na łokciach, żeby na nią spojrzeć. Alice marszczy się z namysłu, skupiając wzrok gdzieś ponad jego głową. Dotyka jej twarzy.

– Hej. Dobrze ci tam?

Alice śmieje się, wyciąga szyję i całuje go.

Molly i Sarah, druga dziewczyna, wysprzątały całą salę jadalną oprócz tego jedynego stolika, z którego nikt nie skorzystał.

– Co z tym robimy? – pyta Sarah, wskazując gestem stolik.

– Nie wiem. Mogą tu zejść lada chwila.

– Albo spędzą cały dzień w łóżku, tak jak wczoraj – zauważa Sarah.

Molly się śmieje.

– Ciiii, jeszcze cię usłyszą. W każdym razie ja bym tak zrobiła, gdybym tu przyjechała jako gość.

Sarah prycha i rzuca w jej stronę skurzawkę, która trzeszczy w powietrzu niczym bicz.

– To by zależało od tego, z kim byś przyjechała.

Pracują dalej; wycierają blaty stołów, a potem je pastują. Molly wciera pastę szybkimi, okrężnymi ruchami, aż do momentu, w którym w wypolerowanym drewnie ukazuje się jej twarz.

Wie, że ona jest już blisko: jej oddech staje się płytki, naglący, ściska go coraz mocniej. Ich ciała są śliskie od potu. John przejeżdża językiem po szyi Alice, w stronę ucha, czuje smak soli. Jej ciało przeszywa spazm, a potem wygina się w łuk.

— O słodki, słodki Jezu!

John musi odwrócić głowę, żeby nie ogłuchnąć, jednocześnie śmiejąc się z niedowierzaniem z tych wykrzykników. Alice obłapia go z całej siły za kark, łkając, a może się śmiejąc, nie jest w stanie orzec. Po kilku chwilach próbuje się odsunąć, ale ona zaciska ramiona.

— Nie odchodź jeszcze.

— Ależ zapewniam cię, że chętnie bym został, ale niestety mam tam całą populację Chin.

Alice schodzi na dół, skradając się na czubkach palców. Hotel sprawia wrażenie opustoszałego. Naciska na dzwonek w recepcji, zalękniona, że jest taki głośny, ale nikt nie odpowiada. Nieśmiało wsuwa głowę do kuchni ukrytej za wahadłowymi drzwiami. Tam też nikogo nie ma. Na kuchence nie pali się żaden z palników, piekarnik chłodzi się przy otwartych drzwiczkach. Na blatach stoją garnki i tace przykryte folią aluminiową. W wielkiej szklanej misie moczy się soczewica, powoli uwalniając bańki powietrza. Nad zmywarką do naczyń tyka głośno zegar; jest za kwadrans pierwsza.

Alice słyszy skądś głosy. Idzie w stronę frontowych drzwi, czując ból w oczach od oślepiającego blasku słońca. Na schodkach przed hotelem siedzi kędzierzawa dziewczyna z chłopakiem. Jedzą kanapki z białych talerzyków trzymanych na kolanach. Chłopak obejmuje dziewczynę ramieniem. Śmieją się z czegoś i chłopak drugą ręką wyciera oczy rąbkiem swojego T-shirta.

— Nie wierzę, po prostu nie wierzę — mówi właśnie.

Usłyszawszy chrzęst kroków Alice na żwirze, dziewczyna odwraca głowę i zaraz wstaje.

— Dzień dobry — mówi Alice.

– Dzień dobry.

Teraz, kiedy dziewczyna się wyprostowała, Alice zauważa, że jest ubrana w szorty, ciężkie buty i wielki, wełniany sweter.

– Przepraszam, pani ma już wolne, prawda? Nie zorientowałam się.

– Nie ma sprawy. Życzy sobie pani czegoś?

Chłopak obraca się, by na nią spojrzeć. Alice przypomina sobie, że już go wcześniej widziała, jak szedł przez trawnik, z głową zadartą ku niebu.

– Nie, niech pani nie zawraca sobie głowy. Chciałam spytać, czy moglibyśmy gdzieś tu coś zjeść, zanim wyjedziemy do Londynu. Bo widzi pani, przepadło nam śniadanie.

– Tak, wiem. Zazwyczaj nie podajemy tu lunchu, ale na pewno coś dla państwa znajdę.

Alice kręci głową.

– Nie, nie. Nie miałabym sumienia. Przecież możemy przejść się do miasteczka. A wy tu sobie spokojnie jedzcie swój lunch. Pracowałam kiedyś w hotelu, więc wiem, jakie to wkurzające, kiedy ludzie tacy jak my nie jedzą o wyznaczonej porze.

Na twarzy Molly odznacza się wyraźna ulga.

– No to skoro jest pani pewna...

– Jestem. – Alice odwraca się, by odejść. – Miłego popołudnia.

Alice buszowała po zakamarkach ogrodzonego murem ogrodu Tyningham, imponującej wiejskiej rezydencji otwartej w niedziele dla turystów. Było gorąco. Miała na sobie swój czarny wiktoriański surdut.

– To urodziny twojego ojca, włóż coś ładnego, na miłość boską – syknęła matka, kiedy zeszła w nim na dół.

Jednak Elspeth kazała Ann „zostawić ją w spokoju", dlatego więc teraz nie mogła go zdjąć.

Mur, zbudowany z czerwonej cegły, był miejscami porośnięty szarozielonym mchem. Biegły wzdłuż niego rabaty z róż, ziół i jakichś jasnopomarańczowych kwiatów, których nazwy

Alice nie znała. W jednym z krańców ogrodu znajdowała się niewielka, mętna sadzawka z kamiennym gryfem, z którego pyska ciurkał słaby strumyczek wody. Był tam również trawnik okolony niskim żywopłotem z mirtu. Na samym jego środku, na ogrodowych meblach z kutego żelaza pomalowanego na biało, pod parasolem siedziała rodzina Alice.

Przez trawnik szła właśnie kelnerka niosąca wielką tacę. Alice podeszła tam i usiadła między Elspeth i Kirsty. Elspeth i Ben rozmawiali o Kennecie, bracie Bena i jego nowym gabinecie lekarskim. Alice przysłuchiwała się jednym uchem, przyglądając się jednocześnie, jak kelnerka zestawia filiżanki z tacy. Beth molestowała matkę, że potem chciałaby iść zobaczyć konie.

– Pójdziemy tam? Pójdziemy? Pójdziemy? – dopytywała się jej siostra, podskakując jak piłka na krześle. – Zgodzisz się?

Ann brała spodki ze stosu przyniesionego przez kelnerkę, jeden po drugim, stawiała na każdym filiżankę i napełniała ją gorącą, brunatną herbatą. A potem podawała je kolejno Kirsty, Elspeth, Benowi i na koniec sobie.

– Dla was zamówiłam sok – powiedziała do Alice. – Zobaczymy – zwróciła się do Beth i wręczyła im obu dzbanek z pomarańczową cieczą.

– Wszystkiego najlepszego, Ben – odezwała się Elspeth, wznosząc filiżanką toast na cześć swojego syna.

Poprzedniego wieczoru Alice zapakowała kompas, z tarczą unoszącą się w wypełnionej wodą kuli, do której umocowana była duża, przezroczysta przyssawka. Ben zwilżył ją językiem i przymocował do przedniej szyby samochodu.

– Piękny prezent, Alice – pochwalił, oglądając się na nią z uśmiechem. Przez całą drogę od ich domu do Tyningham kompas trząsł się i podskakiwał, rejestrując najdrobniejsze zmiany kierunku.

– Chciałabym szklankę wody – rzuciła Ann, do nikogo w szczególności.

Ben wstał natychmiast i puścił się do biegu za znikającą kelnerką.

– Jest gorąco – wyjaśniła Ann, wachlując się dłonią. – Może zdejmiesz ten surdut, Alice?

Alice nie odpowiedziała, tylko upiła łyk kolorowego soku przez słomkę. Płyn o sacharynowym smaku przeleciał jej przez usta, oblepiając zęby. Wyłowiła z kieszeni surduta okulary przeciwsłoneczne i założyła je, pogrążając w cieniu siedzącą dookoła niej rodzinę i ojca idącego w ich stronę po trawniku, ze szklanką wody połyskującej w słońcu. Matka wydęła wargi. Ben ustawił przed nią szklankę. Ledwie na niego patrząc, powiedziała:

– Ben, możesz poprawić parasol? Jestem za bardzo wystawiona na słońce.

– Jak Hamlet – mruknęła Alice.

Ben okręcił biały plastikowy kij osadzony w otworze w ich stole. Cień parasola obrócił się nad nimi.

– Coś ty powiedziała? – Ann zerknęła na córkę takim wzrokiem, jakby znajdowała się gdzieś bardzo daleko.

– Powiedziałam „jak Hamlet". On powiedział do Klaudiusza i swojej matki, że jest za bardzo wystawiony na słońce. Ty też tak powiedziałaś. Przed chwilą.

– Ach tak. Ale dlaczego... – Ann urwała. – Ben, nie tak. Tak. O tutaj, bardziej w moją stronę.

Elspeth odsunęła swoje krzesło i oddaliła się, z pozoru po to, by obejrzeć gryfa ciurkającego wodą nad wiktoriańską grotą. I wtedy właśnie Alice zobaczyła to. Zobaczyła, jak ojciec siada z powrotem, a potem pochyla się, by podnieść z ziemi sweter Ann. Zobaczyła, jak okrywa nim jej ramiona. Zobaczyła, jakby po raz pierwszy w życiu, swego ojca, który wykonywał wszystkie te drobne czynności na rzecz swojej żony. I zobaczyła jeszcze, jak on kładzie dłoń na kolanie Ann, uśmiechając się kolejno do swoich trzech córek uczestniczących w jego czterdziestych piątych urodzinach. A na koniec, kilka sekund później, zobaczyła, jak matka przesuwa krzesło, niby tylko nieznacznie, a jednak wystarczająco, by dłoń Bena osunęła się w dzielącą ich przestrzeń.

Tuż przed Londynem przestają rozmawiać. Taśma w magnetofonie kończy się i John nie nastawia następnej. Alice opiera głowę o szybę samochodu, licząc nieskończoność pomarańczowych światełek i co jakiś czas przyglądając się ich odbiciom w szkłach okularów Johna.

– Dlaczego nosisz okulary? – pyta ni stąd, ni zowąd.

John na chwilę odrywa wzrok od drogi, by spojrzeć na nią.

– Pytasz takim tonem, jakby to była jakaś zbrodnia. Potrzebuję ich podczas jazdy albo jak idę do kina czy teatru, w tego typu sytuacjach. Jestem krótkowidzem. To od pracy na komputerze przez osiem albo dziewięć godzin dziennie.

– Więc nie tylko wyłysiejesz, ale i oślepniesz.

– Może i oślepnę, ale na pewno nie wyłysieję.

Odrywa lewą dłoń od kierownicy i kładzie ją na jej nodze. Alice gładzi tę dłoń swoją, wsłuchując się w zmiany w dźwięku, kiedy dotyka kolejno jego stawów, ścięgien i palców.

– Kiedy umarła twoja matka? – pyta

– Pod koniec mojego pierwszego roku studiów. Miałem dziewiętnaście lat. Ty byłaś wtedy seksowną siedemnastolatką.

– Nie seksowną, tylko raczej kościstą i nastroszoną. – Oplata palcami jego palce. – Na co umarła?

– Miała raka piersi. W każdym razie na początku. Znalazła pierwszy guzek w dzień po tym, jak zdawałem egzaminy na koniec liceum, i następnego lata już nie żyła. Rozszedł się po wszystkim: po trzustce, płucach, jelitach, jajnikach, wątrobie. Otwarli ją w Wielkanoc, bo chcieli operować wątrobę, i kiedy zobaczyli te wszystkie guzy, po prostu ją zaszyli i odesłali do domu. Powiedzieli nam, że nie przeżyje miesiąca, a jednak przeżyła i jeszcze dwa następne.

– John, to straszne.

– Tak, to było straszne.

– Jak twój ojciec to zniósł?

– Raczej źle, jak należy się chyba spodziewać po dwudziestu sześciu latach małżeństwa.

– A jak z nim teraz?

– Ano stał się religijny. Naprawdę pobożny. Co zresztą nie dziwi, jak się nad tym zastanowić. Ale dał się we znaki wielu ludziom.

– Dlaczego?

– Bo jego nowo odkryta wiara ma w sobie tyle... desperacji... i obsesji. Matka była bardzo religijna, a on zawsze odnosił się do tego cynicznie. Często się z niej naśmiewał. To znaczy byłby pierwszy do przedstawienia siebie jako Żyd, ale mówiłby, że to jego rasa, a nie religia. O mojej bar micwie twierdził, że to „ubezpieczenie na życie". Ona dążyła do tego, żebyśmy się stali stuprocentowo koszerni, ale nawet nie chciał o tym słyszeć. W każdym razie po jej śmierci stał się istnym maniakiem religijnym. Nie chce niczego jeść w moim domu – nawet jeśli kupuję właściwe jedzenie – bo nie mam koszernej kuchni. Sam ma oddzielną zastawę do mleka i mięsa, ma nawet dwie zmywarki. Przestrzega tych wszystkich niejasnych rytuałów, a tymczasem ja ciągle o nich zapominam. Autentycznie się irytuje, jeśli na przykład dzwonię do niego w sobotę. Czasami... trudno to wytrzymać. Wyraźnie kieruje się jakimś pokrętnym rozumowaniem, że jeśli nie będzie pielęgnował wiary mojej matki – wiary, z której kiedyś się naśmiewał – to w jakiś sposób okaże się niewierny jej pamięci. Zawsze był za tym, żebym się ożenił z Żydówką, ale teraz to się przerodziło w obsesję. Bywa ciężko. Czasami naprawdę marzę, żeby kogoś poznał, bo wtedy miałby się na kim wyżywać.

– Zamiast na tobie?

– Tak. Ale nie sądzę, by to było możliwe. Nie wyobrażam sobie tego.

John nagle zdejmuje rękę z jej uda i kładzie ją z powrotem na kierownicy. Ma zaciętą, spochmurniałą twarz. Alice milczy, czując, jak gwałtownie ucieka ciepło, które pozostawiła jego dłoń. Zaciska swoje dłonie na kolanach.

John odzywa się wreszcie, kiedy przejeżdżają przez Crouch End:

– Alice, to był najpiękniejszy weekend w moim życiu.

— Dla mnie też. Zakochałam się w tym miejscu. — Rozprostowuje nogi. — Zobaczę cię jeszcze kiedyś?

Przez jego ramiona przebiega skurcz znamionujący zdziwienie, samochód niebezpiecznie zbacza z obranego kursu.

— No co ty? Nie mów takich rzeczy. Czy jeszcze mnie kiedyś zobaczysz? No przecież oczywiście. A może... nie chcesz mnie więcej widzieć? Myślałem... No co ty? Dla ciebie to był jakiś epizod? Który nic nie znaczył?

— Nie, oczywiście, że nie. Przecież wiesz. Nie musisz się tak od razu denerwować.

— A właśnie, że muszę, kiedy mówisz coś takiego. O co ci chodzi, Alice?

— Chodzi mi o ten problem z byciem albo niebyciem Żydem.

John nic nie mówi. Kiedy Alice zdobywa się na odwagę, by na niego spojrzeć, jest mocno przygarbiony i ściska kurczowo kierownicę. Wzdycha.

— John, nie jestem zła na ciebie. I nie chcę ci urządzać awantur. Mam gdzieś twoją rasę czy religię, przecież wiesz o tym. Ale dla ciebie to ma znaczenie, nie możesz zaprzeczyć. A ja po prostu staram się być realistką.

— Realistką?

— Tak. Nie chcę, żebyś łamał mi życie. Musisz sam zdecydować, czego chcesz.

— Chcę właśnie tego. — John uderza pięścią w kierownicę. — Powiedziałem ci to.

Alice nie odzywa się, nie przekonana.

— Nie wierzysz mi, prawda?

— To nie tak. Wierzę, że ty wierzysz w to, co mówisz tu i teraz, ale jestem też przekonana, że mógłbyś zmienić zdanie.

— Nie zmienię.

— Mógłbyś. — Alice rozpościera sobie dłonie na oczach i skroniach. — Sam zobacz, atmosfera już robi się dość ciężka. A przecież dopiero co się poznaliśmy. Więc może się umówimy, że będziemy traktowali to lekko i zobaczymy z czasem, co z tego wyniknie?

John chrząka niezobowiązująco.

– Nie rozumiem, dlaczego po prostu nie możesz mi uwierzyć.

– John, nie psujmy tego weekendu, kłócąc się o coś, co się nie zdarzyło i może się nigdy nie zdarzy. To wszystko jest takie względne. – Zauważa przemykający obok nich drogowskaz do Holloway. Zbliżają się do skraju Finsbury Park. – Mógłbyś mnie odwieźć do domu, proszę?

John natychmiast wpada w panikę.

– Myślałem... To znaczy chciałem spytać, czy nie wolałabyś pojechać do mnie... Jeszcze nie widziałaś mojego mieszkania.

– Chętnie przyjdę jutro wieczorem, ale dzisiaj muszę się rozpakować i przygotować na jutro do pracy.

– No tak. Czuję... Naprawdę chciałbym, żebyś wpadła. Mam wrażenie, że rozstajemy się w złym nastroju.

Alice kręci głową.

– To nieprawda. Przysięgam.

– W takim razie przyjdź jutro na kolację. Jutro wieczorem... cholera, nie, jutro nie mogę. Może we wtorek?

– Wtorek mi odpowiada. O której?

– O ósmej? U mnie.

Samochód podjechał do schodów wiodących do domu Alice. John wyskakuje na zewnątrz i dopada do drugich drzwi w chwili, gdy ona już wysiada. Obejmuje ją ramionami i długo się całują.

– Przepraszam, że byłem wcześniej taki upierdliwy. Kretyn ze mnie.

– Ależ skąd. Wszystko jest jak trzeba.

John obwodzi kciukiem jej kość policzkową.

– Ja ci nie złamię życia, Alice.

Alice obraca głowę i gryzie go w ten kciuk.

– Tylko spróbuj.

John śmieje się, podrywa ją z ziemi i obraca się razem z nią w objęciach.

– To do zobaczenia we wtorek.

– Tak. Ale jest jeden mały problem.

– Jaki?

– Nie znam ani twojego numeru telefonu, ani adresu.

Stawia ją na ziemi.

– Boże święty. Już ci zapisuję. – Gryzmoli nerwowo na kawałku papieru, a potem znowu się całują. – Jesteś pewna, że nie chcesz jechać do mnie? – pyta raz jeszcze po chwili.

– Jestem. I jedź już, zanim zmienię zdanie. No dalej, spadaj.

Alice macha za jego oddalającymi się światłami. Dopiero kiedy jego samochód znika za zakrętem, spogląda na kartkę, którą jej dał. Jest na niej zapisany jego numer telefonu, adres, a dalej słowa „kocham cię John xxx". Drogę do swoich drzwi pokonuje biegiem.

Wchodzi do środka, niezdarnie ściskając torbę w jednej ręce, drugą mocując się z zamkiem i klamką. Upuściwszy torbę na podłogę, stoi chwilę plecami do drzwi, wciąż ściskając klucze. Potem idzie przez mieszkanie, nastawia kompakt, zasuwa zasłony, nalewa wody do czajnika. Jej pokój jest pełen dowodów pospiesznego pakowania w piątkowe popołudnie – ubrania rozrzucone na łóżku, książki w osuwających się stertach na podłodze. Czuje się dziwnie, jak na to wszystko patrzy. Naprawdę minęły tylko dwa dni, odkąd robiła ten bałagan? Ma wrażenie, że to się działo w innym stuleciu, że całe mieszkanie należy do jakiejś innej osoby. Rzuca się na łóżko. Rozpakować może się rano. W mieszkaniu pod nią rozbrzmiewa jakaś rytmiczna muzyka, słychać też przekrzykujące ją głosy. Leży na brzuchu, z podbródkiem wspartym na pięściach. W dłoni ściska kartkę od Johna. Wygładza ją na kołdrze. Nieopodal, przez nocny mrok mknie ze stukotem kół pociąg, sprawiający, że cały dom się trzęsie. A tymczasem gdzieś dalej, w tym samym mieście, on wjeżdża już samochodem w swoją ulicę.

W idywałem już takie w twoim typie – zagaił mężczyzna, który właśnie podszedł do Ann.

Ann przyłożyła papierosa do ust i zaciągnęła się. Mężczyzna był jej jakby znajomy; niewykluczone, że widywała go tu i tam na mieście, ale też mogło jej się to tylko wydawać, bo po tym mieście wałęsały się setki mężczyzn takich jak on – z rzednącymi rudawymi włosami, początkami brzucha naprężającymi guziki koszuli, ubierających się w swetry z łatami z zamszu i rozklapane mokasyny. Ann wydmuchnęła dym, patrząc, jak mężczyźnie zaczynają łzawić oczy. Wokół gęstych, rudych wąsów miał obwódkę z piwa.

– Czyżby? – odparła.

– Jesteś Angielką, no nie? No jasne, że tak. – Sam sobie udzielił odpowiedzi, więc Ann nie musiała się trudzić. – Znam ten twój typ.

– Naprawdę? A co to za typ?

Ann stała sama we frontowym pokoju dużego ceglanego domu na wschodnich obrzeżach North Berwick. Otaczał ją tłum młodych małżeństw, dokładnie takich jak ona i Ben, wszyscy rozmawiali, jedli, pili i flirtowali. Było to przyjęcie wydane przez kogoś, z kim Ben chodził do szkoły. Teraz ten ktoś był dentystą, jak wyjaśnił jej Ben, kiedy szli przez podjazd. Ann stała przy kominku, dawno temu wymknąwszy się spod opieki Bena, kiedy jakiś mężczyzna w krawacie z wizerunkiem labradora zaczął go wypytywać, jaki samochód zamierza kupić tego roku. A potem ten człowiek wyszedł akurat z kuchni, niosąc – o zgrozo – dwie szklanki z piwem.

— Drobna — odparł jej rozmówca — niebieskie oczy. Blondyn-ka. — Temu ostatniemu słowu nadał specjalne brzmienie, nie-malże podobne do odgłosu silnika wchodzącego na wysokie obroty.

— I mężatka — dodała Ann, podnosząc rękę, by pokazać mu złote kółko opasujące jej palec.

— Aha! — zawołał, z trudem skupiając wzrok. — Wyzwanie! To mi się podoba! No daj, niech się przyjrzę. — Odstawił swoje szklanki na gzyms nad kominkiem i ujął jej dłoń. — Może teraz w to nie uwierzysz, ale jestem słynnym chiromantą.

— Czyżby? — Ann znowu zaciągnęła się papierosem.

— Ażebyś chciała wiedzieć. Jesteś bardzo namiętna, bardzo czuła. Ale jest coś, czego nie dostajesz od życia, coś, co zostawia w tobie głębokie, choć ukryte niezadowolenie.

Ann wyrwała rękę, ale mężczyzna trzymał jej nadgarstek w ciasnym, spoconym uścisku.

— A to co? — spytał, przejeżdżając palcem po nierównej, bez-barwnej bliźnie, która przecinała jej dłoń, sprawiając, że jej palce drgnęły odruchowo. — Ta rana musiała być paskudna. No to jak do tego doszło? Mąż to zrobił, co?

Ann wyjęła papierosa z ust.

— Puść moją rękę — wypluła te słowa, jedno po drugim, bar-dzo wyraźnie — ty obleśny, karłowaty trollu.

Mężczyzna tak się zdziwił, że pozwolił, by wysunęła nadgar-stek z jego uścisku. Ann cisnęła niedopałek za kratę paleniska i odeszła, przeciskając się między ludźmi, którzy gapili się na nią, ale ona zupełnie nie zwracała na to uwagi.

Szukała Bena. Gdzie on się podział? Miała wrażenie, że mi-nęło wiele godzin, odkąd go zostawiła z tamtym nudziarzem. Na korytarzu zauważyła kobietę, do której należał ten dom, stojącą w towarzystwie innej, nie znanej Ann kobiety, tuż obok kompozycji z zasuszonych kwiatów w ohydnym niebieskim kolorze.

— Widziałaś może mojego męża? — spytała Ann.

— Bena? Zdaje się, że ostatnim razem widziałam go w jadalnym. Powiedziałabym, że był lekko sfatygowany. Ale z kolei zawsze powtarzam mojemu Peterowi: jeśli co jakiś czas nie możesz zalać robaka, to co ci jeszcze zostaje?

– Tak, tak. – Ann skubnęła rąbek swojej bluzki. – W tym pokoju, powiedziałaś?

– O tam, po twojej lewej stronie. Na pewno trafisz.

– Dzięki.

Ann przepchnęła się przez korytarz, między ludźmi stojącymi pod ścianami z drinkami i papierosami w dłoniach. Ciała kobiet były bardziej uległe; przesuwały się, by ją przepuścić. Mężczyźni nie ustępowali drogi, tylko niewzruszenie trzymali się swoich miejsc, wciąż pozostając sztywni, kiedy próbowała prześlizgnąć się obok nich. Mam trzydzieści jeden lat, pomyślała Ann, moje trzy córki śpią w swoich łóżkach, co ja tu robię?

W jadalni kobieta w przyciasnych spodniach siedziała na stoliku z blatem z przydymionego szkła i głaskała burego kota. Przed nią stali dwaj mężczyźni.

– Jeśli chodzi o te edynburskie szkoły – mówił właśnie jeden z nich – to oczywiście masz gwarancję, że twoje dziecko będzie wśród innych obdarzonych wysokim ilorazem inteligencji.

– W przypadku liceum takiej gwarancji mieć nie możesz – wtrąciła kobieta.

– No nie – zgodził się z nią drugi mężczyzna.

– Przepraszam – powiedziała, wstępując między nich – nie widzieliście przypadkiem Bena?

– Jakiego Bena? – spytała kobieta. Kot krążył przy jej biodrach, z zadartym ogonem, pokazując czyste kółko swojego odbytu.

– Bena Raikesa.

– Oooooch! – wykrzyknęła kobieta i wyciągnęła rękę. – Ty jesteś Ann, prawda? Niesamowite, że nie poznałyśmy się wcześniej. Jestem Gilly. To jest Scot, a to mój mąż Brian. – Wszyscy podali jej kolejno ręce. – Moja Victoria jest w tej samej klasie co twoja Kirsty.

– Racja.

– Właśnie odbywamy odwieczną dysputę na temat: szkoła państwowa a prywatna. Co wy i Ben o tym myślicie?

– No cóż, Kirsty ma tylko siedem lat, a Alice dopiero poszła do zerówki, więc...

– Maleńka Alice! Znam ją! Widuję ją, jak wychodzi ze szkoły razem z Kirsty. Śliczna, obie są śliczne. Alice jest bardzo ciemna, prawda?

– Nie. – Ann zaczęła się wycofywać. – To znaczy tak. Tak, jest ciemna. Cóż, muszę znaleźć Bena. Miło mi było was poznać.

Patrzyli, jak odchodzi, lekko zdziwieni.

Ann udało się przedrzeć do progu głównego pokoju; stanęła na palcach, by sprawdzić, czy nie zjawił się tam Ben. Mężczyzna-troll bawił się teraz w jakieś pijackie gry z drugim, wyższym od niego. Już miała się wycofać do korytarza, kiedy schwycił ją w talii mężczyzna o włosach barwy piasku i gładkiej, napiętej skórze.

– Czas na boogie-woogie.

– Nie.

– No co, nie chwycimy byka za rogi? Ty i ja?

– Nie. Puść, proszę.

– No chodź, chodź. Pofiglujemy sobie. Żyje się tylko raz.

Ann wyrwała się mu, uderzając przy tym torebką o kaloryfer, który wydał z siebie przeciągły niski dźwięk, podobny do nuty wygranej na wiolonczeli. Przedarła się do holu. Tak bardzo chciała znaleźć Bena, że aż zbierało się jej na płacz. Wiedziała, że on jest gdzieś w tym domu, ale nie mogła się do niego dostać. Stała pod klatką schodową i miała ochotę wykrzyknąć jego imię co sił w płucach, zawołać: „Tu jestem, błagam, przyjdź do mnie".

Na widok mężczyzny-trolla wytaczającego się zza drzwi Ann wbiegła pędem na górę po wyłożonych wykładziną schodach, po czym zatrzasnęła się w łazience. Opuściła klapę sedesu i usiadła, z torebką dyndającą nad podłogą, rytmicznie gładząc brzeg swojej blizny. Pani tego domu wymalowała łazienkę zieloną far-

bą. Płytki zdobiły trójwymiarowe koniki morskie, muszle i roz-
gwiazdy. Ann ze zdumieniem zauważyła diafragmę, przyszyko-
waną do użycia w etui na brzegu wanny. Wstała, zobaczyła swoją twarz w lustrze i pomyślała, że zaraz zacznie wymiotować.
Potem dotarło do niej, że to jej skóra odbija farbę barwy zielonych rzygowin.

Usłyszała kogoś na schodach.

– Do Dover to dzień jazdy, prosto jak strzelił po A1 – wyja-
śniał kobiecy głos – potem noc na promie i dwa dni jazdy do
Alp. W każdym razie tyle wiem od Dennisa.

– No cóż, życzę, żeby to nie była ciężka podróż, z tymi
wszystkimi dzieciakami i w ogóle.

Ben. To głos Bena. Bez cienia wątpliwości. Ann doskoczyła
do drzwi i otwarła je na oścież. Na korytarzu i schodach nie
było nikogo.

– Ben? – Ann pokonała kilka stopni w dół i zobaczyła morze
twarzy uczestników przyjęcia wypełniające korytarz. Odwróciła się i zaczęła biec z powrotem na górę. – Ben! Ben!

Gdzie on jest, u licha? Wiedziała, że nie mógł odejść daleko.

– Ben? Gdzie jesteś? Ben!

Wtedy usłyszała jego głos, który gdzieś powiedział zdziwionym tonem:

– To moja żona.

Przekrzywiła głowę na bok, starając się upewnić, skąd ją dobiega.

– Ann? – usłyszała jego wołanie. Gdzieś na górze. Na pewno
na górze.

– Tak! – Wspięła się na górę, pokonując po dwa stopnie naraz. – Ben! Tu jestem! Tu jestem!

Otwarła pierwsze drzwi, do jakich dobiegła, ale tam było
ciemno, jakaś spiżarnia, pachnąca intensywnie drewnem i poli-
turą. Usłyszała samą siebie, cichy odgłos, jakby początek łez,
i zaraz zatrzasnęła te drzwi. A potem on stanął za nią, położył
dłoń na jej ramieniu.

– Hej – powiedział. – Wołałaś mnie?

— Ben. — Przycisnęła twarz do jego ramienia, z gardłem tak zdławionym z poczucia ulgi, że nie mogła powiedzieć już nic więcej. Próbował odsunąć się od niej, spojrzeć jej w twarz, ale nie chciała go puścić. Śmiał się, zawstydzony i zadowolony.

— Dobrze się czujesz?

— Gdzie byłeś? Odszedłeś... Nie wiedziałam, gdzie jesteś.

— Nie rozumiem. Byłem tu cały czas.

Ann potarła czoło o klapę jego marynarki, przycisnęła wargi do jego szyi.

— Czy możemy już wracać do domu? — wyszeptała do jego ucha. — Proszę.

Poczuła, że on odwraca głowę, by sprawdzić, czy ktoś ich widzi, i przytuliła się jeszcze mocniej.

— Chodźmy do domu — wyszeptała. — Chodźmy już teraz.

Nadal usiłował spojrzeć jej w twarz, ale ona zagrzebała głowę w jego ramieniu.

— No skoro... skoro chcesz.

— Chcę.

— Wezmę nasze płaszcze. — Próbował odejść, ale Ann wciąż go nie puszczała.

— Pójdę z tobą.

— OK. — Otoczył ją ramieniem w talii, wspierając, jakby była ranna. — No to idziemy.

Ann zaklinowuje stopy pod najwyższym szczeblem stołka. Te stołki skonstruowano dla wysokich mężczyzn, jej zdaniem; ona od siedzenia na nich dostaje napadów lęku i zawrotów głowy. I na dodatek bardzo trudno z takiego swobodnie zsiąść; wystarcza najmniejsza nierówność w długości nóg i potrafi się niebezpiecznie zakolebać, sprawiając, że Ann wpija kurczowo dłonie w brzeg drewnianego stołu.

Siedzi właśnie w laboratorium uniwersyteckim, którego cisza napawa ją spokojem. To inna cisza niż ta w bibliotece, gdzie powietrze przygniata skupieniem, gdzie dookoła aż roi się od drukowanych, czarnych liter. Tutaj się nawet rozmawia, zniżonymi głosami, ale zawsze. Rozmowy nigdy nie są błahe, wyłącznie na temat pracy, wyników testów, przyrządów. Nikt nie rozmawia dłużej, niż musi, nikt nie zadaje osobistych pytań. To miejsce odizolowane, bezpieczne: każdy przychodzi tu po to, by przeprowadzić swój eksperyment, a potem wyjść.

Na stole przed Ann leży skalpel, deska do rozcinania roślin wykonana z ciemnego, utwardzanego drewna oraz wiązka roślin o połamanych i zmiażdżonych kwiatach. Wie, że powinna przeprowadzić eksperyment z naczyniami tkanki roślinnej, rozciąć łodygi, zabarwić je granatową farbą i umieścić na ostro zakończonych szkiełkach pod mikroskopem.

Kiedy tydzień wcześniej wykładowca zlecał im wykonanie tego eksperymentu, Ann przysłuchiwała mu się z długopisem zawisłym nad notatnikiem. Przez cały wykład otaczający ją ludzie zapełniali kolejne kartki notatkami i wykresami, Ann jednak nie była w stanie wyróżnić logicznych słów w tym strumieniu dźwięków wypływających z ust wykładowcy. Nie ma pojęcia, dlaczego każą jej wypełniać naczynia tkanki roślinnej niebieską farbą i badać je pod mikroskopem; nie wie nawet, czego właściwie powinna szukać podczas wykonywania wszystkich tych czynności.

Odgarnia włosy z twarzy, prostuje się, zaciska kolana i bierze do ręki skalpel. Potrafi to zrobić, potrafi to zrobić, na pewno potrafi. Przyciska czubek ostrza do łodygi: ciasny, sztywny przekrój rozszczepia się bez trudu, tryskając treściwym, białawym sokiem. I teraz, prawie nie stosując nacisku na ostrze, dzieli łodygę na dwie równe połowy. Płatki bzu opadają, osypując się na blat stołu, a ona układa te połowy obok siebie na desce. Odzyskuje oddech. Potrafi to zrobić. Potrafi to zrobić. Robi to.

Bierze do ręki kolejną łodygę, umieszcza ją między kciukiem a palcem wskazującym lewej dłoni. Słońce wcina się do laboratorium przez wysokie okna. Okna są osadzone w sporej odległości od siebie, przez co tylko co drugi stół znajduje się w białym świetle środka dnia: jeden stół w cieniu, drugi w słońcu. Ann siedzi w jaskrawym, niemalże biblijnym snopie, otoczona czarnymi, wyrazistymi cieniami przyrządów. Widzi własne łokcie wsparte na stole, uniesione ręce, łydki skrzyżowane pod stołkiem i dziwi się, że jej ciało rzuca tak czytelny cień, bo przecież czuje się taka nieważka, taka niematerialna, pozbawiona jakiejkolwiek gęstości, formy czy kształtu.

Powraca wzrokiem do swoich rąk i przygląda się z niejakim zainteresowaniem, jak trzymany przez nią skalpel wciska się w skórę lewej dłoni. Palce wciąż trzymają rozkrojoną łodygę, ale skalpel napiera coraz mocniej. Na dłoni wykwita połyskliwa czerwień, która spływa szerokim strumieniem po pagórku kciuka i dalej po nadgarstku. Nie czuje bólu, ale za to słyszy ten czysty dźwięk, dźwięk sierpa koszącego trawę, gdy skalpel wędruje wskroś wnętrza dłoni, rozcinając linię życia. Po chwili jej palce skręcają się bezwładnie do środka i skalpel mimo woli wysuwa się z ręki. Czuje, że jej rękaw jest mokry aż po łokieć.

Ann ma wrażenie, że ten obiektyw, przez który ogląda świat, został przekręcony, nastawiony na nową ostrość: nagle wszyscy znajdują się bardzo blisko. Słyszy szepty dwóch mężczyzn po drugiej stronie sali, omawiających ilość etanolu zawartego w pipecie, którą jeden z nich podnosi do okna nad jej głową. Nie patrzą na nią. Na przedzie laboratorium szeleszczą patyczaki w akwarium z perforowanego szkła, skrobiąc i pocierając cienkimi odnóżami o wyraźnie zaznaczonych stawach, kiedy tak przemieszczają się po swym zamkniętym, symulowanym świecie ciepła i liści; kłębki kurzu wirują w strumieniach światła; palnik Bunsena trzy stoły dalej ryczy niczym wodospad.

Ann zsuwa się ostrożnie ze stołka, aż wreszcie jej stopy dotykają posadzki. Deska do krojenia wchłonęła całą krew niczym roślina spragniona wody. Ann stwierdza, że to obrzydliwy widok, i wie teraz tylko tyle, że chce od niego odejść, od tego kawałka drewna nasiąkłego krwią, i w ogóle uciec z tego miejsca. Promień jej wzroku zatacza krąg po wnętrzu sali niczym światło latarki: zlewy z wysoko sklepionymi kranami, pomarańczowe gumowe rurki biegnące od kurków od gazu do palników i powietrze drgające nad nimi od gorąca, dwaj mężczyźni, którzy pochylają się nad skomplikowaną konstrukcją ze szklanych rurek, jeszcze jeden mężczyzna, jasnowłosy, który siedzi przy mikroskopie i z namaszczeniem ustawia soczewki, kobieta potrząsająca czymś w probówce, i znów mężczyzna zdejmujący marynarkę i zawieszający ją na wieszaku, półki wypełnione pojemnikami i słojami, w których są jaszczurki, gumiaste prosiaki i płody z zamkniętymi oczyma, wszystkie zakonserwowane w formaldehydzie.

Wędruje głównym przejściem w stronę drzwi. Mija kobietę z probówką, która nie podnosi wzroku, potem zbliża się do mężczyzny zaglądającego do mikroskopu, ale właśnie wtedy chyba niechcąco potrząsa głową albo może odgarnia włosy opadłe na twarz, bo z jej starannie skonstruowanego koka wypada spinka. Pewnie przez wiele godzin wysuwała się z miejsca, w które Ann wpięła ją tego ranka, i teraz wreszcie upada na wyłożoną kafelkami posadzkę, wydając przy tym odgłos jak brzęknięcie kamertonu. Ten dźwięk brzmi obco w laboratorium – cichuteńka nuta intymności na tle tych wszystkich dźwięków towarzyszących gotowaniu, cięciu, kondensowaniu i wyrastaniu. Ann słyszy go i przykłada zdrową dłoń do włosów, wymacując pasmo niesfornych włosów opadających jej na ramię. Mężczyzna przy mikroskopie też to wyraźnie słyszy, bo podnosi wzrok znad swego szkiełka. Przez mikrosekundę patrzy na Ann, potem znów, mechanicznie, zagląda do tunelu światła, na swoje komórki skąpane w jodynie, i nagle podrywa się ze stołka.

– Jezu Przenajświętszy!

Chwyta Ann za zdrowe ramię i wyciągnąwszy skądś krzesło, prowadzi ją ku niemu. Ann przyjmuje to z ulgą. Czuje ciepło w czubku głowy, mięśnie jej nóg są zmęczone od podtrzymywania ciała w pozycji pionowej.

– W co się zacięłaś? – pyta mężczyzna, cichym, bardzo spokojnym głosem, pochylając się nad nią. – Możesz mi pokazać to miejsce?

Ann próbuje rozprostować palce, ale w tym momencie czuje

gorące strzały bólu, które fruną przez jej całą długość ręki, aż do barku. Głośno zapiera jej dech od przeżytego szoku, do oczu podchodzą łzy i zaraz zaczynają ciec strumieniami po policzkach. Mężczyzna ustawia jej dłoń nad zlewem, a potem odkręca kurek. Woda spłukuje krew, która wiruje w załomkach białej porcelany i ucieka do odpływu. Oboje widzą teraz czerwoną, ziejącą ranę, biegnącą na ukos przez jej dłoń. Mężczyzna przygląda się ze zmarszczonym czołem.

— To nic takiego — mówi — nic ci nie będzie.

A potem przykuca i zaczyna zdejmować jeden but. Pozostali obecni w laboratorium przerywają swoje czynności i gromadzą się dookoła tego małego dramatu. Przyglądają się zdumionym wzrokiem, gdy tymczasem jasnowłosy mężczyzna mocuje się z supłami sznurowadła. Ręka Ann spoczywa bezwładnie na blacie stołu, jakby przestała już do niej należeć. Mężczyzna wyswobadza wreszcie sznurowadło z buta i wyciągnąwszy teraz rękę Ann nad jej głową, z twarzą napiętą z koncentracji owija je wokół jej nadgarstka, a potem z całej siły naciąga.

Ann krzywi się.

— Za mocno — mówi, znowu płacząc — to boli.

— Wiem. Przepraszam. Ale masz poprzecinane naczynia krwionośne — tłumaczy, tym samym cichym, cierpliwym głosem — i zdaje się większość ścięgien, więc musimy zatamować krew. — Wyciąga z kieszeni białą chusteczkę i zanim Ann zdąża cofnąć się ze zdumienia, przyciska ją złożoną do jej mokrych policzków. — No już — mówi. A potem obraca się w stronę gapiących się na nich ludzi. — Idę zadzwonić po karetkę. Czy ktoś może tu postać i trzymać jej rękę w górze, dopóki nie wrócę?

Kiedy przyjeżdża karetka, wsiada do środka razem z nią. Mówi, że nazywa się Ben, Ben Raikes, że robi doktorat. Uwielbia Edynburg, zwłaszcza Ogrody Botaniczne, i nie pochodzi z dużego miasta, tylko z małego miasteczka nad morzem, na wschód stąd. Pyta, jak ona ma na imię, skąd pochodzi, czy dużo podróżowała po Szkocji, czy lubi biologię, jak tam jej ręka, jak to się stało, że zacięła się tak głęboko, czy jeszcze ją boli, czy może coś dla niej zrobić. Ann natomiast czuje się teraz jakoś dziwnie. Jak to się stało, że oto jedzie karetką, z tym gadatliwym Szkotem, który na koszuli ma jej krew, a w kieszeni jej łzy, wsiąkłe w chusteczkę? Czuje się tak, jakby jej życie w jakiś sposób uległo przenicowaniu: gdzie byłaby teraz, gdyby nie rozcięła sobie ręki albo gdyby nie wypadła jej spinka, albo gdyby ta spinka nie wypadła akurat wtedy, kiedy przypadkiem przechodziła obok Bena Raikesa, sprawiając, że podniósł wzrok? Takie to jakieś nieoczekiwane – wcale jej się to wszystko nie podoba, nie podoba jej się fakt, że ten mężczyzna otoczył ją opieką, że jej dłoń jest rozcięta, brudna od krwi i pulsuje bólem, że w głębi duszy pragnie, by on, proszę, proszę, ujął ją znowu za tę rękę swymi delikatnymi palcami, tak jak wtedy, kiedy z jej żył krew lała się strumieniami.

Następnego ranka, kiedy dłoń boli już mniej i jest zszyta, obandażowana i zawieszona na temblaku, dzięki czemu może ją przyciskać do piersi, znajduje w swojej skrzynce pocztowej niewielką kopertę. Widnieje na niej „Anne", napisane niebieskim atramentem. Wyraźne, kanciaste litery. Błąd w pisowni upewnia ją, sprawia, że łomocze jej serce, sprawia, że od dziwnego podniecenia boli ją ręka. To musi być on. Nigdy wcześniej nie dostała listu miłosnego. Nikt jej dotąd nie chciał. W bibliotece rozcina kopertę stalowym wskaźnikiem. Ale wypada z niej nie list z miłością ukrytą w jego zagięciach albo zaimpregnowaną atramentem, tylko mnóstwo, całe mnóstwo kwadracików z papieru, każdy z jakąś literą. Ann gapi się na te papierki, zdezorientowana i rozczarowana, pozwala, by przeleciały jej przez palce. I wtedy zauważa, że w rogu każdego jest jakaś liczba.

Zelektryzowana rozkłada je przed sobą niczym krupier żetony, odwracając wszystkie tak, by widzieć litery. Ludzie dookoła niej krążą przy półkach, kartkują książki albo gryzmolą coś na kartkach. Tylko Ann układa słowa z kwadratów, szukając nerwowo kolejnego numeru, kolejnej litery, czując, jak krew dudni jej w ciele: NIE MOGĘ PRZESTAĆ odczytuje pierwsze trzy słowa. Nie mogę przestać, nie mogę przestać, skanduje w duchu Ann, wciąż przetrząsając leżący przed nią stos białych kwadratów. On nie może przestać. Czego on nie może przestać? MYŚLEĆ O. I czyta dalej: TOBIE. SPOTKAJ SIĘ ZE MNĄ PRZY SERCU MIDLOTHIAN, NAJSZYBCIEJ JAK BĘDZIESZ MOGŁA. BEN.

Ann podrywa się z miejsca. Potem siada. Potem zgarnia wszystkie litery do koperty. Potem podchodzi do najbliższej osoby.

— Przepraszam, wiesz może, gdzie jest Serce Midlothian?

Nigdy wcześniej nie była w katedrze, więc nie miała okazji przekonać się naocznie, że część kamieni brukowych przed katedrą została ułożona we wzór przedstawiający serce. Ann idzie najszybciej jak potrafi po Royal Mile, cała zdenerwowana, że nie znajdzie go w chaosie bruku, że nie uda jej się znaleźć Bena, że Ben mógł sobie pomyśleć, że postanowiła nie przyjść na spotkanie, że mógł już sobie pójść. Ale kiedy skręca za róg poczerniałej ze starości katedry, widzi go siedzącego na ławce, skulonego w płaszczu, z książką w rękach. Na jej widok wstaje i macha do niej nieśmiało. Jest niższy i chudszy, niż zapamiętałam, myśli Ann. I myśli jeszcze: boli mnie ręka. I jeszcze: czy ja go kocham? I jeszcze: obwiązał mi nadgarstek sznurowadłem, żebym przestała krwawić. I jeszcze: ciekawe, od jak dawna on tu tak czeka.

Bywa, że tu jestem, i bywa, że mnie tu nie ma – kiedy znajduję się gdzieś indziej, odcięta, pochwycona w pułapkę. Ale bywa też, że jestem bliżej niż inni, i wtedy słyszę, czuję zapachy, dotykam rzeczy, których nie mogę zobaczyć, bo są na zewnątrz mnie. To coś, co dźwiga moje ciało, przybliża je do światła i dźwięku, jest jak przypływ.

Teraz już się cieszę, że tu są.

Ojciec lubił nam kiedyś opowiadać, jak poznał naszą matkę („Podniosłem wzrok i ona tam stała, i krew spływała jej z ręki na podłogę"), a my kazałyśmy jej pokazywać tę bliznę, podobną do błyskawicy, bo taką białą. Czasami godziła się – dłoń otwierała się dla nas niczym roślina reagująca na światło – czasami nie.

Kiedyś często to sobie wyobrażałam – wykreowałam w głowie perfekcyjny obraz wnętrza laboratorium, matki, najpierw ze skalpelem, który omyka się i przecina jej dłoń, a potem, jak idzie przez laboratorium, ojca, który jako jedyny podrywa się z miejsca i udziela jej pomocy, a potem wsiada razem z nią do karetki. Widzę ich tak wyraźnie: młodzi, długie upięte włosy matki; ojciec w jednym bucie bez sznurowadła, z lnianą chusteczką upraną i wyprasowaną przez Elspeth.

Dzisiaj jednak, w tym stanie, w jakim się znajduję, unoszę się gdzieś pod sufitem i spoglądam z góry na laboratorium, jakby do domku dla lalek: widzę matkę idącą w stronę ojca, jej rękaw zabarwiony na czerwono. I dokładnie w tym momencie, w którym on słyszy upadek spinki i podnosi wzrok, by ujrzeć ją po raz pierwszy, mam ochotę wziąć ich do ręki niczym dwa ludziki z plasteliny, wziąć i dokładnie ze sobą zgnieść.

Jedynym źródłem światła jest teraz ognisko, rozpalone nie wiedzieć kiedy – Alice przekrzywiła głowę w tamtą stronę i do jej uszu wdarł się ogłuszający syk ognia; zgromadzone za nim twarze roztapiały się i przeobrażały w bijącej stamtąd łunie ciepła. Za nimi widziała, wciąż z dużym trudem, linię horyzontu i brzeg morza. Gdy zwracała głowę w drugą stronę, z dala od ogniska i wirującej, zgiełkliwej muzyki łomoczącej ze sprzętu stereo, słyszała rytmiczne ssanie i łomotanie fal.

Wstała, otrzepując piasek z tyłu długiej czarnej spódnicy. Gdzie Katy? Zniknęła za wydmą jakiś czas temu, by znaleźć coś jeszcze do wypicia; wymusiła na Alice przyrzeczenie, że na nią poczeka. Alice przeniknęła wzrokiem mrok, przeszukując twarze, wypatrując ognia rudych włosów Katy. Postanowiła, że pójdzie jej tam poszukać. Zarzuciła koniec swojego boa z piór na ramię i ruszyła po wydmie w stronę ogniska i głównego zgrupowania uczestników imprezy, stojących w bezruchu albo kołyszących się w takt muzyki. Buty jej grzęzły w miękkim piasku, a siła rozpędu ukryta w zboczu niosła jej stopy szybciej, niż zamierzała iść. Ta nieoczekiwana prędkość przejęła ją dreszczem podniecenia; wyciągnęła ręce, by poczuć podmuch powietrza: miała wrażenie, że z tymi rozwianymi włosami i końcówkami boa frunie obok grup ludzi, że stopy niosą ją wbrew jej woli. Zaśmiała się w duchu i w tym momencie wpadła na kogoś na samym dole. Ktokolwiek to był, schwycił ją obiema rękami, by uchronić ich oboje przed upadkiem.

– Przepraszam – powiedziała Alice bez tchu – przepraszam, nie mogłam się zatrzymać.

Ten ktoś nie chciał jej puścić. Zmrużyła oczy w półmroku. Jakiś chłopak, wyższy od niej. Znała go?

– Przepraszam – powtórzyła, spodziewając się, że teraz ją puści.

Chłopak obrócił ją przodem do ogniska i oboje wpatrywali się teraz w swoje twarze opromienione demoniczną, pomarańczową łuną płomieni. Wiedziała, kto to jest – Andrew Innerdale, z klasy Kirsty. Miał brata w klasie niżej od Alice, a może dwie klasy? Ich ojciec, artystyczny typ byłego hippisa, który mocno rzucał się w oczy w North Berwick, był właścicielem sklepu z antykami przy High Street.

– Tak myślałem, że to ty – powiedział, z dłońmi wciąż oplecionymi wokół jej ramion.

Alice to rozdrażniło, zaciekawiło i pochlebiło jednocześnie. Twarz chłopaka znajdowała się bardzo blisko jej twarzy i czuła zapach piwa w jego oddechu. Jego wzrok przeszywał jej twarz w półmroku: było w nim coś, co ją niepokoiło. Ułożyła płasko dłonie na jego piersi i odepchnęła go od siebie. Zrobił jeden chwiejny krok w tył, wydając cichy, jakby płaczliwy okrzyk zdumienia. Odwróciła się i ruszyła przed siebie, przedzierając się przez tłum, szukając Katy, otulając się szczelniej masą piór oplecionych wokół szyi.

Znalazła to boa w zakamarku szafy Elspeth. Grzebała właśnie ze średnim zainteresowaniem w jej mrocznych głębinach, szukając swetra, który kazała jej przynieść babcia, gdy jej palce otarły się o coś miękkiego, jedwabistego i sprężystego. Oderwała dłoń ze zdumieniem i obejrzała ją dokładnie, jakby to, czego właśnie dotknęła, mogło ją skaleczyć. A potem się pochyliła, dzięki czemu jej oczy znalazły się na jednym poziomie z półką, i ostrożnie znowu wsunęła dłoń. Tym razem jej nie cofnęła, kiedy znów poczuła ledwie wyczuwalne muśnięcie, tylko chwyciła to coś ostrożnie i pociągnęła w swoją stronę. Boa wysunęło się niczym prawdziwy wąż ze swego gniazda na tyłach szafy i po kilku sekundach przed jej oczyma przemknął długi puchaty sznur czarnozielonych piór. Wyłaniał się stamtąd bez końca, a kiedy wreszcie zarzuciła go sobie na kark, jego końce niemalże dotknęły podłogi. Oplatała go bardzo długo wokół szyi, a potem przejrzała się w lustrze Elspeth.

Pióra, tak wysoko spiętrzone, że aż sięgały jej do uszu, były czarnozielone, gładkie i oleiście lśniące niczym gardło szpaka. W samym środku boa, gdzie przymocowano je do jakiegoś niewidzialnego sznura, były najpierw mięciuteńkie jak babie lato, a dalej pleniły się elastycznymi, zjeżonymi piórami o haczykowatych wypustkach, które pieściły jej twarz niczym ostrza. Alice nigdy w życiu nie widziała czegoś tak pięknego i nigdy też nie pragnęła czegoś tak mocno: aż jej się zrobiło słabo z żądzy posiadania. Skąd i po co babcia to miała? Dlaczego nigdy wcześniej nie widziała tego boa? Gdzie Elspeth je nosiła i czy pozwoli, żeby ona sobie je wzięła?

Alice postała kilka chwil przed lustrem, gładząc opuszkami palców najbardziej wystające pióra. Potem wzięła sweter, o który prosiła ją Elspeth, i zeszła na dół, wlokąc za sobą końcówki boa niczym ogon jakiegoś morskiego stwora.

Elspeth oczywiście dała jej boa i ta impreza na plaży to było jego pierwsze wyjście. Kiedy przechadzała się między grupami ludzi, bardzo uważała, żeby nie dotykało piasku. Aż się wzdrygała na myśl o mokrym piasku wśród piór.

Nagle w pasie obłapiło ją czyjeś ramię. Błyskawicznie obróciła się na pięcie, ale to była wyszczerzona w uśmiechu Kirsty, materializująca się z mroku.

– Cześć, mała – powiedziała Alice, zarzucając ramię na ciepły kark siostry – jak się bawisz?

Przeszły razem przez tłum, splecione ramionami, Kirsty wsparta na niej całym swoim ciężarem.

– Całkiem nieźle. A ty? Dobrze?

– Mhm. Gdzieś zgubiłam Katy. Nie widziałaś jej, co?

– Nie. Chyba nie.

Ktoś za nimi krzyknął: „Kirsty! Kirsty!" i Kirsty wysunęła się z uścisku Alice, by z powrotem wtopić się w mrok.

– Muszę iść – rzuciła przez ramię. – Do zobaczenia później.

– OK. O której idziesz do domu? – zawołała za nią Alice, ale Kirsty już jej nie usłyszała.

Alice wspięła się na szczyt kolejnej wydmy i drżąc od podmuchów silnej bryzy, która zawsze się tu zrywała nocami, znów zaczęła się rozglądać w poszukiwaniu Katy. Nigdzie jej jednak nie widziała. Jeśli Katy postanowiła wrócić już do domu, to oby wybrała trasę wzdłuż skraju plaży, zamiast iść na skróty przez pole golfowe: było już zbyt ciemno i z pewnością mogłaby wpaść do jakiegoś dołu. Drogę przez plażę znała znacznie lepiej. Alice zeszła na dół po zboczu, tym razem chwytając się kęp traw dla zachowania równowagi, po czym ruszyła w głąb plaży. Usłyszała wołające ją głosy.

– Idę do domu! – odkrzyknęła głosem porywanym przez bryzę. – Pa-pa!

Bez tego kontrastu, jakiego dostarczało ognisko, brzeg morza był znacznie lepiej widoczny. Piana wytwarzana przez fale przechwytywała blady odblask księżycowych promieni przesączających się przez gęste chmury. Jakieś pięćset jardów dalej od miejsca, gdzie odbywała się impreza, Alice odwróciła się, cofnęła o kilka kroków i chwilę przypatrywała się maleńkim, czarnym sylwetkom i łunie dogasającego ogniska. A potem znów stanęła twarzą do kierunku, w którym szła pierwotnie, czując na skórze pierwszy chłód zdenerwowania na widok pociemniałej, pustej plaży. Skrzyżowała ręce na piersiach, wpychając dłonie do rękawów, i z determinacją pomaszerowała przed siebie, ze spuszczoną głową, nie bacząc na to, że buty zapadają się jej w mokrym piasku wybrzeża, a skraj spódnicy nurza się w słonej wodzie, algach i maleńkich odłamkach muszelek. Wkrótce odzyskała spokój, widząc już wyłaniające się przed nią z mroku poszarpane skały Point Garry. Wypuściła od dawna wstrzymywany oddech w pióra otaczające jej szyję i zaczęła cicho nucić piosenkę, którą puszczano na imprezie. Już niedaleko.

Zatrzymała się, z oddechem uwięzłym w gardle. Na skałach przed nią ktoś był, nic nie robił, tylko tam stał. Widziała zarysy skał, ciemniejsze na tle nieba. Odgarnęła włosy z twarzy i zawołała:

– Halo? Kto tam jest?

Ktokolwiek tam był, nie odpowiedział, tylko zeskoczył ze skał i zaczął iść w jej stronę.

– Zatrzymaj się! – wrzasnęła. – Nie podchodź do mnie! Będę krzyczeć! Powiedz, kim jesteś!

Sylwetka zatrzymała się i wyciągnęła ręce, jakby w błagalnym geście.

— Przepraszam.

Zorientowała się, że to jakiś chłopak.

— Nie bój się — dodał. — To ty, Alice?

— Być może — odparła, nadal zła. — A ty kto?

— To ja, Andrew — powiedział chłopak, znowu brnąc w jej stronę po piasku.

— Andrew Innerdale? — spytała.

— Tak.

— No więc śmiertelnie mnie przeraziłeś, Andrew Innerdale — powiedziała i pomaszerowała dalej. Czuła, że on jest gdzieś blisko, słyszała krótkie spazmy jego oddechu, kiedy zrównał z nią krok.

— Przepraszam. Naprawdę, bardzo cię przepraszam. Wcale nie chciałem cię nastraszyć. — Mówił jednostajnym głosem, tuż obok jej ucha.

— A jednak ci się udało.

Szli kawałek w milczeniu, aż wreszcie Alice zatrzymała się i powiedziała:

— Pójdę na skróty, przez pole golfowe.

— Idę z tobą.

Zawahała się, czując, jak w bębenkach tętni jej krew. Ta męska sylwetka obok niej wprawiała ją w zdenerwowanie, podniecenie i zakłopotanie. Miał takie dziwne oczy, co w nich takiego było, że wciąż czuła lęk?

— Niech ci będzie — odparła.

Widzieli już wieniec ulicznych latarni płonących żółtym jak siarka światłem, tuż za polem golfowym. Stopniowo wychodzili z mroku i na widok latarni Alice poczuła, że odzyskuje panowanie nad sobą. Chłopak był wysoki i chudy jak szczapa, tak jak ona nosił wysokie buty na grubych podeszwach.

— Jesteś siostrą Kirsty, prawda? — spytał.

— Tak.

— Nie jesteś do niej podobna.

— Wiem.

Wypielęgnowany trawnik falował łagodnie pod ich stopami,

kiedy rytmicznie to schodzili, to wspinali się po sztucznych pagórkach trasy opracowanej specjalnie dla miłośników golfa.

– Zdajesz w tym roku końcowe? – spytał.

– Owszem. A ty? Też robisz CSYS*, tak jak Kirsty?

– Tak

– I co będziesz robił potem?

– Jeszcze nie wiem. Mama chce, żebym został lekarzem, ale ja wolałbym iść na akademię sztuk pięknych. Jak mój ojciec.

– No więc zrób to. To twoje życie, nie jej.

– Tak, wiem.

W jego głosie słychać było teraz przygnębienie; Alice zaczęła mu nawet trochę współczuć. Uśmiechnął się do niej.

– Nie lubisz hokeja, prawda?

– Co? – Spojrzała na niego z jawnym zdumieniem. – Prawda, nie lubię. A skąd ty to wiesz?

– W piątek rano mam dwie historie, a ty masz wf. Ja siedzę w gabinecie historycznym, tutaj – zademonstrował ręką – a ty jesteś tu, na boisku – przyłożył drugą dłoń – tuż obok okna. – Znowu się uśmiechnął. – Siedzę przy oknie. Zawsze wyglądasz na wkurzoną.

Roześmiała się.

– Bo jestem wkurzona. Nienawidzę tego.

– Zauważyłem – powiedział. A potem przystanął i ujął ją pod łokieć. – Alice... mhm... może byśmy tu chwilę zostali?

Poruszyła się niespokojnie, głębiej wpychając dłonie w rękawy.

– No nie wiem. Chyba powinnam już wracać.

– Przecież możesz zostać tu na trochę.

Objął ją ostrożnie ramionami, jakby na próbę. Poczuła jego ciało napierające na jej ciało – jego tors na jej piersiach, jego uda na jej udach, niewielkie wybrzuszenie jego pachwiny napierające na jej pachwinę, wszystko przez barierę jego spodni i cien-

---

* CSYS (Certificate for Sixth Year Studies) – specyficzne dla szkockiego szkolnictwa świadectwo ukończenia szóstej klasy szkoły średniej (dające wyższe kwalifikacje przyszłym studentom (przyp. tłum.).

kiej tkaniny jej spódnicy. Miał ręce cienkie jak szczapy, a jednak silne, kiedy tak przyciskał ją do siebie coraz mocniej.

Stała nieruchomo, niepewna, co powinna zrobić. A wtedy on zaczął mówić.

– Naprawdę mi się podobasz, Alice. Często ci się przyglądam w szkole i uważam, że jesteś naprawdę... że jesteś... miła. Wiem, że jesteś trochę młodsza ode mnie i w ogóle, ale chyba byłoby OK, jak myślisz? Znaczy się chciałem spytać, co ty o tym myślisz?

Do jej żołądka zakradł się niepokój. Pióra jej boa, zmiażdżone między nimi, uginały się i kłuły ją przez ubranie.

– Nie wiem – odparła Alice i wyślizgnęła się z jego objęć. – Nie wiem. – Zaczęła iść w stronę miasta.

Znowu złapał ją za ramię.

– Alice, możemy się pocałować? No zgódź się, proszę.

Spojrzała na niego ze zdziwieniem. A ten żar to skąd? Jego twarz wyrażała teraz skrajne zawstydzenie i jednocześnie natarczywość. Miała wrażenie, że on zaraz się rozpłacze. Nachylił się w jej stronę, a ona odruchowo spojrzała mu w oczy. W tym momencie poczuła, jak wykwita w niej jakiś dziwny, nienazwany lęk, i odruchowo przyłożyła dłoń do jego piersi.

– Nie – powiedziała, odpychając go. – Nie.

Odwróciła się i tuląc do siebie boa, pobiegła w stronę zabudowań na skraju miasta i nie przestawała biec, dopóki nie dotarła do domu. Kiedy jej stopy bębniły rytmicznie po wyasfaltowanych chodnikach i czuła, jak urywany oddech pali ją w piersi, wielokrotnie odtwarzała sobie w głowie to, co zobaczyła, to, co jej się wydawało, że zobaczyła. Jego oczy – były dokładnie takie same jak jej oczy, tak samo brązowe, z takimi samymi jaśniejszymi cętkami tuż przy źrenicach. Zajrzała w nie i wydało jej się, że zagląda we własne oczy.

Doktor Mike Colman wrzuca pięćdziesiąt pensów do szczeliny automatu z kawą i czeka. Plastikowy kubek wypada posłusznie na metalową tacę, ale zaraz przewraca się na bok. Z dyszy wytryskuje brązowy wrzący płyn, prosto na przewrócony kubek, po czym ścieka po ściance automatu wprost na jego buty.

– Ażeby to szlag!

Czuje, że nerwy ma w strzępach, przy wrzucaniu kolejnej monety robi głęboki wdech. W kącie jakaś kobieta gwałtownymi ruchami przerzuca jedno czasopismo za drugim, ignorując swoją towarzyszkę, starszą kobietę, która dopytuje się bez końca:

– No i jak ci się widział? Bo moim zdaniem wyglądał lepiej. No powiedz, jak twoim zdaniem wyglądał?

Dwa dni wcześniej Mike wrócił do domu dobrze po północy, rozpaczliwie łaknąc snu, i nadział się na schodach na Melanie, popłakującą w zniszczony kark swojego misia. Drzwi do pokoju opiekunki były przezornie zamknięte, więc sam zaniósł ją do łóżka.

– Dlaczego mamusia nie może już z nami mieszkać? – wypytywała go, cały czas zachłystując się płaczem.

Pogładził ją po włosach.

– Już o tym rozmawialiśmy, Melanie, nie pamiętasz? Mamusia mieszka teraz ze Stevenem, ale możesz ją odwiedzać, kiedy tylko chcesz.

Mówił to, gdy tak naprawdę sam miał ochotę odrzucić głowę w tył i zapłakać jak ona. Melanie natychmiast z powrotem usnęła, mocno potargana, z kciukiem zwisającym bezwładnie z ust.

Za to on oczywiście nie mógł zasnąć. Pieprzony Steven – jego tak zwany najlepszy przyjaciel.

Mike przepłukuje usta kwaśną kawą, krzywiąc się przy przełykaniu. Starsza kobieta umilkła i wpatruje się teraz w żółte światło neonówek. Mike nie znosi poczekalni, zwłaszcza nocą. Tej mikroskopijnej matematyki ludzkiego życia. Jednak nic, nic nie jest takie paskudne jak pora między trzecią a piątą nad ranem, kiedy znikają wszyscy odwiedzający i pracownicy z dziennej zmiany, kiedy większość pacjentów śpi i na oddziałach i korytarzach zapada potworna cisza zakłócana jedynie chórem ludzkich oddechów. To właśnie o tej porze dochodzi w szpitalach do większości zgonów. Mike niczego tak bardzo nie cierpi jak właśnie tej zmiany.

Wraca na oddział intensywnej terapii, przemierzając kręte białe korytarze. Ani razu nie musi się zastanawiać, gdzie skręcić, nie musi czytać napisów: ma dobry zmysł orientacji. Są ludzie, którzy pracują tu dłużej niż on, a jednak się gubią. Metoda Mike'a – co wcale nie znaczy, by umiał komuś powiedzieć, na czym dokładnie polega – to nie myśleć o tym, co robi, dopuścić podświadomość, zająć umysł czymś innym, gdy tymczasem kontrolę przejmują ciało i instynkt. Podejrzewa, że gdyby się zatrzymał i zastanowił nad kierunkiem, to zacząłby błądzić i ostatecznie zgubiłby drogę.

W pokoju, obok łóżka, zastaje kobietę w czerwonej sukni, z włosami rozjaśnionymi pasemkami blond.

– Dzień dobry – mówi.

Kobieta obraca górną część ciała, by spojrzeć na niego.

– Dzień dobry. Jestem Rachel.

Nosi czarne pantofle na wysokich obcasach, z boleśnie wąskimi noskami. Obok krzesła stoi jakaś teczka. Po obrzmieniach wokół oczu orientuje się, że płakała. Mike nic nie mówi, tylko sprawdza automaty i kroplówkę. Przyciska kciuk do nieruchomego nadgarstka Alice, licząc, ile razy jej serce tłoczy krew pod jego dotykiem. Podnosi jej powieki, wpuszcza promyk światła do jej źrenic, z których jedna jest nieruchoma, ciemna i szeroka jak ukwiał, druga mała, drżąca i czarna. Czuje, że szeroko rozstawione zielone oczy Rachel śledzą każdy jego ruch.

– Jak ona się czuje? – pyta Rachel. Przemawia głośnym i bezpośrednim tonem głosu, jak ktoś nawykły do tego, że mu odpowiadają na zadane pytanie.

– Od jak dawna pani ją zna? – chce wiedzieć Mike.

– Od wielu lat. Poznałyśmy się na studiach. – Przekrzywia głowę na bok, by spojrzeć na ciało leżące na łóżku. – To bodajże moja najbliższa przyjaciółka. – Wstaje, podchodzi do okna, zerka na aksamitny mrok. – Teraz każda z nas żyje zupełnie inaczej, ale powiedziałabym, że wciąż jesteśmy bardzo sobie bliskie.

– Widziała się dziś pani z jej rodzicami?

– Nie – odpowiada kobieta i Mike wie, na podstawie brzmienia jej głosu, że odeszła od okna i że stoi teraz gdzieś za jego plecami, że znowu mu się przygląda. – Zdaje się, że minęłam się z nimi. Musiałam dzisiaj pracować dłużej, niż planowałam.

Mike poprawia rurkę respiratora i przezroczystą plastikową maskę na twarzy Alice. Brzegi maski odcisnęły czerwone pręgi na jej skórze.

– No więc w jakim ona jest stanie? – powtarza Rachel, kiedy obchodzi łóżko i siada z powrotem na krześle.

– Bez zmian.

– To dobrze czy źle?

– Ani tak, ani tak.

Oboje patrzą na Alice. Mike dopiero teraz zauważa, że skaleczenia na jej twarzy goją się, że jej sińce nabrały barwy ciemnej purpury. Myśli, nie po raz pierwszy: to takie dziwne, że większa część funkcji organizmu potrafi ustać, a jednak tak proste rzeczy jak gojenie się skóry nadal odbywają się normalnie. Jest w obserwowaniu Alice coś dziwnie uspokajającego – może to ten rytm wentylatora albo to, że ona się w ogóle nie rusza, pomijając sztuczne wznoszenie się i opadanie klatki piersiowej. Przysiada na brzegu łóżka.

– Nie wiem, czy pani słyszała, ale mówią, że mogła to zrobić specjalnie. Że to mogła być próba samobójstwa.

Wentylator wzdycha raz, drugi, pierś Alice podnosi się i opada symetrycznie. Mike zerka na Rachel.

Nie wygląda na zdziwioną, wymownie ogryza paznokieć kciuka białymi zębami, ukształtowanymi niemalże jak u dziecka.

— Tak, też mi to przyszło do głowy — mówi bez ogródek po krótkiej chwili. Pochyla się do przodu i przejeżdża palcem po cienkiej skórze skroni przyjaciółki. — Alice, Alice — szepcze. — Dlaczego to zrobiłaś?

Nie, nie, wcale nie tak – mówi Alice ściszonym głosem do słuchawki, bez powodzenia starając się stłumić śmiech. W biurze jest dzisiaj spokojnie, wszyscy są niby wgapieni w ekrany komputerów, niemniej Alice podejrzewa, że strzygą uszami w jej stronę, usiłując podsłuchać ich rozmowę.

– No więc jak jest? – krzyczy Rachel z drugiego końca. Rozmawia z nią przez komórkę, jednocześnie idąc ulicą, dlatego połączenie jest niewyraźne, a jej głos raz po raz się rwie. Przez sekundę w ogóle niczego nie słychać, a potem nagle Rachel powraca na linię: – ...do łóżka czy nie?

– Rach – upomina ją Alice. – Jestem w pracy.

Rachel wzdycha.

– OK. Powiesz mi kiedy indziej. A co z tym wielkim, mrocznym sekretem? Wywlekłaś go z niego czy raczej niewiele rozmawialiście?

– On jest Żydem.

Na linii słychać teraz klakson i pracę silników samochodowych, po chwili znów rozbrzmiewa głos Rachel, nagle spokojny, jakby wreszcie się zatrzymała.

– Jak bardzo jest Żydem?

– Co to znaczy „jak bardzo"? To tu jest jakaś gradacja?

– Ależ oczywiście

– No cóż... – Alice nie wie, co powiedzieć. – John jest... jest... jak by to... denerwuje się, co na to jego ojciec.

– Rozumiem.

– Ale to dziwaczne, nie uważasz?

– Niekoniecznie. To wcale nie jest nic takiego niezwykłego czy co tam.

– No co ty mówisz? – Alice jest zdumiona. – Jak to?

– O Matko Boska – Rachel nagle się irytuje. – Czasami zapominam, że ty jesteś taka.

– Jaka?

– No że spędziłaś większą część życia na jakimś szkockim zadupiu. To oczywiste, że nie ma w tym nic niezwykłego. Takie historie rozgrywają się na porządku dziennym. To problem tylko z jego ojcem czy z nim samym też?

– ...Nie jestem pewna. – Alice cofa się myślami. – Chyba z obydwoma.

– Ano tak... – mówi z niesmakiem Rachel. – Posłuchaj, muszę iść. Za dwie minuty mam być w sądzie. Po prostu... po prostu uważaj, to wszystko. Nie angażuj się zbyt mocno, zanim się dowiesz, co jest grane, OK?

Alice wędruje od stacji metra Camden Town z nosem w przewodniku po Londynie. Uliczka Johna jest wąska, krótka, przez co na planie nie starcza miejsca, by zamieścić jej nazwę; tkwi jakby w widłach między Camden Road a Royal College Street. Idzie przez Camden Road, mijając na rogu pub „Koniec świata", gdzie ludzie wysypali się na chodnik ze szklankami w rękach. Przy światłach przed Sainsbury's przechodzi na drugą stronę i kupuje butelkę wina w małym algierskim sklepiku, przed którym stoi stragan pełen egzotycznych owoców i kaktusów. Mężczyzna pakuje butelkę w papier barwy mchu i woła za nią: „Miłego wieczoru, kochanie!"

Kilkakrotnie przemierza uliczkę tam i z powrotem, z trudem odcyfrowując numery ledwie widoczne w zmierzchającym świetle, aż wreszcie stwierdza, że jego dom musi się znajdować przy najbardziej oddalonym krańcu. To typowa dla północnego Londynu wiktoriańska kamienica ze schodkami od frontu. Główne drzwi są pomalowane na niebiesko i we wszystkich oknach palą się światła. Przy drzwiach czuje wibracje głośnej muzyki dudniącej gdzieś z wnętrza. Naciska na dzwonek i on otwiera jej tak prędko, że aż nabiera podejrzeń, iż być może cały czas czekał za nimi. Wygląda niechlujnie, ma koszulę wywleczoną ze spodni, włosy sterczą mu we wszystkie strony. A zaraz potem obejmują się i John ściska ją tak mocno, że ledwie jest w stanie oddychać. Nie wie, jak długo tak stoją; wszystko wydaje się teraz aż nadto znajome – jego zapach, to, że jej głowa mieści się tak dobrze w zagłębieniu jego szyi, to, że on ma zwyczaj oplatać dłonią jej kark, kiedy ją całuje. Robi krok w tył, żeby mu się przyjrzeć, gładzi czubkami palców jego usta, policzki.

– Dobrze cię widzieć – mówi niepotrzebnie.

John wyciąga rękę i zatrzaskuje za nią drzwi.

– Wejdź – zaprasza, ciągnąc ją przez korytarz do wielkiego salonu z wysokim sufitem, efektu połączenia dwóch mniejszych pokoi, imponującego rozległą połacią drewnianej podłogi, od wykuszowego okna od frontu domu aż po tylne drzwi wychodzące na niewielki ogród. Ściany są pomalowane na czerwień papryki, przy czym jedna jest w całości obwieszona półkami na książki. W kącie stoi zabałaganione biurko z komputerem i faksem, który co jakiś czas mruga i pobrzękuje. Są tam jeszcze dwie wysłużone, przytulne sofy ustawione prostopadle do siebie i zawalone stertami czasopism, luźnych kartek i książek.

John stoi za nią, obejmując ją w pasie.

– I co? – mruczy do jej włosów.

– A o co pytasz?

– Co myślisz?

– John, tu jest tak pięknie. To niesamowity dom.

– Miałem ogromne szczęście. Kupiłem go za pieniądze, które zostawiła mi matka. Często myślę, że powinienem mieć jakiegoś współlokatora albo żeby ktoś znajomy wprowadził się do jednego pokoju czy coś, ale przywykłem do luksusu mieszkania w pojedynkę. Za nic nie przeprowadziłbym się gdzie indziej. Kocham ten dom, choć przeważnie używam tylko tego pokoju. Reszta jest raczej mało zamieszkana; jakoś nigdy nie mam czasu, żeby ją choć trochę urządzić.

Alice idzie przez pokój do półek, przebiega dłonią po grzbietach książek, a potem obraca się wokół własnej osi, by ogarnąć spojrzeniem całe wnętrze.

– Podoba mi się – mówi z przekonaniem.

– Chodź obejrzeć resztę.

Wychodzi za nim na korytarz, a kiedy John zaczyna się wspinać po schodach, przygląda się pracy mięśni jego obleczonych w dżinsy ud. Na samym szczycie on obraca się i zauważa, że Alice uśmiecha się do siebie.

– Co cię tak śmieszy?

– Ależ nic takiego – zapewnia go Alice, starając się spoważnieć, ale zamiast tego parska głośnym śmiechem.

– No co jest? – Chwyta ją i przyciska do ściany. – Lepiej mi powiedz.

– To nic takiego – mówi bez tchu, jeszcze chichocząc. – Po prostu sobie pomyślałam... o weekendzie... no wiesz.

– O której części weekendu w szczególności?

– Och, nie wiem. – Alice obłapia dłońmi jego pośladki i pociąga go ku sobie. – Może o tej właśnie.

Całują się. Alice czuje nagły napływ nieprzepartego pożądania. Pragnie go; pragnie tak bardzo, że to ją przepełnia fizycznym, kłującym, przewlekłym bólem. Pragnie go tutaj, właśnie tutaj, na tym mrocznym podeście, gdzie jedyne światło dociera z salonu na dole, i pragnie go właśnie teraz. A on już rozpina jej bluzkę, pochylając głowę, całując szyję, piersi. Alice zabiera się do guzików przy jego koszuli, ale one nie chcą przechodzić przez dziurki, bo jest taka niezdarna, wszystko przez to pożądanie. Mocuje się z nimi z rozpaczą.

– Chyba się zaraz wścieknę – syczy.

– Co się stało? – Jego głos wydaje się niski i zduszony.

– Nie umiem rozpiąć twojej koszuli.

John odsuwa się na chwilę, chwyta koszulę od tyłu, za kołnierz, przeciąga przez głowę i ciska na podłogę. Alice wyciąga ręce; uwielbia dotykać tę gładką, ciepłą skórę, twardą sprężystość torsu. Gładzi dłońmi jego plecy i ramiona, przyciskając usta do barku, ramienia. I nagle zastyga w miejscu. Coś tu jest nie tak, coś wywołuje w niej niepokój, jej świadomość rejestruje coś ledwie uchwytnego, trudnego do określenia. Próbuje przymusić zamroczony umysł do jakiejkolwiek zbornej myśli. To zapach. Od jakiegoś czasu czuje coś złowieszczego w powietrzu.

– John?

– Tak?

– Chyba coś się pali.

John podnosi głowę i wącha powietrze niczym pies myśliwski.

– O psiakrew.

Zbiega na dół, biorąc po dwa stopnie naraz, i znika. Alice opiera się o ścianę, oddech drży jej w piersi, jedno uderzenie serca ściga następne. Jestem zakochana, myśli, kocham tego mężczyznę, kocham go. Bada to uczucie, ostrożnie, jak ktoś, kto idzie po raz pierwszy na świeżo ozdrowiałej kończynie, poszukując ograniczeń, czujny na wszelkie oznaki słabości. Boi się? Nie. Jest podniecona? Tak – i to bardzo. Chciałaby wchłonąć w siebie czas, przemknąć razem z tym mężczyzną przez dni, tygodnie i lata, żeby odtąd robili już wszystko jak należy. A jednocześnie chciałaby ten stan zamrozić: wie dostatecznie dużo o miłości, by zdawać sobie sprawę, że nie ma dymu bez ognia – że nie ma miłości bez bólu, że nie można kogoś kochać bez tej domieszki strachu przed tym, jak to się może skończyć.

Obciąga spódnicę i zapina z powrotem bluzkę, macając jednocześnie ścianę w poszukiwaniu włącznika światła. Musi gdzieś tu być. Niemalże się denerwuje, kiedy schodzi na dół, na wypadek, tylko na wypadek, gdyby miała zobaczyć zwykłą obojętność w jego wzroku – ale w głębi serca wie, że jej nie zobaczy. Jest przekonana, że on ją kocha albo że przynajmniej mógłby ją pokochać, i kiedy tak omiata ścianę kolistymi ruchami ręki, zastanawia się nieobecnie, ile czasu minie, zanim wyzna mu wreszcie, że go kocha. Jej palce natrafiają na włącznik i wokół niej robi się jasno.

Przez krótką chwilę jest oślepiona; stoi w miejscu, mrugając w silnym, żółtym elektrycznym świetle. Na żarówce nie ma klosza. Widzi teraz, że znajduje się w niewielkim korytarzyku wyłożonym gołymi deskami. Jest tam troje drzwi, wszystkie lekko uchylone. Popycha jedne i zapala światło. To sypialnia Johna: zaskakująco spartańska, z podwójnym materacem nakrytym niebieską narzutą, obok lampka i góra książek. Na ścianach nic nie wisi, na podłodze walają się ubrania. Okno wychodzi na ulicę. Zwalcza odruch, by obejrzeć wszystko z najdrobniejszymi szczegółami – otwierać szuflady, przerzucać książki – zebrać wszelkie dostępne informacje na temat mężczyzny, który wszedł w jej życie, a jednak czuje się jak jakiś podglądacz; ostatecznie on nie wie, że ona tu jest.

W pokoju obok John najwyraźniej urządził sobie lamus. To mniejsze wnętrze, na tyłach domu, całe zagracone jakimiś przedmiotami – dwa rowery w różnych stadiach rozpadu, stary komputer plujący plątaniną kolorowych kabli, wielka komoda, szafa, półki pełne segregatorów, stosy ubrań, papier, czasopisma, gazety. Za trzecimi drzwiami kryje się łazienka, pomalowana na jaskrawy, ciemny błękit. Wanna jest ogromna i turkusowa. Przy sedesie kolejna sterta książek – jakieś poezje, dzieła zebrane Ibsena i *Podręcznik dziennikarza*. Słychać nieustający odgłos bulgotania – zakłada, że to rury, ale kiedy odwraca się, by już stamtąd wyjść, zauważa wielki zbiornik obok drzwi. Pompa tryska jednostajnym strumieniem wody, a wnętrze zbiornika jarzy się fluorescencyjną łuną: oświetlone są w nim nie rybki, tylko jakieś dziwne, nieruchome stworzenie.

Alice podchodzi do zbiornika. To coś przypomina jaszczurkę, ale jest całe białe i unosi się bezwładnie w wodzie, przyglądając się jej maleńkimi czarnymi ślepiami osadzonymi z boku głowy. W życiu nie widziała czegoś takiego: dookoła głowy ma wachlarz z kruchych, lekko obłych różowych skrzeli, które nieznacznie pulsują. Jest zafascynowana łapami stwora: są jak dłonie lalek – delikatne i blade, z malutkimi, idealnie ukształtowanymi palcami. Nie wiedzieć czemu, wydaje się niesamowicie melancholijne. Najbardziej zaś uderza ją ten bezruch: stworzenie nie reaguje nawet wtedy, gdy ona się nad nim pochyla. Zastanawia się, od jak dawna ono tak wisi w samym środku akwarium, nie ruszając ani odnóżami, ani grubym ogonem. Przecież powinno opaść na wysłane żwirem dno? I kiedy tak mu się przygląda, zwierzę przemieszcza się boleśnie wolno do ścianki akwarium, wystawiając muskularny ogon nad powierzchnią wody; kiedy wreszcie dociera do celu, jego nos zderza się ze szkłem i wtedy opada nieco niżej, na głębokość kilku cali, po czym znów nieruchomieje, wpatrując się w nią uroczyście. Alice przyciska czubki palców do szyby.

– Co ty tu robisz? – szepcze.

Stworzenie patrzy na nią żałobnymi oczyma podobnymi do łebków szpilek. Alice prostuje się i odwraca, kierując w stronę schodów.

John jest w kuchni; nagi do pasa stoi przy kuchence, mieszając coś energicznie w rondlu.

– Hej – mówi, kiedy Alice tam wchodzi – nie bój się, jeszcze nie wszystko stracone. – Nachyla się, żeby ją pocałować. – Rozejrzałaś się?

– John, co to jest?

– A o co pytasz?

– O tego stwora w akwarium na górze.

– Ach. – Śmieje się. – To aksolotl.

– Co?

– Aksolotl. Pochodzi z Ameryki Południowej. Jeden z moich kuzynów je hoduje. Niesamowity, prawda?

– To gad, płaz czy co?

– To larwalna forma salamandry. Gdybym go przyzwyczaił do życia poza wodą, stałby się salamandrą. To jedyne larwalne formy życia, które są w stanie się rozmnażać.

– Czyli utknął na zawsze w okresie dojrzewania? – Alice wzdryga się. – To okropne. Takie okrutne. Powinieneś wyrwać go z tego nieszczęścia, pozwolić mu wyrosnąć na w pełni rozwiniętą salamandrę.

– Nie lubiłaś okresu dojrzewania?

– Nie! Nienawidziłam. Nie mogłam się doczekać, kiedy dorosnę i odejdę z domu.

– Naprawdę?

– Tak. Byłam okropną nastolatką, z którą strasznie się żyło i na którą strach było spojrzeć.

– Nie wierzę.

– To prawda. Ubierałam się wyłącznie na czarno, robiłam okropne rzeczy z włosami i przez pięć lat nie rozmawiałam jak należy z rodzicami.

– Masz jakieś zdjęcia?

– Żadnych, które mogłabym ci pokazać. W każdym razie nie unikaj tematu: więzisz to biedne stworzenie w straszliwej izolacji.

– Niezupełnie. To raczej jest tak, jakby on był wiecznym dwudziestolatkiem; może się przecież rozmnażać, zawierać związki, w ogóle wieść szczęśliwe, normalne, aksolotlowe życie. Nigdy się nie zestarzeje, a więc chyba to dobry układ. Dorian Gray amfibiowego świata.

– Nie wygląda na zbyt szczęśliwego.

– W tej chwili nie, ale poczekaj, a zobaczysz. To nocne zwierzę. Teraz śpi. Za kilka godzin się obudzi i będzie buszował po swoim akwarium, wzniecając fontanny żwiru. Tylko poczekaj, a naprawdę się zdziwisz.

John otwiera piekarnik i pochyla się, by zajrzeć do środka.

– Już niedługo – mówi i zatrzaskuje drzwiczki.

– Nie jest ci zimno? – pyta Alice i obejmuje go ramionami od tyłu, opierając głowę między jego łopatkami.

– Nie – odpowiada, a Alice słyszy i czuje jego głos rezonujący z klatki piersiowej. – Czuję się znakomicie.

– Ładny zapach.

– Jesteś głodna?

Alice kiwa głową.

Kochałam swoją miłość do Johna. Miłość jest taka łatwa i taka dziwna. Rozmyślałam o niej w terkoczących wagonach metra, w zatłoczonych autobusach, w pracy – co w nim takiego jest, że aż tak na mnie zadziałało? Jakoś nie umiałam tego precyzyjnie uchwycić, więc sporządzałam listy zarówno uogólnień, jak i najdrobniejszych szczegółów: kochałam go za wielkoduszność, umiejętność śmiania się z siebie, determinację, za to, że do dowolnego zadania zabierał się bez wahania, za impulsywność i za to, że umiał się doszukać zabawnych stron w każdej sytuacji. I kochałam też ten kolisty ruch, jakim przygładzał włosy, kiedy był zmęczony, że wystawała mu górna warga, kiedy był na coś zły, że nie potrafił zasnąć, jeśli nie miał szklanki wody przy łóżku, i że wiecznie się dziwił, jak dużo potrafi zjeść.

Uwielbiałam patrzeć, jak się goli. Mój ojciec, zawsze odkąd pamiętam, używał elektrycznej golarki, dlatego tak mnie fascynował rytuał golenia z użyciem wody: pędzel z borsuczego futra, który ofiarował mu ojciec, mała sadzawka wody w umywalce, brzytwa, którą prędko strzepywał, zanim przyłożył ją do twarzy. Siadałam na brzegu wanny i przyglądałam się, jak rozrabia pianę, a potem nakłada ją na twarz, tworząc coś w rodzaju drugiej brody. A potem szelest srebrnej brzytwy na szczecinie i te dziwaczne miny, które robił po to, żeby napiąć skórę. Czasami stawałam za nim i naśladowałam te miny, ale któregoś dnia śmiał się z tego tak mocno, że aż się zaciął. Kochałam to, że jego twarz potrafiła zostawiać czerwone pręgi na mojej twarzy i ciele, bo była taka szorstka i kłująca, i że zaraz potem stawała się tak gładka, że mogłam wodzić po niej wargami. Zgolony zarost lśnił w umywalce niczym metalowe opiłki, dopóki nie spłukała go woda.

Niczego, co poznałam w życiu, nie kochałam tak bardzo jak jego. Skąd miałam wiedzieć, że on jest darem, którego nie będę mogła zatrzymać?

Jest wczesny, niedzielny poranek, kiedy w mieszkaniu Alice dzwoni telefon. John leży w łóżku, zajęty wertowaniem weekendowego dodatku, pod ręką ma szklankę wody. Alice się kąpie. John zerka nieufnie na telefon.

— Mam odebrać? — krzyczy.

— Tak! A możesz? — Jej głos dobiega go przez ścianę.

John pochyla się, podnosi słuchawkę.

— Halo?

Na drugim końcu linii panuje głuche milczenie. Akustyka wąskiej przestrzeni łazienki potęguje odgłosy pluskania, które obiegają wszystkie ściany mieszkania.

— Halo? — powtarza, tym razem głośniej.

— Czy zastałam Alice?

Kobiecy głos, szorstki i jakby lekko oburzony. Matka Alice. John odstawia szklankę z wodą na sąsiadujący z łóżkiem stolik.

— Tak, jest w domu — rzuca. Zdaje sobie sprawę, że matka Alice, z jakiegoś mglistego matczynego powodu, musiała go automatycznie znielubić i postanowić, że będzie możliwie jak najbardziej chamska, bo przecież jest obcym mężczyzną, który wczesnym rankiem odebrał telefon u jej córki.

— To w takim razie czy mogę z nią rozmawiać?

— Zapewne tak — odpowiada i potem, wyłącznie po to, żeby ją zirytować, pyta: — Mam powiedzieć, że kto dzwoni?

— Jestem jej matką — odwarkuje kobieta.

Musi odłożyć słuchawkę i przebiec jak najszybciej przez pokój, żeby nie usłyszała, jak wybucha śmiechem.

— Alice! — woła przez drzwi łazienki. — Dzwoni twoja matka.

Alice wyłania się z kłębów pary, z głową owiniętą ręcznikiem, John kładzie się z powrotem do łóżka i przygląda, jak ona stąpa na palcach przez pokój, a potem podnosi słuchawkę. Alice to moja dziewczyna: testuje w myślach. Moja nowa dziewczyna. Nie radzi sobie ze słowami określającymi takie sytuacje. „Idziemy tam razem”, tej frazy nienawidzi. Słowo „dziewczyna” wydaje się beznadziejnie nastoletnie i nieadekwatne. Ale jakie inne? „Partnerka” za bardzo pachnie interesami, „kochanka” brzmi zbyt pikantnie jak na codzienne rozmowy. „Przyjaciółka”? Jakby miał coś do ukrycia. „Wyjątkowa przyjaciółka”? — no nie. Żadne z tych słów nie wystarcza, bo tak naprawdę chciałby powiedzieć, chciałby oświadczyć wszem i wobec, że...

W tym momencie John gubi ten wątek myśli, bo rozmowa Alice i jej matki nabiera rozpędu i zapalczywości. Przeradza się wręcz w złowieszczy mecz werbalnego ping-ponga.

– Kto? Nie powiem ci.

Milczy, gdy tymczasem głos jej matki szczebiocze w słuchawce.

– Wiem, która godzina. Dziękuję za przypomnienie.

Kolejny wybuch szczebiotania.

– Bo to nie jest twoja sprawa.

I tak to trwa przez kilka minut, Alice co kilka sekund odszczekuje:

– O tak, pewnie... To, co ja robię, to moja sprawa... Może łaskawie zechcesz się trzymać od tego z daleka?... Wiem, że ci nie powiedziałam... Nie... Nie... Tak... Nie... Chyba jestem dostatecznie dorosła, by sama decydować... Gdybym chciała twojej rady, a wierz mi, że wcale jej nie chcę, tobym o nią poprosiła... – I tak to trwa, aż w końcu Alice przerywa to, krzycząc: – A idź do diabła! – i rzuca słuchawką. Następuje chwila ciszy. Alice wpatruje się w telefon, bez ruchu. Telefon znowu zaczyna dzwonić. Podnosi słuchawkę takim ruchem, jakby wiedziała, że zaraz zadzwoni. – Czego? – warczy do słuchawki.

John zaczyna się śmiać. To wszystko jest niewiarygodne.

– Dlaczego? – wrzeszczy. – Dlaczego? Bo wiedziałam, że zareagujesz dokładnie w taki sposób... Tylko nie zaczynaj wszystkiego od nowa... Jestem!... Nie... O co chodzi z tym uważaniem?... Miłość? Miłość? Jak możesz używać tego słowa? Ty byś nie wiedziała, co to takiego, nawet wtedy, gdyby przyszła i trzasnęła cię na odlew w twarz.

Od strony North Berwick rozlega się monotonne buczenie: tym razem matka rozłącza się pierwsza. Alice znowu ciska słuchawkę na widełki i zaczyna skakać po pokoju niczym kula litu po powierzchni wody.

– Jak ona śmie? Jak ona śmie? – wścieka się. – Boże, jeśli jej się wydaje, że może tak do mnie wydzwaniać i robić mi wykła-

194

dy na temat... – Urywa, warczy piskliwie i zerwawszy ręcznik z głowy, ciska go na podłogę.

– Jezu – mówi John z łóżka. – To tak często?

– To jeszcze nic – mówi ona, krzywiąc się. – Dopiero się rozgrzewamy.

– Więc o co tu chodziło?

– O ciebie.

– O mnie?

– Kto ty jesteś. Że jakim prawem odbierasz telefon w moim mieszkaniu. Od jak dawna cię znam. Dlaczego jej nie powiedziałam, że znowu się z kimś związałam. Jakby – krzyczy teraz – to była jej sprawa!

– No cóż... – ryzykuje John – ...to w końcu twoja matka. Czyli trochę to chyba również jej sprawa, prawda?

Alice patrzy na niego zdumiona, jakby to nigdy jej nie przyszło do głowy.

– Tylko że ona się wtrąca ot tak, dla draki. Zawsze dziczeje w kwestii moich związków z facetami. Zawsze.

– Dziczeje?

– Ażebyś wiedział. Znienacka staje się nadopiekuńcza i próbuje bawić się w cenzora. Gada, gada i gada, bez końca, o tym, że mam być ostrożna i przezorna, że mam pilnować, by mnie ktoś nie skrzywdził, że mam nie podejmować pochopnych decyzji, że na dłuższą metę namiętność nie jest dla nikogo niczym dobrym. I tak dalej, i tak dalej.

– Wobec twoich sióstr też jest taka?

– Nie do końca. Ale one znajdują sobie rozsądnych chłopaków na dłużej i potem wychodzą za nich za mąż.

Kusi go, by jej przypomnieć, że na razie tylko jedna z jej sióstr jest mężatką, ale się powstrzymuje.

– Oddzwonisz do niej? – pyta zamiast tego.

– Nie!

John wychodzi z pokoju tytułem eksperymentu. W łazience podnosi szczoteczkę i pastę do zębów. Kiedy już kończy myć zęby, słyszy, że Alice wykręca jakiś numer, a potem jej głos:

– Mamo? To ja.

Kiedy wraca z łazienki, Alice siedzi zgarbiona i rozczesuje włosy: ich mokre końce niemalże zamiatają podłogę.

– Jak poszło? – pyta, przysiadając na skraju łóżka.

– Ależ świetnie. – Grzebień rytmicznie zsuwa się w dół. – Tak naprawdę to nie ma żadnego znaczenia. To wszystko to... sztuczne ognie.

Zmienia pozycję, przekładając grzebień do drugiej ręki.

– Mówiłaś to na poważnie – pyta John – ...to o niej... i... o miłości?

W ruchach grzebienia pojawia się wahanie. Twarz Alice jest zamazana pod firaną włosów. Wzrusza ramionami, po czym podejmuje czynność z podwójnym zapałem.

– Tak.

– No więc... co z twoim ojcem?

– Hm. Nie jestem przekonana. Czasami mam wrażenie, że wykorzystała go w charakterze ogiera.

– Ogiera?

– Żeby mieć nas.

– Nas?

– Nie ciebie i mnie, John – tłumaczy cierpliwie. – Moje siostry. I mnie.

– Naprawdę? Naprawdę tak myślisz?

Alice odrzuca włosy na plecy i staje wyprostowana, krzywiąc się i patrząc na niego z góry.

– Ojciec zrobiłby dla niej wszystko, ale ona... – Urywa, widząc wyraz jego twarzy. – Ale widzisz, bardzo dobrze. Dzięki temu jestem tylko jeszcze bardziej zdeterminowana.

– Zdeterminowana?

– Żeby nie być taka jak ona.

John zostaje wyrwany ze snu gwałtownym miotaniem się Alice po łóżku, czuje ponadto na twarzy silne pacnięcie grubego pasma jej włosów.

– Alice? Co się stało?

– Nie mogę spać. – Jej głos jest cichy, pełen napięcia, zrzędliwy. Wyciąga ciężką od snu rękę, aby ją dotknąć; natrafia na krzywą jej biodra. Alice leży na boku, na skraju łóżka, odwrócona do niego tyłem. Przysuwa się i oplata ją ramieniem.

– Co się dzieje?

Nagle strząsa go z siebie i siada, cała sztywna z oburzenia.

– To ten zakichany materac. Jest taki niewygodny – wybucha, wyraźnie bliska łez.

John mruga ze zdziwieniem, starając się przywrócić ład w myślach i zrozumieć, co ją tak zdenerwowało.

– Ten materac?

– Jest taki... taki strasznie twardy i bolą mnie od niego... rzepki kolanowe.

John wybucha śmiechem. Nie potrafi się powstrzymać.

– Rzepki kolanowe?

Alice uderza go pięścią z całej siły.

– Nie wyśmiewaj się ze mnie. – I w tym momencie sama zaczyna się śmiać. – Bolą mnie rzepki. Chyba nie ma w tym nic dziwnego?

– No co ty wygadujesz? W życiu nie słyszałem, żeby kogoś bolały kolana od spania na materacu.

– Jak kładę się na brzuchu, bolą mnie kolana, bo ten materac jest taki twardy.

John wyplątuje się spod kołdry i zaczyna masować jej kolana.

– Już lepiej?

– Nie – odpowiada, wciąż niezrozumiale rozzłoszczona.

Okrywa je delikatnymi pocałunkami.

– A teraz lepiej? – pyta znowu.

– Trochę – przyznaje po chwili Alice.

Kiedy następnego dnia wraca wieczorem z pracy, John wita ją w holu i każe jej obwiązać oczy przepaską.

– Dlaczego? – pyta. – Co jest grane?

– Poczekaj, a zobaczysz. – Prowadzi ją po schodach na górę, pilnując, żeby się nie potknęła, przyciskając jej dłoń do balustrady, cały czas podtrzymując. Zatrzymuje ją przy drzwiach sypialni.

– Gotowa?

– Gotowa, gotowa. Tylko na co?

Ściąga jej przepaskę. W sypialni, na miejscu osławionego materaca, stoi nowiuteńkie, podwójne łoże. Alice wydaje głośny okrzyk i rzuca się na nie całym ciałem.

– John! Ono jest obłędne!

Podskakuje na nim w uniesieniu. Poduszki fruwają, kołdra się roluje, a on przygląda jej się, wsparty o framugę drzwi.

– Czy to pożądana miękkość dla bezcennych rzepek kolanowych szanownej pani?

Alice pada na brzuch, śmiejąc się.

– Ależ tak. Sama doskonałość. – Przewraca się na plecy, a potem siada, nagle skrępowana. – Strasznie ci dziękuję, John. Przecież nie musiałeś... Chciałam powiedzieć, że nie musiałeś tego robić wyłącznie dla mnie.

John zdaje sobie sprawę, że to łóżko to jakby znak i że oboje o tym wiedzą. Żadne z nich jeszcze nic nie mówiło na temat przyszłości i ze zdziwieniem stwierdził, że to budzi jego zniecierpliwienie.

– A właśnie, że musiałem – oświadcza poważnym tonem, sprawdzając jej reakcję.

Alice czerwieni się wściekle i unika jego wzroku. OK, Alice, myśli John, rób, jak uważasz, widocznie to jeszcze nie czas. Pokonuje dzielącą ich przestrzeń i siada na łóżku.

– Musiałem – ciągnie lżejszym tonem głosu – powstrzymać cię przed robieniem mi awantur w środku nocy.

Alice wybucha śmiechem.

– Naprawdę cię przepraszam. Po prostu nie mogłam zasnąć, a robię się wściekła, kiedy nie mogę spać. Przepraszam, John.

– Cóż – mówi on z zadumą w głosie – jest jeden sposób, w jaki zawsze możesz mnie budzić.

Alice zaczyna się uśmiechać tym niecnym, powolnym uśmiechem, na którego widok John nieodmiennie dostaje erekcji.

– Naprawdę? – pyta. – A niby co to takiego?

– Możesz mnie zerżnąć na tym nowym łóżku tak, że mi wyjdzie uszami.

Ann stoi w drzwiach, przyglądając się Alice. Twarz córki jest spięta, wykrzywiona w tym aż nadto znajomym wyzywającym grymasie, kiedy zdejmuje z szyi to idiotyczne, przeżarte przez mole pierzaste paskudztwo, które dała jej Elspeth, i układa je starannie na łóżku. Nikt inny, tylko właśnie Elspeth zachęca Alice do takiego zachowania, zamiast dawać jej przykład, zamiast wyznaczać granice, które bardzo by się przydały komuś tak krnąbrnemu jak Alice. Została odesłana do domu za – co mówił list od dyrektora szkoły? – za „nieodpowiedni strój". Ann przygląda się, jak Alice zapina guziki przy białej bluzce Kirsty i wkłada odpowiednio skromną spódnicę.

– Rajstopy! – rzuca nieubłaganym tonem Ann, wskazując dziurę nad lewym kolanem Alice, która wrząc ze stłamszonej furii, zdejmuje rajstopy i wkłada nową parę wyciągniętą z szuflady. – Krawat! – kontynuuje Ann, wskazując teraz regulaminowy krawat szkoły w czerwono-czarne paski. Alice kręci głową. – Krawat! – powtarza Ann, tym razem jeszcze bardziej stanowczo.

– Nie będę nosiła żadnego zasranego krawata.

– Nie będziesz przy mnie używała rynsztokowych wyrażeń, głupia pannico. I jeśli ja mówię, że masz w szkole nosić krawat, to będziesz go nosić.

Alice znowu kręci głową.

– Nie.

Ann wzdycha. Nie pozwoli, by kłótnie na ten temat wytrącały ją z równowagi. Prawdę powiedziawszy, jest wręcz zdziwiona, że Alice tak łatwo zgodziła się przebrać. Godzinę temu weszła do domu i oświadczyła, że już nigdy nie wróci do szkoły.

– W porządku. A teraz marsz do samochodu. Odwiozę cię.

– Pójdę piechotą – odpiera ponuro Alice.

– Powiedziałam, że cię odwiozę. Do samochodu. Natychmiast!

Ann postanawia wykorzystać jak najlepiej te pięć minut, podczas których ma swoją córkę uwięzioną w zamkniętej przestrzeni.

– Twój ojciec i ja jesteśmy zdegustowani i zmęczeni twoim aktualnym nastawieniem do życia. Jesteś trudna, chamska i nieposłuszna, trudno się z tobą porozumieć i uzyskać od ciebie pomoc w czymkolwiek. Ubierasz się idiotycznie i przynajmniej w tej kwestii cieszy mnie, że szkoła zgadza się ze mną. Chcę zobaczyć dużą zmianę w twoim zachowaniu, poczynając od zaraz. Uważam, że...

Na chwilę przerywa ten potok słów, bo tuż przed skrzyżowaniem wyprzedza ją inny samochód. Musi gwałtownie hamować i niemalże byłaby głośno zaklęła, ale na całe szczęście w porę do niej dociera, że właśnie wygłasza wykład na temat dobrego zachowania, i powstrzymuje się.

– I jeszcze jedno... – zaczyna od nowa, już nie tak dobitnie, starając się przypomnieć sobie, na czym stanęła, kierując samochód w stronę szkoły.

– Zamknij się, zamknij się, zamknij się – mruczy Alice, przyciskając dłonie do uszu.

– Jak ty się do mnie odzywasz! – rzuca Ann przez zęby, z całą mocą gotując się do podjęcia tematu.

– Nie rozumiem, gdzie ty tu widzisz problem! – wykrzykuje Alice z żarem w głosie. – Moje zakichane stopnie są takie jak trzeba, może nie? A przecież ciebie i tatę tylko to interesuje!

– Nie będę ci więcej przypominała, że masz się nie wyrażać, Alice. Twoje oceny w szkole nie są tutaj kwestią. – Uwaga Ann znowu ulega rozproszeniu, ale tym razem na widok chłopca stojącego przy bramie szkoły, pod którą właśnie podjeżdżają. Wysoki, ubrany w czarny sweter, z torbą przewieszoną przez ramię.

To jego syn. Bez cienia wątpliwości. Jego najstarszy. Ann stawia gwałtownie stopę na hamulcu i patrzy uważnie przez przednią szybę, chcąc mu się dobrze przyjrzeć. Wypisz wymaluj jego wstrętna matka. Naraz dociera do niej, że Alice otwiera zamaszyście drzwi samochodu. I że te drzwi zostają gwałtownie zatrzaśnięte i że jej córka oddala się bez pożegnania. Cały gniew Ann nagle gdzieś ucieka, postępki Alice idą w zapomnienie, wszystko przez chorobliwe zainteresowanie tym chłopakiem. Sylwetkę ma po ojcu, za to cerę i te koszmarne loczki po matce.

Ann przygląda mu się. Chłopak gapi się na dziewczynę idącą w jego stronę, uśmiechając nerwowo. Ann rozpoznaje ten uśmiech. Już ma sobie pofolgować, zanieść się cichym, rzewnym płaczem, kiedy dociera do niej nagle, że on się tak uśmiecha do Alice. A kiedy Alice zrównuje się z nim, odpycha się od muru, o który dotąd był wsparty, i zaczyna iść obok niej. Ann wlepia w nich wzrok, kurczowo ściskając kierownicę. To oni się znają? Przyjaźnią się? Czy oni...? Nie. Niemożliwe. Dlaczego, na trzystu chłopców chodzących do tej szkoły, Alice musiała wybrać właśnie jego? Ann zauważa, że chłopak sięga do swojej torby i że wręcza coś Alice. I że dotyka przy tym lekko jej ramienia. Ann na chwilę kamienieje z przerażenia.

A potem wystawia głowę przez okno.

– Alice! – krzyczy histerycznie. Kilka osób odwraca się, ale nie Alice, która jest już w połowie dziedzińca, wciąż obok tego chłopca. – Alice! – krzyczy znowu Ann.

Alice potyka się, ale zaraz rusza dalej, tym razem szybciej. Ann naciska na klakson: jego odgłos rozbrzmiewa donośnie po całym dziedzińcu. Nastolatki, nauczyciele i dzieci z podstawówki obracają się, by przyjrzeć się z ciekawością mamie sióstr Raikes, która ma czerwoną twarz, siedzi w samochodzie obok szkolnej bramy i trąbi. Alice zawraca i maszeruje wściekłym krokiem przez dziedziniec, mocno zaczerwieniona, z oczyma płonącymi gniewem. Chłopak podąża za nią kilka kroków. Jej twarz pojawia się w oknie samochodu Ann.

– Co ty wyprawiasz? – krzyczy. – Odjedź stąd, dobrze?

– Alice. – Ann chwyta swoją córkę za nadgarstek. – Kim jest tamten chłopiec?

– Co? – pyta Alice, zdumiona.

– Tamten chłopiec. – Ann celuje w niego palcem.

– Nie twój interes. Dlaczego mi to robisz? Odjedź stąd. Proszę.

– Tylko odpowiedz mi na pytanie. Kim jest ten chłopiec? Jak on się nazywa?

Alice przygląda jej się z furią pełną niedowierzania.

– Przynosisz mi wstyd – syczy. – On może cię usłyszeć. Dlaczego po prostu nie odjedziesz?

– Odjadę, jeśli mi powiesz, jak on się nazywa. Obiecuję.

Alice wpatruje się w nią, rozdarta między potrzebą prywatności a pragnieniem, by pozbyć się Ann.

– On się nazywa Andrew Innerdale – mówi.

Ann zamyka oczy. Wszystkiego by się spodziewała, tylko nie tego. To jakaś kara boża? Alice zaczyna wyrywać rękę z jej uścisku. Ann chwyta ją ponownie, przerażenie narasta w niej nową falą.

– Alice, powiedz mi, czy ty chodzisz z tym chłopcem?

Alice jest już wyraźnie rozjuszona.

– Puść mnie – wypluwa z siebie. – Obiecałaś, że odjedziesz. Obiecałaś.

– Tylko mi powiedz. Chodzisz z nim?

– Dlaczego miałabym ci o tym mówić? To nie twój interes. – Do oczu Alice napływają łzy wściekłości.

– Chcę to wiedzieć.

– Nie. Nie, nie chodzę z nim. Tylko się kolegujemy. Zadowolona?

Ann nie patrzy na Alice, tylko obok niej, na chłopaka, który trzyma się z tyłu, przyglądając się im niepewnie.

– A zamierzasz z nim chodzić? Czy on chce, żebyś z nim chodziła?

– Mamo, proszę! Mogę już sobie iść? – Alice wykręca rękę z uścisku matki. – Dlaczego mi to robisz? Nienawidzę cię, nienawidzę! Przez ciebie boli mnie ręka.

– Odpowiedz mi. Chce tego?

– Tak – mówi z płaczem Alice, wycierając oczy wolną dłonią.

Ann puszcza ją. Alice odskakuje od samochodu, rozcierając nadgarstek, i biegnie przez dziedziniec w stronę budynku szkoły, nie zważając na chłopaka, który woła za nią:

– Alice! Alice! Dokąd lecisz?

Ann zawraca na środku jezdni, sprawiając, że kierowca nadjeżdżający z przeciwnego kierunku gestykuluje w jej stronę wymownie, i jedzie z dużą prędkością do domu. Zamyka się w sypialni, na wypadek gdyby Elspeth wróciła niespodziewanie; tuli do siebie aparat telefoniczny.

Wciąż zna ten numer na pamięć. Oczywiście.

– Czy mogę rozmawiać z panem Innerdale? – pyta, gdy telefon odbiera sprzedawczyni z jego sklepu. Potem słyszy obok swego ucha jego głos i potem ona mówi, on odpowiada i Ann musi raz po raz wbijać paznokcie we wnętrze swojej dłoni, bo dociera do niej, że nic się nie zmieniło, że mimo milczenia między nimi, odkąd to zakończyła – po raz kolejny – blisko rok temu i mimo faktu, że codziennie gratuluje sobie, że udało jej się wyrwać to uczucie z korzeniami, nic, ale to nic się nie zmieniło.

– Potrzebuję twojej pomocy – słyszy własny głos.

– Oczywiście, Ann. Czego tylko sobie życzysz.

– Musisz trzymać swojego syna z dala od mojej córki.

– Twojej...? Której?

– Chodzi o Alice.

Zapada milczenie. Słyszy go, jak cmoka z dezaprobatą, uderzając końcem języka o wnętrze zębów.

– Mówisz więc o mojej córce.

Ann wstaje, wciąż ściskając aparat, i zaczyna spacerować dookoła pokoju, drobnymi, kontrolowanymi kroczkami.

– Posłuchaj, nie będę tego przerabiała po raz kolejny.

– Dlaczego zwyczajnie nie przyznasz, że ona jest moja? Czy wiesz, że czasami wychodzę wcześniej ze sklepu i przyglądam się, jak wraca ze szkoły? Mijam ją na ulicy prawie raz na tydzień, czasami tak blisko, że mógłbym ją dotknąć. Jest do mnie bardziej podobna niż moi synowie. Jest moja i ty o tym wiesz. Dlaczego po prostu tego nie przyznasz?

– A co by to zmieniło? – odpiera ten atak Ann. – Rzeczywistość jest taka, że ona należy do Bena. I tak dla twojej informacji – dodaje głucho – istnieje znacznie większe prawdopodobieństwo, że jest jego córką pod każdym możliwym względem.

– To bzdury, Ann, i ty o tym wiesz. To oczywiste, że ona jest moja. Nie ma co do tego żadnych wątpliwości. Im będzie starsza, tym bardziej to będzie widoczne. Nie uważasz, że ona ma prawo znać prawdę?

– Nigdy jej nie powiem o tobie. Nigdy.

– Nie radzisz sobie z tym, co, Ann? Nie radzisz sobie z tą wieczną, żywą pamiątką po tym, co było i co nadal jest między nami.

– Między nami nic nie ma. – Ann wymyśla te słowa, widzi je, jakby były napisane na jakimś teleprompterze w jej głowie i teraz mu je czytała na głos. – Między nami nic nie ma. To koniec. Powiedziałam ci.

– A ja ci nie wierzę. – I tu zniża głos do szeptu. – Ann – mruczy; jego głos wylewa się ze słuchawki, osuwając się w głąb tajnej, spiralnej klatki schodowej jej ucha. – Przyjedź, spotkaj się ze mną.

– Nie. – Ann zaczyna już panikować. Z wszystkim sobie radzi, tylko nie z tym. Przestaje spacerować po pokoju. Kręci jej się w głowie, ma wrażenie, że następny krok zawiedzie ją prosto do jakiejś strasznej jamy. Jeśli będzie tak trwała przygwożdżona do miejsca, na środku dywanu w swojej sypialni, jeśli będzie wciąż trzymała nogi tak schludnie złączone ze sobą, to wszystko będzie dobrze.

– No proszę cię – nalega on.

– Nie.

– Ann, nie mów tak. Kocham cię. I wiem, że ty kochasz mnie. Nie wolno ci tego zaprzepaścić. Po prostu nie wolno. Nikt się nie dowie. Ben nigdy się nie dowie, obiecuję ci. Liza nigdy się nie dowie. Będziemy uważali.

— Uważaliśmy ostatnim razem.

— Nie dość. Ann, proszę.

— Nie. — Czy to ona to mówi? Czy to jej głos mówi te rzeczy? — Mówię poważnie.

On nie odpowiada, nie prosi jej kolejny raz. I jakaś jej część jest zadowolona, taka zadowolona, bo gdyby poprosił ją jeszcze raz, to wie, że nie powiedziałaby „nie", że gdyby poprosił ją jeszcze raz, nie mogłaby powiedzieć „nie", wyszłaby z tego domu i po kilka minutach byłaby w jego sklepie. Jest tak blisko. Dlaczego on o tym nie wie, a niech go cholera, dlaczego nie poprosi raz jeszcze, tylko jeden raz, tyle tylko trzeba, mój ukochany.

Po jakimś czasie słyszy samą siebie:

— Musisz mi obiecać, że będziesz trzymał swojego syna z dala od niej.

Poproś mnie jeszcze raz.

— Andrew może się widywać, z kim chce. — Jego głos jest teraz daleki, rzeczowy i bezosobowy.

— Proszę cię. Potrzebuję twojej współpracy w tej sprawie. Tylko ty i ja wiemy, jakie... to miałoby fatalne skutki.

— A co niby miałbym powiedzieć mojemu synowi: wybacz, synku, ona jest twoją siostrą?

— Nie obchodzi mnie co. Powiedz mu to, co musisz. Wymyśl coś. Musisz to zrobić dla mnie. Proszę.

Błagam, poproś mnie jeszcze raz.

— Zdajesz sobie chyba sprawę, że proszenie mnie o to jest równoznaczne z przyznaniem, że Alice jest moją córką.

— Wiem o tym — mówi cicho Ann — tylko co ty z tym zrobisz? Zażądasz prawa do sprawowania opieki rodzicielskiej?

W ciąż się boję, wciąż nie mogę się uspokoić. Wcześniej – jakiś czas wcześniej, nie wiem, kiedy dokładnie – nagle zdałam sobie sprawę z obecności tej osoby. Ktoś był blisko mnie, ktoś, kogo nie znałam, być może pochylał się nade mną. Woń, którą przekazały mi nozdrza, była obca, męska, z domieszką nikotyny.

Kiedyś, dawno temu, przyglądałam się myszołowowi, który kołował w powietrzu, polując na ofiarę. Krążył po niebie, szukając, a gdy wreszcie coś znajdował, opadał niczym ciężarek na linie i zawisał tak w miejscu nad upatrzonym celem, w odległości jakichś czterech czy pięciu stóp, gwałtownie machając skrzydłami. Odczekiwał tak może minutę, a potem pikował.

Ta osoba, kimkolwiek była... jakbym słyszała trzaskanie łopoczących skrzydeł, jakbym czuła krążący nade mną cień. Mój umysł wirował i terkotał mechanicznie: pragnęłam krzyczeć, wyciągnąć rękę i odepchnąć tego człowieka. Czy jest coś gorszego – wiedzieć, że ktoś tam jest, i nie móc się poruszyć, przemówić czy chociaż się przyjrzeć?

Alice spała od samego Newcastle, wtulona w niego, z podwiniętymi nogami, w swym pogrzebowym ubraniu, pogniecionym i zmiętym. Była blada, pod oczami miała ciemne obwódki. John dla odmiany zabijał czas, czytając jej *Daniela Derondę* albo przyglądając się przelatującym za oknem domom, fabrykom, polom i krowom o pustym spojrzeniu. Po drugiej stronie wagonu mała dziewczynka to popłakiwała, to podskakiwała na siedzeniu niczym piłka. „Przestań, Kimberley", raz po raz powtarzała jej matka, nie podnosząc wzroku znad swojego czasopisma. Naprzeciwko nich dwie zakonnice metodycznie obierały i jadły pomarańcze; w milczeniu układały wonne ziguraty ze skórek. Jedna z nich obdarzyła go dziwacznie niebiańskim uśmiechem, kiedy przypadkiem spojrzał jej w oczy. Druga odwróciła wzrok, z wyraźnie kwaśną miną. W Peterborough Alice przeciągnęła się i podniosła powieki.

– Hej tam, jak się czujesz? – spytał.

– Nieźle... tak... – Ziewnęła i odgarnęła pasmo potarganych włosów z twarzy. – Gdzie jesteśmy? Długo spałam?

– Jakieś dwie godziny. Właśnie wyjechaliśmy z Peterborough. – Zamknął książkę i wepchnął ją w przerwę między miejscami. – Masz fantastyczną rodzinę, wiesz?

– Hmm. – Wyjrzała przez okno. – Szkoda, że nie mogłeś poznać mojej babci.

Ujął jej dłoń.

– Ja też żałuję. – Sprawdził, czy płacze, ale miała suchą twarz; wpatrywała się bez zainteresowania w przemykający obok nich krajobraz o zmierzchu. – Wiem – ciągnął – że nie da się powiedzieć niczego takiego, co by cię pocieszyło, ale słyszałaś kiedyś to? – Zmarszczył się w skupieniu. – Śmierć nie ma władzy nad miłością i nic nie zostanie utracone, i wszystko wejdzie kłosem w czas ostatnich żniw.

– Kto to powiedział?

– Juliana z Norwich. Ktoś mi to przysłał, kiedy umarła moja matka.

– Juliana z Norwich? Ta obłąkana średniowieczna mistyczka?

– Ta sama, tyle że wcale nie była obłąkana.

Alice bezgłośnie powtórzyła sobie cytat, przyglądając się Johnowi z uwagą.

– To mi się podoba. „Śmierć nie ma władzy nad miłością..." Myślę, że Elspeth też by się to spodobało. Jej mąż umarł, kiedy była mniej więcej w moim wieku.

– Naprawdę? Na co umarł?

– Na malarię. Byli misjonarzami w Afryce. – Wzięła do ręki książkę, którą on wcześniej czytał, i machinalnie przerzuciła strony. – Cieszę się, że rozsypaliśmy prochy na szczycie Law – powiedziała nagle. – Ty też rozsypałeś gdzieś prochy swojej matki?

– Nie. Jest pochowana na Golders Green.

– No tak. Normalny pochówek. – Wzdrygnęła się. – Jakoś nigdy nie mogłam się przekonać do tej idei.

– Dlaczego?

– Najpierw wkładasz do zimnej, mokrej ziemi ciało ukochanego człowieka, a potem cały czas masz tę świadomość, że on wciąż jest pod pagórkiem, który ty odwiedzasz i pielęgnujesz. I że ulega powolnemu rozkładowi.

– Tak naprawdę to przecież wcale nie ten człowiek, tylko jego ciało.

– Niby tak, ale przecież ciało też jest ważne. W każdym razie w twoim rozumieniu.

– Chyba masz rację. Nigdy mi to nie przyszło do głowy. Nigdy tak naprawdę nie myślałem o tym, co leży pod nagrobkiem, jako o mojej matce.

Uklękła na fotelu, by sprawdzić, czy światełko oznaczające zajętą toaletę ciągle jeszcze się pali.

– Muszę iść do toalety. Wracam za sekundę.

Przecisnęła się przez wąską przestrzeń między nim a przeciwległym miejscem; przez chwilę czuł ciepło jej ciała na swojej twarzy, zanim ruszyła w głąb wagonu, chwytając się oparć foteli, by nie utracić równowagi w rozkołysanym pociągu.

Kiedy wróciła, zauważył, że obmyła twarz i wyszczotkowała włosy.

– Wyglądasz lepiej – powiedział, gładząc wilgotne pasma okalające jej skronie.

– Bo czuję się lepiej. – Uśmiechnęła się i przerzuciła nogi przez jego kolana.

– Co robisz jutro? – spytał. – Masz ochotę przejść się do kina po południu?

Zmarszczyła się mocno.

– Mam wrażenie, że coś zaplanowałam, ale nie mogę sobie przypomnieć... A tak! No przecież! Jutro mój wielki dzień. Szukam mieszkania. Tak postanowiłam. Po prostu nie mogę już znieść tej nory. Zamierzam wstać bardzo wcześnie, kupić „Loot" i przelecieć cały Londyn, żeby znaleźć swój wymarzony dom. W każdym razie taki mam plan. Wątpię, czy od razu coś znajdę, ale nigdy nie wiadomo. Mój wymarzony dom gdzieś tam jest... po prostu muszę go znaleźć.

Kiedy to wszystko mówiła, pomysł, który od jakiegoś czasu rodził się powoli w jego głowie, skrystalizował się naraz w postać określonego i wyraźnego pragnienia – że powinna wprowadzić się do niego. Przyglądał jej się, jak bawi się plastikowym kubkiem z wagonu restauracyjnego, słysząc tylko strzępki tego, co mówiła: ...jakieś mieszkanko z pojedynczą sypialnią, gdzieś na północy Londynu, może w Kilburn... osiemdziesiąt funtów tygodniowo czy coś koło tego... Podobno ładnie jest w Willesden... jakaś spokojniejsza ulica...

– Wprowadź się do mnie – rzucił.

Natychmiast umilkła. Jego słowa zawisły w powietrzu między nimi.

– To znaczy, jeśli chcesz.

– A ty tego chcesz?

Roześmiał się i ujął jej twarz swymi dłońmi.

– Naprawdę, i to bardzo.

Oplotła palcami jego nadgarstki. Jej źrenice zrobiły się bardzo duże, usta spoważniały. Powie nie, pomyślał. Cholera, cholera, cholera. Cholera. Tak to jest, jak się coś robi za szybko

– A ty chciałabyś wprowadzić się do mnie? – spytał łamiącym się głosem i potem już zaczął się plątać: – No bo możesz to jeszcze przemyśleć. Nie musisz decydować się już teraz. W końcu możemy wszystko zostawić tak, jak jest. Czy jakoś tak. I jeśli uznasz, że przydałaby ci się własna przestrzeń, to przecież możesz zatrzymać swoje mieszkanie, a jak już się wprowadzisz... to znaczy wcale sobie nie wymyśliłem, że tak zrobisz na pewno czy cokolwiek, to zależy wyłącznie od ciebie... ale moglibyśmy wysprzątać ten nie używany pokój, więc...

– John! – Alice kładzie mu palec na ustach.

– Co?

– Strasznie bym chciała wprowadzić się do ciebie.

Kamień spadł mu z serca i uszczęśliwiony pochylił się, żeby ją pocałować. W momencie, gdy jego wargi dotknęły jej warg, powiedziała:

– Tylko...

Odsunął się, by znów na nią spojrzeć.

– Tylko co?

– Chyba wiesz, co powiem.

Przez następnych kilka sekund przetrząsnął wszystko, co mu przyszło do głowy.

– No co? Materaca już się pozbyłem. Co takiego? Wystrój? Meble? Aksolotl? Tylko powiedz mi, a ja to zmienię.

– Nie, tu nie chodzi o dom. Jeśli się wprowadzę, będziesz musiał powiedzieć o nas ojcu.

John opadł na oparcie. Od tamtej jazdy powrotnej z Krainy Jezior, prawie trzy miesiące wcześniej, w ich rozmowach nie pojawiła się ani jedna wzmianka o ojcu. Cały ten czas trwał w bzdurnym przeświadczeniu, że wszystko pozostanie tak, jak jest – on idealnie szczęśliwy i zakochany po uszy, a ojciec z podejrzeniami co do tego, jak on spędza swoje wieczory i weekendy, ale nic ponadto. Tymczasem teraz zauważył nagle, jakie to musiało być trudne dla Alice, która zmagała się z tym problemem, ale nic mu nie mówiła. Był zły na siebie za to, że oszukiwał się do tego stopnia, skazując ją na takie rozterki i niepewność, gdy tymczasem sam chował głowę w piasek.

Położyła dłoń na jego ramieniu.

– John, ostatnia rzecz, jakiej chcę, to wdzierać się między ciebie i twojego ojca.

Zauważył teraz, że ma oczy szkliste od łez i że robi, co może, żeby się otwarcie nie rozpłakać. Serce mu się krajało na ten widok, ale nie był w stanie nic powiedzieć.

— Ale czy ty naprawdę tego nie rozumiesz? — Po jej policzkach już płynęły strumienie łez. — Jak mogę mieszkać u ciebie, jeśli on nie będzie wiedział o niczym? A jeśli wpadnie z wizytą? A jeśli zadzwoni i ja odbiorę telefon? To twój ojciec. Nie możemy mieszkać razem bez jego wiedzy i nie mogę wprowadzić się do ciebie, jeśli ty mu nie powiesz o moim istnieniu.

Przyciągnął ją do siebie i okrył jej twarz pocałunkami, zlizując sól ze swoich warg.

— Nie płacz, Alice. Błagam, nie płacz. Strasznie cię przepraszam, że tak zawaliłem sprawę. Powiem mu jutro. Przyrzekam. On się z tym pogodzi, na pewno. Wszystko będzie dobrze.

Elspeth wraca do domu o czwartej i już z krańca podjazdu dobiega ją wrzawa: to Alice wrzeszczy co sił w płucach. Elspeth wpada na ścieżkę biegnącą wokół domu, wchodzi do środka przez tylne drzwi. Jest tam bliska histerii Ann, która zaciska kurczowo dłonie na krawędzi kuchennego stołu, oraz Alice, z włosami w nieładzie i w dziwnie konwencjonalnym stroju złożonym z białej bluzki i szkolnej spódniczki, która krzyczy właśnie:

– Nigdy, przenigdy nie waż mi się mówić, co mam robić!

Elspeth zatrzaskuje drzwi stanowczym ruchem i hałas cichnie; obie oglądają się w jej stronę.

– Co tu się dzieje? – pyta. – Zdajesz sobie sprawę, że słychać cię na ulicy, Alice?

– Mam to gdzieś! – Alice zanosi się płaczem i wypada jak burza z kuchni. Wbiega hałaśliwie do salonu i kilka sekund później słychać trzask gwałtownie podniesionej klapy pianina, a potem początkowe takty walca Chopina, wygrywane impulsywnie i bardzo szybko.

Elspeth obraca się w stronę Ann, unosząc brew.

– Elspeth... – zaczyna Ann – stało się coś strasznego.

Powaga jej tonu, bladość twarzy sprawiają, że serce Elspeth zastyga.

– Z... z Alice?

– Tak.

– Co? – Umysł Elspeth już przebiera w możliwościach: narkotyki? policja? relegacja ze szkoły? ciąża?

– Właściwie to nie z nią... jeszcze się nic nie stało, w każdym razie nie wydaje mi się... ale fakt jest taki, że to mogłoby... że mogłoby doprowadzić do poważnych... poważnych konsekwencji, jeśli... i nie wiem, jak jej to powiedzieć, żeby się nie dowiedziała dlaczego... nie wiem, jak to przerwać.

– Ann – mówi do niej Elspeth ostrym tonem – co się takiego stało?

– Alice jest... jego syn zakochał się w Alice.

Elspeth już ma spytać, czyj syn, na litość boską, ale prawda dociera do niej w momencie, gdy otwiera usta.

– Rozumiem – mówi zamiast tego i siada przy stole.

Ann przypada do jej boku, cała dygocząc ze zdenerwowania.

– Elspeth, musisz mi pomóc. Musisz mi pomóc... tu trzeba interweniować.

Elspeth obraca się i przygląda uważnie swojej synowej.

– Czy do ciebie nie dociera – pyta – że jeśli zakażesz Alice coś robić, to najprawdopodobniej ją nakłonisz, żeby właśnie to zrobiła? Nie rozumiesz tego? Aż tak źle znasz własną córkę, kobieto?

Elspeth idzie do salonu, gdzie Alice łomocze na pianinie; chwyta jej dłonie w żelazny uścisk.

– Dosyć tego, panienko.

– Ty też nie próbuj mną dyrygować! – krzyczy Alice, podnosząc zaczerwienioną, zalaną łzami twarz ku Elspeth.

Elspeth siada obok Alice na stołku, wciąż nie wypuszczając drżących dłoni wnuczki.

– Jeśli nie nauczysz się panować nad tym swoim temperamentem, Alice Raikes, to któregoś dnia skrzywdzisz kogoś, kogo naprawdę będziesz kochała – mówi, zaczynając uspokajająco gładzić wolną dłonią jej napięte plecy. – Tyle hałasu o nic. Ja przecież tobą nie dyryguję. Sama dobrze wiesz, że tak się nie traktuje instrumentów muzycznych.

Alice ociera łzy z twarzy, omiatając klawisze końcówkami włosów. Elspeth podnosi w górę swą lewą dłoń i rozczapierzając palce, przykłada ją do wnętrza dłoni Alice tak, by skrzyżowały się ich linie życia.

– Spójrz tylko – mówi.

Alice przygląda się. Jej palce są znacznie dłuższe od palców Elspeth.

– Widzisz, jakie masz duże dłonie?

– I dobrze, dzięki temu lepiej mi się gra gamy – mruczy Alice.

– Powiedz mi – odzywa się Elspeth po chwili – kim jest dla ciebie Andrew? Lubisz tego chłopca? Naprawdę lubisz?

Alice niezobowiązująco wzrusza ramionami.

– Jest fajny.

– Nie o to pytam.

– Ale tu nie o to chodzi – mówi Alice, znowu pałając oburzeniem.

– A ja powiedziałabym, że właśnie o to. Czy warto przez niego tak się złościć, tracić tyle energii. Czy go naprawdę pragniesz czy nie.

Alice nic nie mówi, ma ponurą minę, dynda nogą.

– No więc? – nalega Elspeth.

– Jest fajny – powtarza Alice.

– I nic więcej?

– Nie – przyznaje wreszcie – nic więcej.

– No i dobrze. – Elspeth uwalnia dłonie Alice z uścisku i dodaje: – A teraz zagraj mi coś ładnego.

Dłonie Alice krążą nad klawiaturą przez kilka sekund. Słychać delikatne stuknięcie, kiedy jej obcięte paznokcie uderzają w klawisze z kości słoniowej, a potem zaczyna grać.

Wychodzi o dziesiątej rano. Alice macha mu na pożegnanie z frontowych drzwi.

– Powodzenia! – woła za nim.

John robi do niej minę.

Od momentu wstania była między nimi wymuszona wesołość, oboje żartowali i rozmawiali jak zwykle, udając, że to, co John ma zrobić tego dnia, wcale nie jest niczym poważnym, że to tylko zwyczajna, kolejna wizyta u ojca. Odprowadziwszy wzrokiem odjeżdżający samochód, Alice sprząta po śniadaniu, bierze kąpiel, długo suszy włosy i idzie na drugą stronę ulicy, żeby kupić gazetę. Jakoś do niczego nie potrafi się zabrać: próbuje czytać książkę, ale słowa na stronie skaczą i choć wiele razy wczytuje się od nowa w otwierający akapit, nie jest zdolna wykrzesać w sobie dość zainteresowania bohaterami, by się skupić na dalszej lekturze. Wciąż myśli o Johnie, o tym, co się z nim dzieje. Pewnie już dojechał. Powiedział już? Powie to od razu czy zaczeka, aż najpierw pójdą do synagogi? I co na to ojciec? Jak on to przyjmie? Będzie zły? Przerzuca gazetę, czyta recenzje filmów. O pierwszej dzwoni do Rachel i zostawia jakąś mało sensowną wiadomość na sekretarce. Co on zrobi, jeśli ojciec zabroni mu się z nią spotykać?

Postanawia wyjść z domu. Na wszelki wypadek, gdyby John wrócił podczas jej nieobecności, zostawia mu list na kuchennym stole, po czym idzie do Camden Market. Ulice są pełne turystów, nastolatków z kolorowymi włosami, ubranych w etniczne stroje; dealerzy narkotyków szepczą: „Trawki? Kwasu? Cokolwiek?" Powietrze jest gęste od woni kadzidła i paczuli; na brzegu rzeki wygrzewają się w słońcu tłumy ludzi machających nogami tuż nad wodą. Przygląda się młodej blondynce przystrzyżonej na jeża: właśnie przekłuwają jej pępek. Potem kupuje bluzkę w żółto-niebieskie paski, ledwie zakrywającą jej brzuch: od razu się w nią ubiera, a tę, w której przyszła, wpycha do torby, którą daje jej sprzedawca.

Kiedy wreszcie wraca do domu, Johna ciągle nie ma. Na sekretarce jest wiadomość od Rachel: „Alice? To ja. Jesteś tam? Podnieś słuchawkę... Nie ma cię? OK. Tylko byłam ciekawa, jak poszło z wielką spowiedzią. Zadzwoń jak najszybciej. Cześć".

Karmi aksolotla, tak jak ją nauczył John: machając przed jego kanciastym pyskiem kawałkiem krewetki trzymanym w plastikowych szczypcach.

– No jedźże – mruczy do niego – nie jesteś dziś głodny?

Stworzenie wpatruje się żałobnie w jakiś martwy punkt, jednak w momencie, gdy Alice zaczyna już poważnie boleć ręka, rzuca się nagle do przodu i chwyta krewetkę jednym łapczywym kłapnięciem pyska.

Około czwartej słyszy w zamku klucz Johna. Rzuca się na sofę i przybiera taką pozycję, jakby całe popołudnie nic tylko się wylegiwała i czytała książkę.

– Halo? – woła John.

– Cześć!

Wchodzi do salonu i obdarza ją bladym uśmiechem. Wygląda na wyczerpanego i znękanego. Alice wstaje i podchodzi do niego, a kiedy go przytula, John wspiera czoło na jej ramieniu.

– Chodź, usiądź – mówi Alice, zdejmując z niego marynarkę i popychając go w kierunku sofy. – Chcesz herbaty?

John marszczy czoło.

– Hm. Raczej wolałbym whisky.

Nalewa mu podwójną dawkę, rozlewając kilka kropli na stole, po czym stawia przed nim szklankę. John upija łyk i objąwszy ją ramieniem w pasie, przykłada głowę do jej odsłoniętego brzucha.

– Ładna bluzka – mówi zduszonym głosem.

Gładzi go po włosach.

– Kupiłam ją dzisiaj. Tak się o ciebie martwiłam, że aż poszłam na zakupy. Jak było? Opowiesz teraz czy wolisz później?

– Jak by to... – zaczyna powoli John i w tym momencie Alice owłada uczucie, że on dlatego ukrywa twarz w jej brzuchu, żeby nie musieć na nią spojrzeć. – Było gorzej, niż się spodziewałem.

– Aż tak źle?

Kiwa głową.

– Tak. Dokładnie tak.

– John, tak mi przykro.

Jego ramiona zacieśniają uścisk. Jej palce błąkają się w jego włosach.

– Alice – ciągnie John – musisz wiedzieć, że to nie twoja wina. Wiesz o tym, prawda?

– Chyba tak, ale nie mogę się nie czuć odpowiedzialna, prawda? No bo gdyby nie ja, to...

– On się z tym pogodzi – przerywa jej – tylko potrzebuje kilku dni, żeby to wszystko przemyśleć.

Oboje milczą przez chwilę. Alice nie może znieść, że John jest taki przygnębiony i obolały; ogarnia ją wściekłość.

– Ale co on powiedział? Nienawidzi mnie?

– Ależ skądże. Na pewno bardzo mu się spodobasz.

– Czy to znaczy, że mamy się spotkać? – przerażona zadaje to pytanie czubkowi jego głowy.

– No jasne... któregoś dnia, choć raczej jeszcze nie teraz. Ale kiedy bardziej się przyzwyczai do tej myśli, zawiozę cię do niego. Pozna cię i pokocha. – Mówi to wszystko ponurym głosem, pełnym determinacji, by przekonać również samego siebie.

– Ale co powiedział? – indaguje go Alice.

– Naprawdę lepiej, żebyś nie wiedziała.

– No tak...

Odpycha się od niego, podchodzi do okna i wygląda na ogród, splatając i wykrzywiając palce. Zapada już zmierzch i wiatr targa konarami drzew. Odbicie w oknie wprojektowuje wnętrze pokoju w zimny, ciemny ogród. Wszystko objawia się w lustrzanym odbiciu, John patrzy na nią zza oparcia sofy.

– Alice?

– Tak? – Alice się nie odwraca, przygląda mu się w szybie.

– Porozmawiaj ze mną, proszę. Nie odpowiadaj mi milczeniem. Powiedz, co myślisz.

Alice wzrusza ramionami, jakby chciała się uwolnić od zesztywnienia w karku.

– Nie wiem. Nie wiem.

– Czego nie wiesz?

– Nie wiem... Nie wiem, czy mi się to podoba, że nie wiem, co powiedział.

– O co ci chodzi?

– No... – Alice sama się zastanawia, o co jej chodzi. Jest nieprawdopodobnie wytrącona z równowagi, czuje, że od tego wiru myśli ma kompletny mętlik w głowie. – Wydaje mi się... dla mnie to zdumiewające, że dla niego to tyle znaczy, ale czy kiedykolwiek to zrozumiem, jeśli nic mi nie powiesz?

John nie odpowiada od razu. Alice widzi w odbiciu w szybie, że przysiada na kilka sekund na sofie, po czym wstaje i idzie przez pokój, lekko się ślizgając na nagich deskach, bo jest w samych skarpetkach. Ujmuje ją stanowczym ruchem za ramiona i obraca twarzą ku sobie.

– Alice, ja... – Urywa. Gładzi jej czoło, po czym układa dłoń w zagłębieniu jej szyi. – Trudno to wyjaśnić – mówi ciszej. – Gdybym ci powtórzył to, co powiedział, to być może... – Znowu urywa, robi głęboki wdech. – Widzisz, warunkowano mnie przez całe życie, więc jakby pojmuję, dlaczego on jest taki. Rozumiesz, o czym mówię? – pyta ją.

Alice kiwa głową ze zniecierpliwieniem.

– Tak. Ale John, dlaczego mi po prostu nie powtórzysz, co powiedział?

– Bo... bo boję się, że mogłabyś to odebrać jako coś niedorzecznego, niesprawiedliwego... i... skrajnego.

– Nie, na pewno tak tego nie odbiorę – odpiera Alice z obu-

rzeniem. – Nie traktuj mnie, jakbym była ze szkła. Chcę wiedzieć. No gadaj. Powiedz mi najgorsze. – Garbi się, niemalże
tak, jakby szykowała się do odpowiedzi na fizyczny atak. – Jakoś to zniosę, John.

John zagryza wargi.

– Chcesz wiedzieć najgorsze?

– Tak.

– Na pewno?

– Tak! Ile razy mam ci to powtarzać?

– OK. Ojciec powiedział, że gdybym się z tobą ożenił, byłoby to tym samym, co pozwolić Hitlerowi wygrać – mówi pospiesznie.

Następuje chwila milczenia, podczas której Alice usiłuje jakoś zinterpretować to oświadczenie.

– Pozwolić Hitlerowi...? – Potrząsa głową. – Nie rozumiem.
Rany boskie, co my mamy wspólnego z Hitlerem?

– Bo gdybym się z tobą ożenił, to nasze dzieci nie byłyby
Żydami, a dla niego to tyle co eksterminacja Żydów.

– Ale... – zaczyna Alice i milknie. Odwraca się do okna. Pozwolić Hitlerowi wygrać? Pozwolić Hitlerowi...? To jest coś
tak skandalicznego, że po części chce jej się śmiać. Nie jest do
końca pewna, na co jeszcze miałaby ochotę.

– Al... – mówi John, kładąc dłoń na jej plecach – to potworne, powiedzieć coś takiego, dlatego nie chciałem ci powtarzać.
On tak naprawdę nie myśli, a ja tylko...

– Co powiedziałeś?

– Jemu?

– Tak.

– Powiedziałem... no... powiedziałem mnóstwo rzeczy, których już nie potrafię odtworzyć, między innymi to, że jakoś nie
chce mi się wierzyć, by Trzecia Rzesza mogła kierować moim
życiem uczuciowym.

– Święte słowa – szepcze Alice. – Cholera jasna... – Ma wrażenie, że zaraz się rozpłacze. Hitler? Nie po raz pierwszy próbuje wyobrazić sobie ojca Johna. Jaki człowiek mógłby powie-

dzieć coś takiego? Przerabia to zdanie w myślach, interpretując
je na różne sposoby, kładąc nacisk na różne elementy.

John chwyta ją wpół i przyciąga do siebie.

– Alice, to idiotyzm. Aż nie chce mi się wierzyć, że się o to
sprzeczamy. I nie chce mi się też wierzyć, by ojciec chciał kierować moim życiem uczuciowym. On zwyczajnie blefuje, ale w końcu się opamięta. Musisz to zrozumieć: on na to wszystko patrzy
z zupełnie innej perspektywy. Wiedziałem z góry, że nie będzie
łatwo powiedzieć mu o nas. Wiedziałem, że on źle to przyjmie,
ale znam go. To nie jest człowiek, który chowa urazy. Zawsze
raczej szczekał, niż gryzł. Kiedy to wszystko przemyśli, będzie
patrzył na to inaczej.

– A skąd ty to wiesz? A jeśli to oznacza, że zostaniesz naprawdę odcięty od swojej rodziny, pochodzenia i... wszystkiego? Nie mogę ci na to pozwolić.

– Nie dojdzie do tego, obiecuję.

– Skąd wiesz? – upiera się Alice.

– Po prostu wiem. Znam mojego ojca; to nie będzie trwało,
gwarantuję ci to. Nie kłóćmy się dłużej. – Odchyla jej głowę
w tył, przez co ona musi spojrzeć mu w oczy. – Czy teraz –
mówi z teatralnym żarem – zechcesz się do mnie wprowadzić?

– Nie jestem pewna... – odpowiada z niechęcią Alice. –
A kiedy by ci pasowało?

– Najszybciej, jak się da.

– No więc powiedziałam już temu oszustowi, od którego wy-
najmuję mieszkanie, że się wyprowadzam pod koniec grudnia.

– Chrzanić koniec grudnia. A może tak jutro?

– Nie wiedziałem, że masz takie góry ubrań, Alice. Starcza ci
czasu, żeby to wszystko nosić? – John leży na łóżku Alice, przyglądając się jej, jak sapiąc z wysiłku, podskakuje na walizce,
usiłując zatrzasnąć zamek.

– Wiem, wiem. Naprawdę powinnam część wyrzucić, ale nie
mogę się do tego zmusić. Uwielbiam ciuchy.

— Na to wygląda.

— Zbierałam je przez lata. Posłuchaj, w tamtej szafce... — Urywa rozdrażniona. — John, może raczysz podejść tu na sekundę? Usiądź na walizce, to może ją wreszcie zamknę.

John stacza się z łóżka, przepełza przez pobojowisko, w jakie przemienił się pokój, i siada na walizce. Zamek zatrzaskuje się.

— I proszę bardzo! — Alice przerzuca swój koński ogon przez ramię i przysiada na piętach. — No to co teraz?

John bierze do ręki delikatnego chińskiego smoka z kolorowego papieru.

— Skąd ty bierzesz takie rzeczy, Alice?

— Zewsząd. Smok jest bodajże z Bangkoku. — Zdejmuje z szafy jakieś pudło, otwiera je i zagląda do środka. — Boże, to wszystko jeszcze z uniwerku. Kiedy się wyprowadzałam od Jasona, niczego nie porządkowałam — po prostu wrzuciłam cały majdan do pudeł i wyniosłam się stamtąd najszybciej, jak się dało.

— I słusznie. To był dopiero gówniarz — mruczy John, idąc do łazienki.

Alice kwituje uśmiechem tę jego retrospektywną lojalność i wyciąga plik starych pocztówek, spinki do włosów, dzwonek rowerowy, wstążki, zdjęcia. Pospiesznie przerzuca zdjęcia, krzywiąc się do podobizn siebie samej w wieku lat dziewiętnastu i dwudziestu, w najdziwniejszych pozach i w otoczeniu najrozmaitszych przyjaciół.

— John, popatrz na to. Muszę to pokazać Rachel. — Wchodzi za nim do łazienki, gdzie on wrzuca wszystkie jej przybory toaletowe do pudła, i wręcza mu plik zdjęć. Na samym wierzchu są ona i Rachel obok namiotu rozstawionego na obozowisku. Jest środek lata i obie obejmują się wzajem w pasie, uśmiechając szczęśliwie. Alice jest ubrana w powłóczystą, złoto-brązową szatę. Włosy ma zaplecione w warkoczyki i całą twarz pomalowaną w gwiazdki. Rachel jest ubrana w połatane spodnie dzwony i kwiaciasty top bez pleców.

— Rany boskie — mówi John, przyglądając się zdjęciu. — Co wyście robiły?

– Byłyśmy na festiwalu w Glastonbury, stąd te przebrania. To musiało być na drugim roku. Już po sesji.

John przegląda pozostałe zdjęcia, co chwilę się przy tym podśmiewając. Alice znów zajmuje się pakowaniem, kiedy słyszy:

– Alice, popatrz na to.

John wpatruje się z oszołomioną miną w jedno ze zdjęć.

– No co?

John nic nie mówi, tylko podsuwa jej zdjęcie do obejrzenia. Jest na nim Alice, o kilka lat młodsza, uczestniczy w jakiejś imprezie. Uśmiecha się, z twarzą zwróconą w jedną stronę, lekko rozchylonymi ustami i uniesioną ręką, jakby właśnie mówiła coś do osoby, która ją fotografuje.

– No co? – pyta raz jeszcze Alice zaskoczona. – To tylko ja na imprezie.

– Przyjrzyj się dokładnie – mówi John i puka czubkiem palca w róg ujęcia. – Kto to jest twoim zdaniem?

Alice bierze od niego zdjęcie i przysuwa je bliżej do twarzy. Tym razem w tle, tuż za sobą, zauważa mężczyznę, który podejrzanie przypomina mężczyznę stojącego właśnie obok niej.

– Nie. To niemożliwe. – Kręci głową, przechodzi przez sypialnię i podnosi zdjęcie do okna.

John idzie za nią i zagląda jej przez ramię.

– To ja. To z całą pewnością ja.

Jego twarz jest zwrócona profilem, zerka z ukosa do obiektywu. On opiera się o jakieś biurko albo stół, w ręku trzyma puszkę z piwem. Alice bez cienia wątpliwości rozpoznaje krzywe tych brwi, linię szczęki, te sterczące włosy. Mimo że mężczyzna na zdjęciu jest dużo młodszy, to bez wątpienia John.

– Matko Boska – szepcze – to przecież ty. – Odwraca się, by spojrzeć na niego. – Jak to możliwe?

– Co to była za impreza? Pamiętasz?

Alice patrzy znowu na zdjęcie, ledwie zdolna uwierzyć w to, co widzi. Przygląda się uważnie temu, co ma na sobie, temu, co widzi w ich otoczeniu oświetlonym mętnym światłem. Wpatruje się w rozmazaną replikę rysów Johna, którego musiała widzieć kilkaset razy od czasu, kiedy zdjęcie zostało zrobione.

– Pewnie byłaś wtedy na pierwszym roku, skoro oboje się tam znaleźliśmy – stwierdza on. – Potem już raczej nie chodziłem na imprezy.

– To się działo w jakimś domu nad rzeką, zdaje się podczas drugiego semestru. Ale nie pamiętam, jak miał na imię ten ktoś, kto zorganizował tę imprezę, ani też jak w ogóle się tam znalazłam.

– Richard jakiś-tam – podpowiada John.

– Richard? – Alice krzywi się. – A tak, zgadza się. Okropny typ, studiował historię. Był znajomym znajomej, czy jakoś tak.

– Teraz już pamiętam tę imprezę. – John kiwa głową. – Ktoś zarzygał łóżko.

– Na pewno nie ja.

– I ty tam byłaś? Jakie to dziwne. Nie pamiętam, żebym cię tam w ogóle widział. A przecież naprawdę mam wrażenie, że widywałem cię w bibliotece anglistyki, że pamiętam te nogi i włosy.

– Należało się skupić na końcowej sesji, a nie na laskach z pierwszego roku.

– Niby tak, ale potrzebowałem czegoś, co by podtrzymało moją motywację.

– Motywację? Tak to właśnie nazywasz?

John znowu wpatruje się w zdjęcie.

– Wyobraź sobie, jak by to było, gdybyśmy się poznali już wtedy. Że właśnie w tym momencie obracasz się w lewo i mówisz: Johnie Friedmann, za sześć lat zakochamy się w sobie.

– Pewnie byś pomyślał, że jestem walnięta.

– Pewnie bym pomyślał: No to do dzieła! Tylko dlaczego, och ty seksowna i tajemnicza kobieto, musimy czekać aż sześć lat?

– Byłam za młoda. Nie byłam wtedy gotowa na ciebie. Musiałam najpierw zaliczyć Maria i Jasona. Bez nich nie doszłabym do ciebie.

– A więc powinienem być wdzięczny tym jełopom?

– Nie, chodzi mi o to, że to jest jak równanie, emocjonalne równanie: Mario podzielony przez Jasona równa się John.

John wybucha śmiechem.

– No to dziękuję, że w końcu do mnie doszłaś. – Wciska zdjęcie do kieszeni marynarki.

Kiedy później Alice obejmuje go ramionami, słyszy, jak zdjęcie szeleści pod jej dotykiem.

Taksówka podwiozła ich pod dom Alice i kiedy wreszcie się z niej wytaszczyli, razem z bagażami i płaszczami, Ann zadarła głowę i zobaczyła coś niewiarygodnego – światło palące się w sypialni Alice. Serce podskoczyło jej w piersi i choć racjonalna część jej umysłu wiedziała, że jej córka leży nieprzytomna na szpitalnym łóżku, druga jego połowa uderzyła w krzyk: „Ona tu jest! To wszystko pomyłka, cały czas była w domu!" Ben też zauważył to światło. Spoglądał ku górze, białka jego oczu lśniły w mroku.

Ann przetrząsnęła torebkę w poszukiwaniu kluczy, sczepionych razem przy kółku z rybką, które nigdy jej się specjalnie nie podobało. Na widok ryb zawsze przechodziły ją ciarki – śliskie, łuskowate stwory o żarłocznych paszczach. Wsparłszy jedną dłoń na framudze, wepchnęła klucz do zamka, przekręciła i drzwi ustąpiły.

Potem kłębili się razem w korytarzu, Ben majstrował przy bagażach, Ann zmagała się z bezsensowną niechęcią, by zajrzeć na górę, zobaczyć, co z tym światłem. Bała się, że co zobaczy? Światło sączące się stamtąd obrysowywało ściany i przedmioty w pociemniałym salonie na dole. Ann weszła tam na miękkich nogach, wciąż ubrana w płaszcz, wciąż trzymając w ręku klucze, i zapaliła lampę. Na ławie leżała jakaś wymiętoszona książka, ułożona stroną tytułową w dół, obok niej walała się zgnieciona, zesztywniała chusteczka i stała też nie dopita szklanka z wodą. Ann zdjęła płaszcz, ułożyła go na krześle i skrzyżowała ręce na piersi. Ben przeszedł ciężko przez pokój i usiadł na sofie, układając głowę na oparciu. Ciekło mu z kącika jednego oka; Ann nie umiała powiedzieć, czy to łza, czy coś innego, za to z irytacją zauważyła, że on nie wyciera tego oka, tylko nadal wpatruje się w sufit.

Obeszła pokój, dokładnie go sobie oglądając. Wyciągnęła na chybił trafił jakąś szufladę, nie bardzo wiedząc, dlaczego właściwie to robi; znalazła w niej karty biblioteczne, gałązkę lawendy, stare, porysowane okulary przeciwsłoneczne, zmięte wyciągi bankowe i pióro wieczne, zatkane zeschłym atramentem.

W kuchni na stole stało wąskie pudełko po kociej karmie. Wieczko czajnika było zdjęte, leżało na blacie. Na krześle w kącie leżał w połowie zrobiony sweter z zielonej wełny. Ann zmarszczyła czoło. Nie miała pojęcia, że Alice umie robić na drutach. Podeszła do okna, wytężyła wzrok, starając się wypatrzyć pogrążony w mroku ogród. Przycisnęła czoło do chłodnej szyby i w tym samym momencie, po drugiej stronie, w odległości zaledwie kilku cali od swojej twarzy, zobaczyła parę oczu jarzących się odbitym światłem. Krzyk, który dobył się z jej ust, ciągnął się powoli, jakby go wywlekała jakaś elastyczna lina; chwiejnie odstąpiła od okna, potykając się o kuchenne krzesło. Ben zaszedł ją od tyłu, z rozdrażnioną i napiętą twarzą.

– Co się stało, Ann?

– Tam... tam...

Niezdolna się wysłowić ze strachu, wskazała okno i w tym momencie spostrzegła czarne futro ocierające się o framugę; na parapecie siedziało zwierzę podobne do ogromnego gryzonia, które obróciło się właśnie, zmieniając pozycję. Kot. No przecież. Zapomniała o cholernym kocie.

Natychmiast, jednocześnie wściekła i przepełniona ulgą, pomaszerowała do tylnych drzwi, otworzyła zamek i otwarła je zamaszyście. Skulony na parapecie kot przyjrzał się jej zmrużonymi zielonymi oczyma.

– No chodź! – Wskazała gestem kuchnię. – Tylko szybko, jeśli w ogóle chcesz wejść.

Kot nawet nie drgnął. Otaczały go komary wirujące w kałuży światła padającego z kuchennego okna. Ann wciąż stała w drzwiach.

– Wchodzisz czy nie?

Zwierzak nadal nie wykazywał śladu aktywności. Westchnąwszy, Ann zrobiła krok w tył, by zamknąć drzwi. Nim jednak zdążyła je zamknąć do końca, kot zerwał się z miejsca i prędki jak strzała wślizgnął się do środka przez szparę szerokości dłoni.

Stanął na środku kuchni; machał czubkiem ogona, unosząc w górę przednią łapę. Ben wyciągnął rękę w jego stronę, pomrukując bezsensownie. Kot dotknął nosem jego palców, strosząc wąsy w powietrzu, do którego wdarł się chłód z ogrodu. Ann zauważyła ukryte w łapach pazury i przyglądała się, jak Ben drapie koci łeb i uszy – dziwne, czujne trójkąciki z miękkiego papirusu.

Po chwili jednak kot jakby wzdrygnął się w środku, pod powierzchnią skóry, najeżając się tak, że jego grzbiet upodobnił się do kręgosłupa dinozaura, i skuliwszy się nisko przy podłodze, zaczął się skradać po kuchni. Znów na nich spojrzał i wrzasnął przeraźliwie.

– Co mu jest? – spytał z niepokojem Ben, pochylając się, by zajrzeć pod stół i przyjrzeć się stworzeniu. – Boli go coś?

Ann przyłożyła dłonie do uszu. Wrzask zdawał się przeszywać jej skronie i wnikać do czaszki niczym nóż.

– A niby skąd ja mam to wiedzieć? – Jej wzrok padł ponownie na leżące na stole pudełko po kociej karmie. – Może jest głodny – dodała i wzdrygnęła się. Ten wrzask stanowił jakąś koszmarną kombinację miauczenia i płaczu. W życiu czegoś takiego nie słyszała, nie wiedziała, że koty są zdolne do wydawania takich dźwięków. – Ben, to straszne, straszne. No zrób coś, żeby wreszcie przestał!

Ben próbował złapać kota, przemawiając do niego cichym, uspokajającym tonem, ale kot nie chciał go do siebie dopuścić i ani na chwilę nie przestawał przenikliwie zawodzić. Ann nie mogła tego dłużej wytrzymać; uciekła z kuchni do salonu, ale wskoczył tam za nią zaraz, ocierając się o jej nogi. Przebiegł po podłodze i znikł w górze klatki schodowej.

Czekali, Ann na progu, Ben przy stole. Wrzask ustał. Ann słyszała teraz tylko oddech Bena i monotonny warkot ruchu ulicznego, który w Londynie zdawał się rozbrzmiewać w każdym miejscu. Stali tak razem w tej nagłej ciszy, blisko siebie, prawie się nie ruszając. I wtedy Ann przypomniała sobie o świetle wciąż palącym się w pokoju nad ich głowami i zrozumiała, że oboje boją się pójść na górę.

lice wchodzi chwiejnie do domu z trzema siatkami pełnymi zakupów, zatrzaskuje drzwi kopniakiem. Przekłada siatki do jednej ręki i pochyla się, by drugą pozbierać pocztę rozrzuconą na podłodze. Po drodze do kuchni przegląda ją odruchowo. Jakiś list do Johna. Lśniąca koperta wystosowana do „Drogich Lokatorów", zachęcająca ich, by „Zagrali i wygrali jeszcze dzisiaj", oraz pocztówka, też adresowana do Johna, wypełniona ukośnymi, czarnymi literami. Już w chwili, kiedy zaczyna czytać, wie, że nie powinna, ale coś ją do tego popycha, aż do samego końca. Wraca do początku i czyta ponownie. Po chwili czyta jeszcze raz i jeszcze drugi, i trzeci, potem układa zakupy na stole, stawia czajnik na gazie, wciąż nie odkładając pocztówki, potem znów siada, ustawia ją na sztorc przed sobą i czyta od nowa. „Drogi Johnie", tak brzmi początek, „moje spotkanie z Tobą w ubiegły weekend sprawiło mi wielką przyjemność, jak zawsze zresztą; bardzo dziękuję, że przyjechałeś. Żałuję tylko, że nie możemy widywać się częściej, ale ostatnimi czasy wydajesz się taki zajęty. Dziękuję też, że mi się zwierzyłeś ze swoich rozterek. Zależy mi wyłącznie na Twoim szczęściu, dlatego powiem Ci, że na dłuższą metę nie będziesz szczęśliwy z kobietą, która nie jest Żydówką. Możesz miewać romanse z dziewczętami, które nie są Żydówkami; do tego wtrącać się nie będę, bo to nie moja sprawa. Jeśli jednak poślubisz tę dziewczynę, to przestanę uważać cię za swojego syna. Wiem, że Twoja matka byłaby tego samego zdania. Z wyrazami najczulszej miłości, tato".

Alice siedzi dłuższą chwilę, wpatrzona w pocztówkę. Sięga

do torby po jabłko; obraca je w dłoniach, przyglądając się pocztówce tak długo, że czarne litery zaczynają się rozmazywać, przeobrażając w maleńkie czarne punkty, które zdają się biegać niczym mrówki. Potem odwraca wzrok i przyciska chłodne, zielone jabłko do czoła. Odwraca pocztówkę czubkami palców: widzi molo w Brighton, sfotografowane zgodnie z poetyką dominującą w latach siedemdziesiątych, z udziałem jadowicie turkusowego nieba i pomarańczowych wiatrochronów na plaży. Zastanawia się, czy Daniel Friedmann wybrał ten widok specjalnie, czy też była to pierwsza lepsza pocztówka, jaka wpadła mu w ręce.

Wstaje, przetrząsa torebkę w poszukiwaniu notesu z adresami, podchodzi do telefonu i wystukuje numer.

– Rachel? Cześć, to ja. Słuchaj, nie mogę teraz rozmawiać, ale czy mogłabym przyjechać i zatrzymać się u ciebie?... Nie, to nie to... Tak jakby... Wiem... Po prostu w tej chwili nie wiem... Nie na długo, obiecuję... Nie, wiem o tym... Dzięki... To do zobaczenia.

Rozłącza się, idzie przez salon, potem na górę. Zatrzymuje się na korytarzu, jakby zgubiła drogę, ale zaraz potem wchodzi do sypialni i wyciąga z szafy torbę podróżną.

Johnowi od samego początku bardzo zależało – aż do przesady, jej zdaniem – by poczyniła tyle zmian w tym domu, ile potrzebuje, by poczuć się jak u siebie. Wciąż jej powtarzał, by przestawiała, co chce, żeby zmieniała kolory ścian, a w ubiegły weekend uparł się, że muszą jechać na zakupy i kupić dla niej meble. Wcale nie uważała, że to konieczne – jej zdaniem dom Johna jest jednolity, wygodny, normalny. Nie ma w nim nic, co by jej przeszkadzało, nic, co wydawałoby się obce. Niemniej, żeby go uszczęśliwić, jeździli jak szaleni od jednego sklepu ze starzyzną do drugiego, po drodze wypełniając samochód po brzegi, i kiedy już nie dało się wepchnąć do środka nic więcej, przymocowali do bagażnika na dachu komodę, fotel z zapadającym się siedziskiem i brązową tapicerką, półkę na książki, jeszcze jedną półkę, a także mały nocny stolik. Przy wielkim oprawionym w ramy lustrze próbowała go pohamować. „Niby masz rację, ale przecież ono może się bardzo przydać", powiedział, unosząc znacząco brwi, „gdzieś w sypialni. Nie uważasz?" Alice parsknęła głośnym śmiechem, a właściciel sklepu dostał ataku kaszlu.

Otwiera swoją komodę. Wnosili ją na górę w trzech ratach; w końcu musiał przyjść im z pomocą przyjaciel Johna, Sam. Alice stała na górnym podeście, kiedy obaj mężczyźni klęli, sprężali się i znowu klęli, krok po kroku taszcząc komodę na górę.

Wciska do torby wszystko, co jej wpada w oczy – bieliznę, koszulki, parę dżinsów. Nie jest w stanie myśleć logicznie. Nie zatrzymuje się przy nowej komodzie, półkach z książkami ani stoliku, tylko idzie do łazienki, gdzie zgarnia wszystkie swoje rzeczy do bocznej kieszeni torby. Stoi tam jeszcze przez chwilę, przyglądając się aksolotlowi jak zawsze lewitującemu w samym środku akwarium; stworzenie odwzajemnia się posępnym spojrzeniem. A potem hałaśliwie schodzi na dół. Musi stąd zniknąć przed powrotem Johna, jeśli rzeczywiście ma się wyprowadzić jeszcze tego wieczoru; nie wyjdzie za ten próg, jeśli go zobaczy.

Wybucha płaczem dopiero wtedy, gdy już siedzi w metrze.

John wraca około dziewiątej. W domu jest ciemno. Po omacku szuka włącznika światła w holu, jednocześnie wycierając buty i wytrząsając krople deszczu z włosów.

– Alice! – woła. Żadnej odpowiedzi. – Alice? – Nasłuchuje jej głosu. Nic. Planowała jakieś wyjście? Bez skutku próbuje sobie przypomnieć, czy mówiła coś na ten temat tego ranka. Sekretarka jest włączona, ale nikt się nie nagrał. Siada w dużym pokoju, zdejmuje kopniakiem buty, ziewa. Jest niezadowolony, zły, że jej nie ma. Nie mógł się doczekać, kiedy ją zobaczy, i po drodze do domu kupił butelkę wina. Takie właśnie było jego życie, zanim ją poznał? Wracał zmęczony do zimnego, pustego domu? Mieszkała tu na stałe zaledwie od tygodnia, a jednak przyzwyczaił się już do tego uczucia zadowolenia, kiedy po powrocie widział ją zwiniętą w kłębek w sypialni i pogrążoną w lekturze albo rozmawiającą z aksolotlem podczas napełniania wanny, albo podlewającą rośliny, które posiała w starym zlewie tuż obok tylnych drzwi. Idzie do kuchni, widzi torby z zakupami na stole i owłada nim zdziwienie. Pewnie przyszła i zaraz potem wyszła. Kiedy sięga po czajnik, by zagotować wodę na herbatę, stwierdza, że jest pełen gorącej wody.

Idzie na górę do łazienki, napełnia umywalkę wodą i kilkakrotnie ochlapuje twarz. Namydla jeszcze dłonie aromatycznym mydłem, które położyła tu Alice, nucąc coś przy tym pod nosem, i nagle nieruchomieje. Brakuje jej szczoteczki do zębów: w kubku kołacze się samotnie tylko jego szczoteczka. Pospiesznie opłukuje dłonie i wyciera je o spodnie, obrzucając wnętrze łazienki paranoicznymi spojrzeniami. Tylko nie świruj, przykazuje sobie, zostawiła ją gdzieś indziej. Ale brakuje także jej kremu, szczotki do włosów, ręcznika.

Przebiega przez korytarz i otwiera gwałtownie komodę, którą kupili kilka dni wcześniej w sklepie ze starzyzną przy Holloway Road. Zabrała coś stąd? Trudno orzec. Wciąż jest tu mnóstwo jej rzeczy, wszystkie schludnie poukładane. Obraca się w stronę łóżka. Wszystkie jej książki leżą obok na stosie. Jest dobrze. Po prostu dokądś wyszła. I zabrała ze sobą wszystkie kosmetyki i szczoteczkę do zębów? Ale przecież nie odeszła. Nie mogła odejść. W tym momencie jego wzrok pada na lustro nad łóżkiem, na odbitą w nim otwartą szafę. Widzi wolną przestrzeń tam, gdzie dotąd trzymała swój plecak, ten sam, który zwiedził z nią pół świata, jak mu z dumą oświadczyła. Pada na łóżko. Dlaczego, dlaczego, dlaczego odeszła? Przeczesuje umysł, sprawdzając, czy może tego ranka zaszło coś niezwykłego. Powiedział coś, czym mógł ją zdenerwować? Zjedli razem śniadanie, tak jak w większość poranków, a ona pocałowała go na pożegnanie, zanim wyszła. Nic w tym okropnego. Rozważali pomysł letniej wyprawy do Czech, bo na opakowaniu z płatkami zamieszczony był widok Pragi, który jej się spodobał. Czy to możliwe, że powiedział coś niegodziwego, coś tak horrendalnie niegodziwego, że aż postanowiła go rzucić?

List. No chyba przecież zostawiła jakiś list? Może musiała niespodziewanie wyjechać i nie była w stanie się z nim skontaktować. Może ktoś z jej rodziny zachorował albo coś. No jakże to, przecież nie odeszłaby bez pożegnania? Zbiega jak burza na dół i przetrząsa salon w poszukiwaniu kartki papieru z jej pismem. Nic. Idzie do kuchni i przetrząsa zakupy, może list tu się gdzieś zawieruszył. Awokado, makaron, bakłażany, jogurt... Nic więcej. I właśnie wtedy zauważa na stole pocztówkę. Porywa ją i przez chwilę jest tak nakręcony, że nie daje rady nic przeczytać. To pocztówka od ojca. Dlaczego przysłał mu pocztówkę? Przecież nigdy nie przysyła pocztówek. Nigdy. Już ma cisnąć ją na bok i kontynuować poszukiwania, kiedy w oczy wpadają mu słowa „nie są Żydówkami". Serce zapada mu się ze strachu; i błyskawicznie czyta do końca, skacząc wzrokiem po ciasno upakowanych słowach, z jedną dłonią przyciśniętą do czoła. Po kilku chwilach potrafi tylko gapić się na pocztówkę, mrugając z niedowierzania. Jak ojciec mógł być taki okrutny, nie tylko dla niego, ale i dla Alice? Musiał wiedzieć, że ona może to przeczytać.

Osuwa się na krzesło i drze pocztówkę na dwie połówki, z rozmyślną precyzją. Potem drze te dwie połówki na dwie kolejne połówki, te połówki też rozdziera i postępuje tak, aż w końcu ma przed sobą maleńką stertę czarnych i białych konfetti koloru nieba, z Brighton w latach siedemdziesiątych.

Musi podejść do tego wszystkiego logicznie. Wie teraz, dlaczego odeszła, ale pytanie brzmi: dokąd mogła pójść? Z wszystkich jej znajomych, do kogo mogła uciec? Najprawdopodobniej zabrała swój notes z adresami, bo inaczej sprawdziłby jej przyjaciół alfabetycznie. Do kogo mogła zadzwonić po przeczytaniu pocztówki? Do rodziny? Do sióstr! Oczywiście. Wstaje, sięga po telefon.

— Raikesowie — mruczy — Raikesowie z North Berwick.

W informacji podają mu numer; zapisuje go na dłoni długopisem przywiązanym do aparatu. Już ma wystukać numer, ale w tym momencie zdrowy rozsądek trąca go ostrzegawczo. Co on im powie? Cześć, mówi John. Jeszcze mnie państwo nie znacie, ale to właśnie do mnie wprowadziła się niedawno wasza córka. O tak, to wspaniała wiadomość, prawda. A tak nawiasem mówiąc, Alice gdzieś się zapodziała. Niewykluczone, że mnie rzuciła. Państwo przypadkiem nie wiecie, gdzie ona jest? Nie? To nic, nieważne. Jestem pewien, że lada chwila wróci. Odkłada słuchawkę. Na pewno jest gdzieś w Londynie. Przecież jutro powinna stawić się w pracy. Przez ułamek sekundy – i tylko ułamek, chlubi się tym później – rozważa myśl, że wróciła do Jasona. Facet, nie ośmieszaj się. Weź się w garść.

Chodzi tam i z powrotem po salonie, jakby szukał wskazówek, ale jedyne, co mu chodzi po głowie, to: „Alice mnie rzuciła, Alice mnie rzuciła". Tak to właśnie jest podczas kryzysu? Mózg udziela ci tylko takich przyziemnych informacji? U kogo, u kogo, u kogo ona może być?

Wpada na to dopiero wtedy, gdy kończy piąty obchód pokoju. Rachel! Któż by inny? Wystarczy teraz, by przypomniał sobie jej nazwisko, i znajdzie numer w książce telefonicznej. Rachel... Rachel... Rachel... no jak jej tam? Nic z tego. Alice prawdopodobnie nigdy nie wymieniła jej nazwiska. Wie, że Rachel mieszka gdzieś w południowym Londynie, być może w Greenwich, ale nie ma pojęcia, gdzie dokładnie. Zdusza irracjonalne pragnienie, by wsiąść do samochodu i zacząć jeździć po ulicach, po czym pada z rozpaczą na sofę, ze wzrokiem wlepionym w telefon. Zadzwoń do mnie, Alice. No już. Podnieś słuchawkę, gdziekolwiek jesteś, i wykręć ten numer. Nie rób mi tego.

Prostuje się nagle, ożywiony nowym pomysłem. Przycisk z ostatnim wybranym numerem. Przecież najpierw zadzwoniła chyba do tego kogoś? Dzięki ci, Boże, za cuda techniki! Ręka drży mu nieznacznie, kiedy wdusza czarny guzik, i z całej siły przyciska słuchawkę do ucha, jakby się bał, że uroni choć jeden dźwięk. Na drugim końcu słychać jeden sygnał, potem drugi, trzeci, zanim słyszy nieomylne szczęknięcie i szum sekretarki.

Psiakrew, psiakrew, psiakrew. A potem słyszy: „Cześć, tu Rachel. Nie mogę teraz podejść do telefonu, ale zostaw wiadomość, a być może oddzwonię". Fantastycznie! Wiedział to, wiedział, że to do niej dzwoni. Chrząka nerwowo. Niezależnie od tego, po czyjej stronie jest Rachel, z pewnością nie jest to jego strona. „Cześć, Rachel, mówi John. Chciałem się dowiedzieć, czy może słyszałaś się dziś wieczorem z Alice. Gdybyś tak zechciała zadzwonić do mnie, jak..."

Maszyna zaszczękała, bucząc gniewnie w momencie, gdy ktoś podniósł słuchawkę.

— Cześć, John.

— Alice? To ty?

— Nie. Tu Rachel.

— Rachel, rozmawiałaś z nią? Wiesz, gdzie ona jest?

Po drugiej stronie panuje milczenie.

— Rachel, wiem, że ty wiesz. Proszę, powiedz mi. Ja tu odchodzę od zmysłów.

— Ona tu jest. Wszystko z nią w porządku. Nie martw się.

— Mogę z nią porozmawiać?

— Nie jestem pewna. Czekaj sekundę. — Rachel nakrywa słuchawkę dłonią, ale John i tak słyszy: — Al, to on. Powiedziałam mu, że tu jesteś... — Słychać jakieś niezrozumiałe wymówki ze strony Alice, po czym Rachel mówi jej: — Al, przestań, ten biedak ma prawo wiedzieć. Chce z tobą rozmawiać.

Wie, że teraz mówi Alice, ale nie potrafi zrozumieć co. Ma wrażenie, że wszystkie nerwy i włókna jego ciała są tak napięte, że zaraz popękają. Alice, błagam. Podejdź do telefonu.

A potem słyszy jej głos, tuż obok swojego ucha.

— Halo.

— Alice.

— Tak? — Jej głos wydaje się bardzo cichy i bardzo daleki.

— Alice, proszę cię, wróć. Nie rób mi tego.

— Musiałam. — Słyszy delikatne drżenie w jej głosie. — Przyszła pocztówka...

— Wiem. Widziałem. Podarłem ją.

Oboje milczą. John ma ochotę krzyczeć: wróć do domu, wróć do domu, błagam, wróć do domu.

– Jak mnie znalazłeś? – pyta ona.

– Dzięki podejściu naukowemu. Przycisk ostatniego wybranego numeru.

– Ach tak.

Znowu milczenie. John nawija skręcony przewód dookoła swoich palców.

– Spędziłem też sporo czasu na sporządzaniu listy twoich przyjaciół i krewnych, zastanawiając się, u kogo możesz być. Przyszła mi do głowy Rachel, ale nie mogłem przypomnieć sobie jej nazwiska.

– Saunders.

– No właśnie. Zapamiętam je sobie do następnego razu, kiedy znów mnie rzucisz.

– John, ja przepraszam... Nie chciałam...

– On wcale tak nie myśli – przerywa jej – to tylko szantaż emocjonalny. Nie rozumiesz? Napisał tę kartkę, bo chciał, żeby stało się dokładnie to, co się stało.

Alice znowu milczy, ale on słyszy, że słucha.

– Chciał, żebyś ją przeczytała, i chciał, żebyś mnie olała. Tańczysz tak, jak on ci zagrał. To, co robi, jest okrutne i złe, ale on tak nie myśli, więc proszę, proszę, proszę, wróć.

– Kiedy przecież powiedział...

– On bredzi.

– A jeśli on tak naprawdę myśli? Nie mogę dopuścić... Nie mogę... Po prostu pomyślałam... – Słyszy jej stłumione łkanie. – Po prostu pomyślałam, że tak będzie nam łatwiej.

Zaczyna płakać na dobre i chyba odsunęła słuchawkę od ust, bo płacz brzmi teraz bardzo niewyraźnie. Zamierza się rozłączyć?

– Alice? – John ściska słuchawkę tak silnie, że zaczynają go boleć stawy dłoni. – Alice! Jesteś tam?

– Tak.

– Podaj mi adres Rachel. Przyjadę po ciebie.

– Sama nie wiem, John... Wydaje mi się, że może...

– To jest kompletne szaleństwo. Kocham cię. – Słyszy jej ciężkie westchnienie i czuje, że ona się waha. Przynajmniej przestała płakać. – On tak nie myśli, zapewniam cię. Posłuchaj, nawet jeśli zamierzasz mnie rzucić, to przecież nie możemy tego tak zostawić, prawda?

Alice śmieje się, a potem pociąga nosem.

– Mogę wrócić do Camden metrem. To żaden kłopot. Nie musisz tu po mnie przyjeżdżać.

– Nie wygłupiaj się. Podaj mi adres. Będę najszybciej, jak się da.

– OK.

Czterdzieści minut później John przygląda się szeregowi mętnie oświetlonych przycisków domofonu przy wejściu do kamienicy, w której mieszka Rachel. Próbuje jeden na chybił trafił i słyszy zirytowanego Niemca:

– To trzecie piętro. Może pan jej powie, żeby dopisała swoje nazwisko?

Zostaje wpuszczony do środka; wbiega na górę, pokonując po dwa stopnie naraz. Na trzecim piętrze czeka na niego w otwartych drzwiach Rachel. Pod ścianą stoi plecak Alice.

– Cześć, John. – Obdarza go prędkim pocałunkiem w policzek. – Szybko przyjechałeś.

– Ruch był niewielki, a poza tym zdaje się, że cały czas przekraczałem dozwoloną prędkość.

Rachel uśmiecha się.

– To pewnie miłość.

– Tak. Coś w tym guście. – John cały się niecierpliwi; wyciąga szyję, by zajrzeć do wnętrza mieszkania. – A tak nawiasem, gdzie ona jest?

Rachel odwraca się i krzyczy:

– Alice! Twój kochaś przyjechał!

– Naprawdę przepraszam za to wszystko, Rachel.

– Nie przepraszaj. Naprawdę nic się nie stało. Ona też mnie wspierała przy niejednym kryzysie.

Alice pojawia się na korytarzu, z bladym uśmiechem na twarzy, z oczyma zogromniałymi i jeszcze mokrymi od łez.

– Cześć, John.

John przytula ją do siebie, całując w czubek głowy. Ona obejmuje go z całej siły i wtedy czuje, jak przez kołnierz przesącza się ciepło jej oddechu.

– No już, dosyć tego – przerywa im Rachel. – Umieram z zimna, jak tak stoję na progu.

Alice obejmuje ją.

– Dzięki, Rach. Przepraszam, że nie mogę zostać.

– Nieważne, może następnym razem.

– Nie mów mi, że to się będzie odbywało regularnie – protestuje John.

– Po prostu pamiętaj tylko – mówi Rachel do Alice, już zamykając drzwi – on wie teraz, gdzie ja mieszkam.

W samochodzie wkłada kluczyki do stacyjki. Alice opuszcza lusterko nad fotelem pasażera i przygląda się krytycznie swojemu odbiciu.

– Wyglądam koszmarnie – stwierdza, po czym odwraca się ku niemu z szerokim uśmiechem. – Jesteś pewien, że nie chcesz, żebym tu została?

John nie odpowiada. Alice wzdycha głęboko i przeciera oczy.

– Jestem wykończona. Jedźmy do domu.

Potem siedzi naprzeciwko niego w wannie, z podbródkiem wspartym na kolanach. Przyglądają się sobie wzajemnie przez kłęby pary. John nabiera dłonią wody i oblewa jej ramiona. Woda sączy się srebrnymi strumykami po jej rękach, plecach i piersiach.

– Nie rób tego więcej, dobrze?

Alice nie odpowiada, tylko robi głęboki wdech, wydymając policzki, po czym zanurza twarz w wodzie. John zaskoczony odchyla się gwałtownie. Woda wychlustuje za brzegi wanny i spływa wprost na linoleum. Czuje teraz jej palce, które obłapują go pod żebrami i zaczynają łaskotać. Bardzo agresywnie. Wyrywa się z jej objęć. Woda znowu wylewa się na posadzkę.

— Alice!

Zirytowany chwyta ją za ramiona i wyciąga spod wody. Alice wynurza się, zaśmiewając i kaszląc, niczym syrena, z włosami i twarzą zalanymi wodą, z rzęsami zlepionymi w mokre kolce. Przybliża twarz do jego twarzy i uśmiech jej zamiera, kiedy widzi, że on się nie śmieje.

— Wcale nie jest mi do śmiechu, Alice. — Jest rozdrażniony i niewiarygodnie zmęczony. — Potrafisz sobie wyobrazić, jak to było, kiedy nie zastałem cię w domu, a potem zobaczyłem — tu wskazuje nieokreślonym gestem umywalkę — że twoje rzeczy zniknęły? To było potworne. Potworne. Zero listu. Zero wyjaśnienia. Nie miałem pojęcia, dlaczego odeszłaś, dopóki nie znalazłem tej cholernej pocztówki. I nie wiedziałem, ani gdzie jesteś, ani czy coś ci się nie stało. Nie rób tego więcej. Proszę.

Alice marszczy czoło, a potem potrząsa głową, opryskując go kroplami wody.

— John, bardzo cię przepraszam... nie pomyślałam. — Zarzuca mu ramiona na szyję, a potem opiera się na nim całym ciałem. — Już nigdy tak nie zrobię. Przyrzekam.

Ben zasuwa zasłony i odwraca się do swojej stojącej w drzwiach żony.

– Ann, musimy tu spać.

– Wiem.

– Przynamniej dzisiaj.

– Wiem.

– Nie mamy dokąd iść.

– Wiem, Ben, wiem.

Ann przechodzi przez sypialnię i naciska łóżko Alice dłonią, jakby sprawdzała miękkość materaca. Zostaje tak, pochylona.

– Za późno, żeby szukać hotelu.

Żadnej odpowiedzi.

– Moglibyśmy się położyć na tych sofach na dole, jest też łóżko polowe w pokoju obok, ale to chyba nie jest dobry pomysł. Porządny sen dobrze nam zrobi, moim zdaniem,

– Wiem, Ben. Po prostu to... to się wydaje... jakieś takie dziwne. Prawda? – Ann obchodzi łóżko i delikatnie pociąga za kołdrę.

– Co? Spanie w łóżku Alice?

Ann nie odpowiada. Przykłada dłoń do ust, patrząc z góry na jedną z poduszek, w której jest wgłębienie pozostawione przez czyjąś głowę. Nawet Ben się wzdryga. Ann wyciąga rękę i Ben przygląda się, jak zdejmuje z poduszki długi czarny włos, a potem podnosi go do światła. To powolny ruch, wykonany z namaszczeniem. Dwie noce temu, myśli Ben, moja córka spała w tym łóżku jak zawsze, a teraz ma głowę ogoloną na zero i tkwi zamknięta w swej prywatnej, milczącej walce ze śmiercią. Ann wyciąga chusteczkę z kieszeni i zawija w nią włos.

— Ann... — zaczyna Ben.

Ann cofa się, pada na fotel. Ben kuca obok niej.

— Posłuchaj, wiem, że to trudne, ale nie mamy wyboru.

Ann miętosi chusteczkę w dłoniach.

— Alice nie miałaby nic przeciwko. Wiesz, że nie. Wolałaby, abyśmy spali tutaj, a nie w hotelu, prawda?

Ann patrzy na niego. Ben widzi, że się zastanawia.

— Prawda? — nalega.

— Może — ustępuje wreszcie. Porusza się niespokojnie, przygląda z wszystkich stron fotelowi, na którym usiadła, zaczyna wyciągać spod siebie ubrania: skarpetki, krótką spódniczkę, pończochy, czerwoną bluzkę. Rzeczy Alice. Układa je kolejno na oparciu fotela. — Może gdybyśmy zmienili pościel... — mówi.

Powietrze w sypialni wypełnia się łopotaniem poszewek. Ben ma wrażenie, że to pierwszy ruch w tych ścianach od wielu lat, jakby w tym pokoju od bardzo, bardzo dawna nikt nie mieszkał. Ann wchodzi do środka z naręczem świeżej pościeli, gdy tymczasem on zwija w tobołek starą, by znieść ją na dół.

— Co to jest? — pyta ona.

— A o co pytasz?

— O to. — Ann wskazuje niebieską plamę w jego tobołku.

Ben wzrusza ramionami.

— To jakiś T-shirt. Był pod jedną z poduszek.

Ann wpatruje się w koszulkę zmrużonymi oczyma.

— Alice sypia nago — mówi, kierując to jakby tylko do siebie.

— Słucham?

— Ona nie... — Ann urywa, po czym podchodzi bliżej i wywleka T-shirt z tobołka niczym prestidigitator wyciągający sznur kolorowych chusteczek z kapelusza. — Alice nigdy... — Znowu urywa, przykładając T-shirt do twarzy, wdychając jego zapach. Ma takie spojrzenie jak ludzie, którzy wsłuchują się w rozbrzmiewającą w oddali muzykę; wyraźnie myśli o czymś dla niej niedosiężnym. Ben przykłada drugi róg koszulki do twarzy.

Wącha ją. Zapach snu. Blady, a jednak dający się określić. Męski zapach. Ben i Ann patrzą na siebie, połączeni dwoma końcami koszulki. Ben puszcza swój.

— Wydaje mi się, że nie powinniśmy tego prać — mówi szybko Ann. — Tak na wszelki wypadek — dodaje i złożywszy koszulkę, kładzie ją na rzeczach Alice leżących na fotelu.

Ben nie pyta, na jaki wypadek. Podnosi tobołek z pościelą i schodzi z nim na dół.

Minęło kilka dziwnych tygodni, podczas których oboje stąpali ostrożnie wokół swojego problemu, obchodząc ten temat z daleka we wszystkich rozmowach. Dla Alice było to jak zawieszenie towarzyszące czekaniu na wyniki egzaminów, kiedy się wie, że wszystko teraz spoczywa w cudzych rękach. John był na przemian to optymistyczny, to ponury. Wiedziała, że dzwonił do ojca, i wiedziała, że on wie, że ona wie. Wiedziała też, że jego ojciec ma włączoną sekretarkę i nie odpowiada na telefony Johna. Powoli mijały tygodnie. Sprawa była poruszana coraz rzadziej i John wpadał w coraz większe przygnębienie.

Którejś nocy coś się stało: przejechał pociąg albo może zasłony rozdęły się od zimowego przeciągu, a potem na powrót opadły. Albo może ktoś krzyknął na ulicy. Obudziła się nagle, nie wiedząc, co ją wyrwało ze snu. Otoczenie wydawało się nienaturalnie spokojne. John spał obok, z ręką przerzuconą przez jej ciało, z palcami wplątanymi w jej włosy.

Była przekonana, że ojciec zamierza go zmusić, by wybierał między nim a nią. On nie tylko stroił fochy, jak to z całą mocą utrzymywał John, on zamierzał wprowadzić w czyn to, co powiedział. Nie chciał odpowiadać na telefony, dopóki John go nie zapewni, że ona wyprowadziła się z jego domu i z jego życia.

Alice wsparła się na łokciu i spojrzała na Johna. Zsunął się z poduszki i jego głowa spoczywała teraz na materacu. Czuła na swoim ciele ciężar jego ramienia. Musiał jakoś wyczuć, że ona nie śpi, albo może zaalarmował go jej wzrok czy coś, bo się poruszył. Nie otwierając oczu, przysunął się bliżej, zagrzebując twarz między jej piersiami, mrucząc coś. Ożyło też jego ramię, którym przyciągnął ją do siebie ospałym ruchem. I nagle znieruchomiał. Przez kilka sekund oddychał tylko, prosto w jej ciało, a potem odwrócił głowę i spojrzał na nią, z szeroko otwartymi oczyma.

– No co? – zapytał.

Alice przyłożyła dłoń do jego policzka.

– Kocham cię.

Ujął ją za tę dłoń.

– O co chodzi, Alice? Minę masz absolutnie przerażającą.

Pochyliła się i przycisnęła na krótko wargi do jego ust, po czym odparła:

– Moim zdaniem to przerażona mina, nie przerażająca.

Przyciągnął ją do siebie – jej twarz znalazła się teraz bardzo blisko jego twarzy. Patrzyła mu prosto w oczy.

– O co chodzi? – wyszeptał.

Nie potrafiła powiedzieć od razu. Nie chciała wymawiać tych słów.

– Alice, powiedz mi. Co się stało? Nigdy nie widziałem, żebyś była równie poważna.

Znowu go pocałowała. John oddał pocałunek, ale chłodno i ze zdziwieniem.

– Twój ojciec – powiedziała – zmusi cię w końcu, żebyś dokonał wyboru: on albo ja.

Zaczął ją gładzić długimi, powolnymi ruchami ręki, od karku, przechodząc przez bok piersi i zagłębienie talii do krzywej biodra i z powrotem. Zrobił to trzy, cztery, pięć razy, a potem powiedział:

– Wiem.

Zarzuciła ręce na jego szyję i przez chwilę tulili się do siebie.

– Nie mogę tego zrobić, nie mogę, nie mogę – powiedział.

– Wcale nie chcę, żebyś ty to robił – powiedziała do jego szyi. – Ale nie potrafię znieść, że musisz podejmować tę decyzję. Nie potrafię. To decyzja, do której nikogo nie powinno się zmuszać.

— Wiem — powtórzył. — I czuję się jak czółenko we wrzecionie. Przez cały dzień biegam w myślach od ciebie do niego. Jakim prawem on żąda, żebym dokonał tego wyboru, żebym oświadczył: „Wybieram ciebie"? A nawet gdybym powiedział: „Tak, tato, wyrzekam się mojej sziksy i będę odtąd grzecznym żydowskim chłopcem", to czego by potem ode mnie oczekiwał, jakich relacji, wiedząc, że zmusił mnie, bym się ciebie wyrzekł? I jak, na litość boską, mógł pomyśleć, że dobrowolnie bym się ciebie wyrzekł? Przecież to tak, jakbym powiedział: „Ależ oczywiście, tato, możesz odciąć mi prawą rękę, jeśli chcesz".

Puścił ją i wtedy znów mogła mu spojrzeć w twarz.

— Aż nie chce mi się wierzyć w to wszystko. To jest coś niewiarygodnego, w tych czasach i w tej epoce — stwierdziła. — Moja matka miała rację.

— Twoja matka?

— Mhm. Powiedziała, z właściwym sobie taktem à la zła wróżka, i to na pogrzebie mojej babci, że będą kłopoty z powodu twojego żydowskiego pochodzenia.

— O Boże, Alice, tak mi przykro.

— Nie gadaj głupot. Nie wchodziłam w to z zamkniętymi oczami, prawda?

— Nie, ale też nie spodziewałaś się czegoś takiego.

— Nie, nie spodziewałam się.

— Wiesz, co on zrobił w zeszłym tygodniu?

— Co?

— Przysłał mi egzemplarz pisemka dla młodzieży żydowskiej, gdzie mają stronę dla samotnych serc. Możesz się tam ogłaszać, jeśli szukasz idealnej żydowskiej narzeczonej. Dołączył do tego list o treści: „Brałeś to może pod uwagę?"

Po Camden Road jeżdżą bezustannie samochody. John niespokojnie bawił się włosami Alice i mruczał co jakiś czas: „Co za idiotyzm".

— No to co zamierzasz zrobić? — spytała po chwili, adresując to do jego piersi.

— Szczerze mówiąc, nie mam pojęcia. Widzę dwa wyjścia.

Wyjście numer jeden: powiem ojcu, jak stoją sprawy, ryzykując, że nie będzie chciał mieć ze mną już nic wspólnego. Wyjście numer dwa: powiem ojcu, że między nami wszystko skończone, ale i tak będziemy się dalej widywali po kryjomu, w nadziei, że on się kiedyś opamięta.

Potrząsnęła głową.

– To przecież nie jest żadne rozwiązanie, John. Nie możemy go okłamywać, bo on i tak prędzej czy później się dowie. Ale jest jeszcze – powiedziała stanowczym tonem, nie patrząc mu w oczy – trzecie wyjście, prawda?

– Nie! – Przycisnął ręce do uszu. – Nie. Nigdy. Nawet tego nie mów, Alice.

– Wyjście numer trzy – powiedziała, jakby go nie słyszała – jest takie, że każde z nas pójdzie swoją drogą.

– Tylko jak to zrobić? – Uderzył pięścią w poduszkę. – Alice, do jasnej cholery, może raczysz na mnie spojrzeć, co? Spójrz na mnie – nalegał. – Jak moglibyśmy to zrobić?

– Nie wiem! – odkrzyknęła. – Ale być może będzie trzeba. Nie możesz tak zwyczajnie... odrzucać swojej rodziny. Po prostu nie możesz. Nie pozwolę ci.

Przewrócił się na plecy i zapatrzył ponuro w sufit. Alice podniosła jego rękę i przyjrzała się jej. Być może po raz ostatni jesteśmy razem w łóżku, złapała się na takiej myśli.

– W porządku – powiedziała, chcąc wykasować tę myśl. – Mam pewien plan.

– No proszę. Masz plan, powiadasz? – Usiadł, wyraźnie ożywiony, z twarzą przepełnioną nadzieją. – Jest w nim jakieś rozwiązanie?

Wbrew wszystkiemu roześmiała się.

– Nie, to nie jest rozwiązanie, raczej sposób na rozwiązanie. Otóż daję ci tydzień na podjęcie decyzji.

– Tydzień? – Zrobił głęboki wdech. – OK.

– Poczynając od teraz. A ja... i to jest element, który ci się nie spodoba... ja odchodzę.

– Nie.

– Nie? Co znaczy „nie"?

– To znaczy, że nie, że nie odchodzisz.

– Muszę. To element planu.

– No tak... ale... – zaczął się plątać – ja ciebie potrzebuję, musisz mi pomóc się zdecydować.

– Bzdura! Potrzebujesz więcej czasu i przestrzeni dla siebie, żeby wszystko przemyśleć. Moja obecność tutaj tylko zaciemni sprawę.

– Nie, nieprawda.

– A właśnie, że prawda. Dlatego odejdę na tydzień. Nie będziemy do siebie dzwonili. Nie będzie między nami żadnego kontaktu. Ty pojedziesz zobaczyć się z ojcem i porozmawiasz z nim. Masz czas na przemyślenie, czego chcesz, w co wierzysz, jakie są twoje priorytety – machnęła ręką w powietrzu – i tak dalej. A potem, pod koniec tygodnia, zadzwonisz do mnie i powiesz, co postanowiłeś.

– Nie podoba mi się to z twoim odchodzeniem. A jeśli już nie wrócisz?

– No cóż – odparła – to będzie to trzecie wyjście, prawda? I oboje będziemy musieli... nauczyć się z tym żyć.

Patrzył na nią, widziała to kątem oka, ale nie chciała mu spojrzeć w oczy, bojąc się, że mogłyby zmięknąć.

– OK. Więc ja zostaję tutaj, spotykam się z ojcem i wybieram jedno z trzech wyjść.

Walnęła go w ramię.

– John! Powiedziałam przecież, że ta druga opcja nie wchodzi w rachubę.

– Wiem, wiem. Tylko żartowałem. Ale w takim razie dlaczego ja nie mam prawa powiedzieć, że twój pomysł z odejściem nie wchodzi w rachubę?

– Dlatego.

– Dlatego co?

– Dlatego – powtórzyła Alice, kładąc się na nim i przyszpilając go do łóżka – że ja tak powiedziałam. A zresztą sam wiesz, że to jedyny sposób.

Popatrzył na jej twarz, ukrytą pod zasłoną z włosów.
– Masz rację. Jak zawsze. Ale gdzie ty się podziejesz?
– Gdzie ja się podzieję? Pojadę do domu oczywiście.

Złapałam samolot następnego ranka, spłukując się na bilet lotniczy, bo nie byłam w stanie znieść czterech i pół godziny uwięzienia w pociągu. John płakał na lotnisku. Nigdy wcześniej nie widziałam go płaczącego: to mnie przeraziło i tuliłam go aż do ostatniego komunikatu o odlocie mojego samolotu. Musiałam potem biec przez płytę i po metalowych schodkach, w stronę zirytowanej, czekającej już tylko na mnie stewardesy.

Przyjęłam to wszystko za zły znak. Skoro płakał, to w takim razie uznał, że to już koniec. Widziałam Canary Wharf z okna samolotu. Wieża wydawała się taka maleńka i nieważka, jakby zbudowano ją z kartonu. Wystarczyło przymknąć jedno oko i podnieść rękę, a wtedy skrywała się cała za kciukiem.

Lot trwał trzy kwadranse. Zignorowałam instruktaż dotyczący bezpieczeństwa, kanapki oraz osobliwy czar gazetek linii lotniczych; siedziałam skulona na moim fotelu, wpatrując się w chmury. Z lotniska złapałam autobus na Princes Street. Nie jestem żadną nacjonalistką, ale jest coś w tym pierwszym rzucie oka na poczerniały pomnik Waltera Scotta i zielone połacie Ogrodów, w pierwszym hauście tego ostrego, czystego powietrza, co zawsze podnosi mnie na duchu.

Dopchałam się do budki telefonicznej na Waverley Market i zamknęłam za sobą drzwi (tuż obok stał mężczyzna ubrany w kilt i grał na dudach na użytek turystów, beznadziejnie zresztą). Przyłożyłam słuchawkę do ucha i wykręciłam numer.

– Susannah? Tu Alice.

– Alice, gdzie ty jesteś, na Boga? Jest wpół do pierwszej. Masz...

– Jestem w Edynburgu.

– Co? Ty chyba sobie żartujesz?

Uchyliłam stopą drzwi.

– Tylko posłuchaj – powiedziałam i wyciągnęłam słuchawkę

w stronę porykujących dud. Usłyszałam jęk Susannah. – Mogę to wytłumaczyć – dodałam.

– Proszę bardzo. Słucham.

– Ale nie teraz.

Odpowiedziało mi milczenie.

– Rozumiem – odezwała się po chwili. – I to by było na tyle, tak?

– Tak.

– OK... – powiedziała z namysłem. – No dobrze, opowiesz, jak wrócisz. A kiedy to dokładnie będzie?

– Mhm... za tydzień?

– Alice, oszalałaś? Co ja mam powiedzieć Anthony'emu?

– Nie wiem. Wymyślisz coś. Powiedz, że zachorowałam. Powiedz, że zbieram materiały na temat Szkocji. Cokolwiek.

Usłyszałam jej westchnienie.

– Ale potem stawiasz.

– Susannah, czy ja już ci kiedyś mówiłam, że cię kocham?

– Dobra, dobra. Ale przywieź mi haggis albo jakiś inny szkocki rarytas.

– Masz to jak w banku. No to cześć.

– Cześć.

Rozłączyłam się, a potem chwilę się wahałam. John na pewno był w pracy, siedział przy swoim biurku pod oknem, mając pod sobą cały wschodni Londyn. Wszystko aż mnie bolało, tak bardzo chciałam do niego zadzwonić. I to zaraz, natychmiast. Wiedziałam, że nie jest to dobry znak. Występek przeciwko ustalonym zasadom. Popatrzyłam przez szybę w budce na niebo nad Starym Miastem. Amerykańscy turyści w puchowych kurtkach i szalikach nawoływali się wzajem w oczekiwaniu na autobusy wycieczkowe. Odwróciłam się do nich plecami i zdecydowanymi ruchami wystukałam numer Kirsty.

– Kirsty?

– Alice! No co tam u ciebie?

– Wszystko dobrze. Kirsty, czy mogłabym wpaść i zatrzymać się u ciebie?

– Jasne. Kiedy?

– Zaraz.

– Zaraz? – powtórzyła Kirsty. – A gdzie ty jesteś? – spytała podejrzliwie.

– Na Princes Street.

– Na litość boską, Alice, co ty tu robisz? Coś się stało? Wszystko w porządku?

– Ależ jak najbardziej.

Kirsty nie odpowiedziała tym razem.

– Słuchaj, jesteś zajęta? Mogę teraz przyjechać?

– Czy jestem zajęta? – spytała Kirsty, śmiejąc się. – Oczywiście, że nie. Mój dzień składa się wyłącznie z ćwiczeń przedporodowych albo jedzenia. Przyjeżdżaj natychmiast. Wyjdę ci naprzeciw, spotkamy się w połowie drogi.

Alice zabrała się do pisania eseju na temat Roberta Browninga. Przed sobą miała przypięty pineskami kalendarz z wykreślonymi czarnym mazakiem dniami, które właśnie minęły. Na czerwono zaznaczony był tydzień, podczas którego miała zdawać egzaminy kończące szkołę średnią. Stałe zwężanie się odcinka czystych białych dni dzielącego czerwony obszar od czarnych kresek sprawiało, że strach skradający się w stronę jej żołądka przyspieszał tempo. Tego ranka, kiedy szła do szkoły, poczuła w gardle i nosie piekący ból, zapowiedź kataru siennego. Z kolei katar sienny oznaczał lato, a lato oznaczało egzaminy.

Alice znów pochyliła się nad esejem. „Porównaj motywacje Księcia z *Mojej ostatniej Księżnej* z motywacjami zakonnika z *Fra Lippo Lippi*. Jakie są cechy wspólne, a jakie przeciwstawne?", tak brzmiał temat pracy. Miała cztery strony notatek i plan. Wiedziała dobrze, że istnieje formuła na pisanie takich rzeczy: wstęp, w którym należy skrótowo odpowiedzieć na pytanie zawarte w temacie oraz przedstawić swoją tezę, następnie część zasadnicza, w której rozwija się tezę – wykorzystując do tego możliwie jak najwięcej cytatów, a także, gdzie się tylko dało, słowa użyte w temacie – a potem próba wciśnięcia własnych hipotez na temat danego tekstu, jeśli się takie hipotezy ma, i wreszcie podsumowanie, w którym trzeba się odnieść do wstępu. To powinno być łatwe, to powinno być łatwe. A jednak nic nie potrafiła poradzić na swoje zdenerwowanie. Zamiast spać, leżała bezsennie całymi nocami i rozmyślała o powtórkach, tematach, notatkach, wykresach, listach lektur, testach wielokrotnego wyboru.

Zdjęła obsadkę z pióra wiecznego, którym zawsze pisała eseje; stalówka nadkruszyła się z jednej strony od jej ukośnego charakteru pisma. „Browning", napisała, „interesował się ludźmi bez reszty pochłoniętymi własnymi pragnieniami". Kiedy dotarła do końca zdania, atrament na jego początku zdążył wyschnąć. Kartka skręciła się na brzegach. Rozprostowała ją dłonią i znowu przycisnęła stalówkę do papieru: „W jego wierszach *Moja ostatnia księżna* i *Fra...*" Poczuła zawirowanie w powietrzu; matka otworzyła drzwi do jej pokoju.

– Można?

– Mhm – odpowiedziała Alice, mrużąc oczy, bo jej wzrok był przyzwyczajony do stożka światła padającego z lampki, nie do ciemności pozostałej części wnętrza.

– Jak ci idzie? – spytała Ann, podchodząc bliżej i zaglądając jej przez ramię.

Alice odwróciła się, usiłując spojrzeć matce w twarz.

– Dobrze.

– To jakiś esej? O czym?

– O Robercie Browningu.

– Ach tak.

– To poeta.

– Tak. Wiem.

Ann zaczęła zbierać rzeczy porozrzucane po podłodze. Alice zatkała pióro obsadką.

– Jak było dzisiaj w szkole?

– Dobrze. – Alice położyła pióro na biurko i przysiadła na rękach.

– O której ci przynieść herbatę?

– Mmm, nie wiem. Obojętnie.

Alice zaczęła nawijać pasmo włosów na palec wskazujący, wciąż się zastanawiając nad planem eseju. Ann przysiadła na skraju łóżka, krzyżując nogi. Alice przyglądała się, jak zaczyna składać ubrania podniesione z podłogi i rzucać je obok na kołdrę.

– A kim jest ten chłopiec, który cały czas do ciebie wydzwania? – spytała pogodnie Ann, jakby właśnie wpadła na pomysł, żeby o to zapytać.

Alice przestała bawić się włosami.

– Jaki chłopiec?

– Och, przestań, Alice – odparła Ann, a do jej głosu po raz pierwszy wkradła się nuta irytacji. – Mówię o tym chłopcu, który dzwoni do ciebie co wieczór. Co wieczór, bez wyjątku. – Zmusiła się do uśmiechu, znowu odzyskała panowanie nad głosem. – Tylko chciałam wiedzieć, kto to jest. To wszystko.

Alice powróciła do pracy, roztrząsając włosy, które opadły jej na twarz. Wpatrywała się w kartkę z nie dokończonym zdaniem, udając, że strasznie się nad nim zastanawia. Tętno tak jej przyspieszyło, że aż poczuła zawrót głowy. A może po prostu była głodna.

– To on, prawda? – spytała Ann.

Alice walnęła rozpostartą dłonią w kartkę, wydając z siebie gwałtowne westchnienie.

– Jaki on? – spytała, nie oglądając się.

– Jaki on? Doskonale wiesz, o kim mówię. To Andrew Innerdale, prawda?

Alice nie odpowiedziała, wciąż zapatrzona na swój esej, garbiąc się nad biurkiem, czując, jak w jej myślach wzbiera wściekłość.

– To on, prawda? Wiem, że to on, Alice. Myślałam, że z nim już... Co jest między wami? Czy ty... czy ty się z nim spotykasz, Alice? Chodzisz z nim?

– Nie! – wrzasnęła Alice głosem, który odbił się echem od ściany z przyczepionym kalendarzem. – Nie chodzę z nim!

— No to dlaczego on ciągle do ciebie wydzwania?

Alice poderwała się z krzesła. Czuła się jak pochwycona w pułapkę: to był jej pokój i była w nim jej matka.

— Nie wiem! Jego wypytuj, nie mnie!

— Mam nadzieję, że go nie zwodzisz.

— Zaraz mnie krew zaleje! Co to znaczy, zwodzę? Jak śmiesz? Ja tu próbuję pracować, mamo. Piszę esej. Może więc zechcesz stąd wyjść? Zostaw mnie w spokoju!

Ann też już stała.

— Pewnie dajesz mu niewłaściwe sygnały, Alice. Jesteś pewna, że go nie zachęcasz? Mężczyźni tak nie wydzwaniają, jeśli się ich nie... prowokuje.

Alice podniosła najbliższą rzecz, jaką miała pod ręką – słownik – i cisnęła nim o ścianę. Pożółkłe kartki zafurkotały w powietrzu, a ona poczuła się jeszcze gorzej. Słownik uderzył o ścianę z głuchym łomotem i upadł na podłogę, rozkładając się niczym harmonia. Alice miała ochotę opowiedzieć matce, że Andrew chodzi za nią w drodze do szkoły i ze szkoły, że podrzuca liściki do jej torby, że pojawia się jakby znikąd, kiedy ona idzie przez miasto albo do domu którejś z koleżanek

Ann pochyliła się, by podnieść słownik, i w tym momencie na dole zaczął dzwonić telefon. Sygnał rozległ się trzy, może cztery razy.

— To on, prawda?

— Nie wiem.

Telefon dzwonił i dzwonił. Czemu nikt go nie odbierał? Alice nie chciała z nim rozmawiać. Była to ostatnia rzecz, jakiej pragnęła, ale też nie chciała przebywać dłużej w tym pokoju. Przepchnęła się obok matki i zbiegła na dół. Niech to nie będzie on, błagam, niech to nie będzie on. Ann ruszyła jej śladem, biorąc po dwa stopnie za jednym zamachem.

— Powiedz mi, co się dzieje? – spytała natarczywie. – Chodzisz z nim?

— Nie! – krzyknęła Alice. – Powiedziałam ci! Odejdź! Zostaw mnie w spokoju!

Stały tak, wpatrzone w siebie nad telefonem, który wciąż
dzwonił.

– To w takim razie dlaczego on ciągle dzwoni? Ty go pewnie
podpuszczasz. Na pewno to robisz.

– To nieprawda! Naprawdę nie! Idź sobie! – Bliska łez Alice
podniosła słuchawkę. – Halo?

– Alice? Cześć. Mówi Andrew.

Później usłyszałam na dole ojca, przemawiał łagodnym, starannie modulowanym głosem:

– Ann, to młoda dziewczyna. Co w tym złego, jeśli...

– Zamknij się! – zaskrzeczała moja matka. – Zamknij się!
Nic na ten temat nie wiesz! Nic!

Alice leży na wznak na łóżku Kirsty, z głową odchyloną w tył,
przygląda się siostrze. Kirsty stoi przy oknie z kieszonkowym
lusterkiem i pęsetą wyrywa sobie brwi w otoczonym błękitną
obwódką grudniowym słońcu. Cały swój ciężar wspiera na jednej nodze, wzgórek jej brzucha odznacza się na tle firanki.

– Nigdy nie umiałam zrozumieć, dlaczego to robisz – mówi
Alice.

– Co?

– To wyrywanie brwi.

– To znaczy?

– No że wyrywasz sobie brwi, jedną po drugiej, przez cały
dzień chodzisz ze spuchniętym czołem, a potem domalowujesz
sobie brwi kredką.

– Przecież nie wyrywam wszystkich. Tylko niektóre.

– A jednak. To dziwna czynność, nie uważasz?

– Nie wszyscy są obdarzeni takimi naturalnie ciemnymi,
wyraźnie zarysowanymi brwiami jak ty.

Alice bada swoje brwi czubkiem palca. Wygładza je najpierw
w jednym kierunku, potem je stroszy, czując, jak nagle unoszą
się i jeżą pod jej dotykiem.

— Jak to jest? — pyta nagle.

— Co? Z tym wyrywaniem brwi?

— Nie — mówi Alice, obracając się do niej przodem — z tym. — Wskazuje gestem brzuch Kirsty.

Kirsty odchyla głowę w jedną stronę i przenosi ciężar ciała na drugą nogę, zastanawiając się.

— To jest jak... jak bańki mydlane.

— Bańki mydlane?

— Tak. No wiesz, jeśli wpuścisz strumień wody do baniek mydlanych, to pienią się jeszcze mocniej, dzieląc i mnożąc na twoich oczach. I to właśnie tak jest. Tu w środku pienią się komórki, dzieląc i mnożąc. To dość... niesamowite. Tylko tak potrafię to opisać.

— Denerwujesz się?

— Już nie. Denerwowałam się na początku, i to strasznie. Ale kiedy już osiągasz ten etap, wtrącają się twoje hormony odpowiedzialne za pogodę ducha i masz już wszystko gdzieś. Już mnie to teraz nie obchodzi, że przypominam szafę, że mieszczę się właściwie tylko w namioty, że mój tyłek jest taki ogromny, jakbym nosiła w nim jeszcze jedno dziecko, ani że mam rozstępy na brzuchu. Tak naprawdę to miłe... wiedzieć, że tylko to się liczy. — Obciąga suknię na brzuchu.

— Mogę pomacać?

Kirsty uśmiecha się.

— Oczywiście. Ale nie wiem, czy coś poczujesz, bo ono chyba teraz śpi. — Podchodzi do łóżka i pochyla się nad nim, uginając nogi w kolanach. Alice przykłada dłoń do wybrzuszenia pod suknią siostry.

— Jaki twardy! — wykrzykuje.

— No oczywiście. Tam w środku jest zwinięty cały człowiek.

Czekają, z przekrzywionymi głowami, jakby nasłuchiwały jakiegoś dźwięku. Mijają całe minuty.

— Nic nie czuję — szepcze Alice.

— Tylko poczekaj — odpowiada jej Kirsty, też szeptem.

Alice zaczyna chichotać.

– Dlaczego my szep...

– Ciii – przerywa jej Kirsty.

Alice czuje trzepotanie, lekki, gwałtowny ruch pod swoją dłonią.

– O, teraz! Poczułaś?

Alice śmieje się z niedowierzaniem.

– A niech mnie – mówi i przysuwa się bliżej. – Halo! – krzyczy. – To ja, Alice, twoja ciotka. Nie mogę się doczekać, kiedy cię poznam!

Kirsty robi herbatę w kuchni, którą pomalowała z Neilem na kolor jasnej moreli. Za tylnymi drzwiami krzyżują się ogrodzenia małych ogródków. Na sznurach rozciągniętych między wysokimi tyczkami z kutego żelaza ciągną się szeregi zamarzniętego prania.

– No dobra – mówi Kirsty, stawiając kubek z herbatą przed Alice i wbijając w nią nieustępliwe spojrzenie swych niebieskich oczu – powiesz mi wreszcie, dlaczego przyjechałaś?

Alice uderza się łyżeczką do herbaty o udo i wygląda przez okno na szare, edynburskie niebo. Para unosząca się znad filiżanki wnika w morelową ścianę.

– Nie wiem, od czego zacząć.

– Chodzi o Johna?

Alice kiwa głową. Kirsty z troską marszczy twarz, po czym ujmuje dłoń Alice.

– Och, Al, co się stało? Kiedy was zobaczyłam na pogrzebie, pomyślałam, że jesteście w sobie tacy zakochani. Od obojga was biła taka łuna... Nie wiem, co to było... Nigdy wcześniej nie widziałam, by ktoś tak wyglądał...

– Wiem. – Alice kręci głową. – I dlatego nie mam pojęcia, co teraz robić.

Tamtego wieczoru Neil wyszedł z pracy później niż zwykle. Nie miał ochoty na zimny spacer przez Meadows, więc złapał autobus. Otworzył drzwi wejściowe i już w tym momencie wiedział, że coś się dzieje. Spodziewał się zastać Kirsty siedzącą spokojnie na kanapie albo leżącą w łóżku, a tymczasem we frontowej części mieszkania było zupełnie ciemno. Za to z kuchni łomotała głośna ambientowa muzyka i Neil usłyszał też głos należący do jakiejś kobiety – Kirsty? Beth? – która krzyczała: „Nic mnie to nie obchodzi. Po prostu nic mnie to nie obchodzi. Szczerze mówiąc, moja droga, mam to w dupie", co zostało skwitowane wybuchem histerycznego (kobiecego) śmiechu. Neil odstawił teczkę i ruszył w głąb korytarza, w stronę kuchni.

Przy kuchennym stole siedziała Kirsty z głową wspartą na łokciach. Naprzeciwko niej siedziała Beth, wciąż ubrana w płaszcz, usadowiona na kolanach Alice. Na stole stały dwie puste butelki po winie.

– Neeeeeeeeeil! – wrzasnęły ogłuszającym unisono na jego widok i Neil instynktownie przycisnął dłonie do uszu.

– Wiesz co? – powiedziała Alice, kiedy hałas zamarł, do nikogo w szczególności. – Kobiety nie powinny modlić się o pokój*.

– Co ty wygadujesz, Alice? – spytała Beth.

– I wiesz, co jeszcze? – ciągnęła. – Zawsze powinno się najpierw spojrzeć, a dopiero potem skakać. Zawsze.

– Alice – wtrąciła się Kirsty – zamknij się.

Neil przyjrzał się im wszystkim ze zdumieniem.

– Co tu się dzieje? To wygląda jak jakiś sabat czarownic czy coś w tym stylu. I – dodał, zwracając się do Alice – nawet nie będę pytał, co ty tu robisz.

– Nie – odparła Alice. – Na twoim miejscu też bym nie pytała. – Potrząsnęła ramieniem Beth. – Beth, czy możesz wstać? Zdaje się, że straciłam czucie w nogach.

Beth wstała i zaoferowała Neilowi drinka.

– To będzie następny gwóźdź do trumny – mruknęła do siebie Alice – dostanę gangreny i będą musieli amputować mi nogi. Zanim się zorientujemy, wyląduję na wózku inwalidzkim. Ciekawe, co by na to powiedział ten stary dureń Friedmann. Nie dość, że kaleka, to jeszcze ma w poprzek.

---

* Aluzja do *Poskromienia złośnicy* Williama Shakespeare'a (przyp. tłum.).

– O czym ona gada? – spytał Neil Kirsty.

– To ty nie wiesz, jak zbudowana jest każda sziksa, Neil? – powiedziała Alice z marsem udawanej powagi.

– Jest afera z Johnem – wyjaśniła Kirsty.

– Ach, już rozumiem – odparł, tak naprawdę niczego nie rozumiejąc.

Następnego dnia Kirsty ma umówioną wizytę w klinice, a Beth, która została na noc, i spała z Alice na rozkładanej sofie, musi pójść na poranny wykład z endokrynologii. Alice idzie razem z Kirsty przez Meadows, odprowadzając ją do kliniki położniczej.

– Alice, pojedziesz chyba do mamy, prawda? – pyta Kirsty.

Alice wzdycha.

– Nie wiem, czy aktualnie jestem w stanie znieść hiszpańską inkwizycję.

– Już nie bądź taka zajadła.

– Wcale nie jestem. Wiem tylko, że będę musiała odcierpieć wszystkie „a nie mówiłam" i przemówienia na temat „namiętność a zdrowy rozsądek".

– Po prostu jedź. Zawsze możesz do mnie wrócić, jeśli stwierdzisz, że dłużej już tego nie wytrzymasz. – Kirsty staje na palcach i całuje ją w policzek, a potem obie się obejmują. – Kiedy masz się z nim skontaktować?

– Nie wcześniej jak w sobotę. Nie wolno nam do siebie dzwonić. Takie są zasady.

– Jakie zasady?

– Moje.

Kirsty kręci głową.

– Nie wiem, Alice. Nigdy nie wpadło ci do głowy, że czasami strasznie utrudniasz sobie życie?

– No tak, ale w końcu coś musiało się zdarzyć, Kirsty. John nie podjąłby żadnej decyzji, gdybym go nie przymusiła, tylko godziłby się, żeby wszystko jakoś się tak rozmywało. I jednocześnie stawałby się coraz bardziej nieszczęśliwy.

– Muszę iść – mówi Kirsty, zerkając na zegarek. – I wpadnij jeszcze do mnie, bez tego nie waż się wracać do Londynu.

Alice odprowadza ją wzrokiem, kiedy przechodzi przez dziedziniec pod kliniką, maleńką figurkę lawirującą wśród samochodów. Dopiero kiedy znika za podwójnymi szklanymi drzwiami, zarzuca plecak na ramię i odwraca się, by odejść.

Bywa, że ogarnia ją lęk przed utratą kontroli nad własnym życiem. Trochę to przypomina ten lęk przed utratą panowania nad własną ręką, kiedy ta po raz milionowy składa podpis na odcinku od karty kredytowej – po prostu nie wiedzieć skąd nawiedza ją czasem przeświadczenie, że coś mogłoby się w niej załamać, wtrącić w otchłań paniki i chaosu. Odkładając w czasie wyprawę do North Berwick, idzie do Muzeum Chamber Street, gdzie błąka się wśród gablot z zakurzonymi, wypchanymi zwierzętami o szklanych oczach. W myślach kreśli mapę dnia Johna: jest teraz w kuchni, gdzie je samotne śniadanie, potem wyjdzie z domu, powędruje pieszo przez Camden Road, wsiądzie do metra, dotrze do pracy. Każdy krok, który stawia we wnętrzu muzeum, to krok po jego śladach. Zatrzymuje się przy ogromnym szkielecie wieloryba zawieszonym u sufitu i wspiera o balustradę, wpatrując w łuki jego żeber. Czuje jego obecność tak intensywnie, że wcale nie byłaby zdziwiona, gdyby nagle stwierdziła, że on stoi tuż obok niej. Jak to się stało? Jak mogła zakochać się w nim aż tak bardzo, że na samą myśl o ich ewentualnym rozstaniu boi się o stan swojego zdrowia psychicznego? Cały czas powtarza sobie w duchu: John być może zdecyduje, że musimy to zakończyć. I przygnieciona tą myślą z miejsca traci koordynację ruchów: jakby jakimś tajemniczym sposobem jedna połowa jej ciała stała się lżejsza, zatacza się podczas wspinaczki po wypastowanych schodach i ma trudności z przechodzeniem przez drzwi. Wyobraża sobie wszystkie te fioletowe sińce występujące na bieli jej skóry, przyrównując je do łbów fok wybijających się ponad powierzchnię morza przy plaży North Berwick. W którymś momencie uzmysławia sobie, że od dłuższego czasu stoi przed jakąś grecką wazą ozdobioną wizerunkiem meduzy i że z dłońmi złożonymi jak do modlitwy szepcze: „Błagam, błagam".

Rozzłoszczona na siebie, mężnie atakuje drzwi muzeum, a zaraz potem przystaje na chodniku. Ludzie omijają ją szerokim łukiem i wtedy do niej dociera, że ma pewnie zdziczałą minę kompletnej wariatki. Jak mogła być taka słaba, żeby do tego dopuścić? Tak się uzależnić od drugiego człowieka? Przecież zawsze sobie przysięgała, że nigdy nie dopuści, by jej szczęście zależało od kogoś innego. Jak to się mogło stać? Maszeruje przez Chambers Street. On tymczasem dotarł już pewnie do redakcji. Przechodzi obok budki telefonicznej, zerka na nią spode łba, a potem zawraca i znowu ją mija, tylko po to, by poddać się sprawdzianowi.

Po południu, kiedy kończą jej się pomysły i już nic więcej nie trzyma jej w Edynburgu, schodzi w dół do Waverley i łapie pociąg do North Berwick.

– Może zechcesz wyjaśnić, z jakiego powodu uznałaś, że potrzebujesz wakacji? – pyta matka, nakładając jej porcję ziemniaczanego purée.

– Mhm... właściwie bez powodu. Po prostu poczułam, że mam ochotę zrobić sobie wolne – bąka Alice, ignorując spojrzenia, którymi wymieniają się rodzice.

– Dość to niespodziewane, prawda? – Ann nie rezygnuje. – W pracy nie mieli nic przeciwko?

– Nie, raczej nie.

– A jak idzie w pracy? – pyta Ben.

– Świetnie.

– A co u Johna? – pyta Ann.

– Mmm... – stwierdza z przerażeniem, że jest bliska łez – wszystko dobrze. – Spogląda na swoje jarzyny i z determinacją dźga widelcem różyczkę brokułów. Nie będziesz płakała, nie będziesz płakała. Wszystko jest w jak najlepszym porządku.

– Czy on dołączy do ciebie? Z przyjemnością byśmy go znowu zobaczyli. Moim zdaniem nasze spotkanie podczas pogrzebu bynajmniej nie przebiegło jak należy. Tak się wam spieszyło z powrotem do Londynu... – mówi Ann, przyglądając się Alice uważnie.

– No cóż... – wydusza z siebie Alice, jeżdżąc brokułem po talerzu. – On jest... no tego... jest bardzo zajęty pracą i innymi sprawami. No wiesz.

Spojrzenie, jakim omiata ją matka, stanowi denerwującą kombinację podejrzliwości i troski.

– A to szkoda – mówi Ben. – Ale koniecznie musisz go tu kiedyś przywieść. Pokażesz mu wszystko.

– Ależ oczywiście. – Alice odgarnia włosy z twarzy. – No więc co u was słychać? Zauważyłam, że przenieśliście się do pokoju babci.

– A rzeczywiście – odpowiada Ann, rozjaśniając się nieznacznie z zadowolenia. – To takie cudowne, budzić się i mieć przed oczyma ten widok. Zastanawiam się nad małym remontem, może w salonie i w kuchni. A także w holu i na schodach. A tobie jak się mieszka z Johnem?

– Dobrze.

– To ładny dom?

– Tak.

– To od jak dawna on tam mieszka?

– Od czterech lat.

– Planujesz tam jakieś zmiany?

– Nie. Tam wszystko... jest dobrze.

– A czy między wami... – Ann urywa, starannie dobierając słów – między wami wszystko się układa?

Alice znowu pochyla głowę nad talerzem.

– Tak – mówi niemalże niedosłyszalnie.

– No to znakomicie. Powiem wręcz: całe szczęście. To wszystko było takie niespodziane, prawda, Ben? No bo prawie wcale go nie znałaś – ile to było? – tylko dwa miesiące i już się do niego wprowadziłaś. Ale wszystko jest dobrze?

Rodzice wciąż ją obserwują i widzą, jak po jej policzku spływa pierwsza łza, a zaraz po niej druga i trzecia. Alice odkłada widelec, ukrywa głowę w ramionach i zaczyna szlochać na dobre. Ann próbuje wyjąć jej włosy z purée, a Ben staje za jej krzesłem i niezdarnie poklepuje ją po plecach.

Jest zdziwiona, kiedy następnego ranka budzi się w swojej dawnej sypialni. A potem przypomina sobie, że budziła się kilka razy w ciągu nocy, zelektryzowana wrażeniem, że spada w przepaść; przewracała się wtedy na drugi bok, szukając ciała Johna, ale zamiast niego znajdowała tylko skraj wąskiego, pojedynczego łóżka i groźną bliskość podłogi.

To dziwny pokój. Matka zrobiła w nim coś w rodzaju muzealnego wnętrza, zachowując wystrój z czasów, kiedy mieszkała w nim nastoletnia Alice. Ściany są obwieszone politycznymi plakatami nawołującymi do rozbrojenia nuklearnego, protestującymi przeciwko apartheidowi, wiwisekcji i polowaniom na lisy. Patrzą na nią Robert Smith, Morrissey oraz, trochę jakby bez związku, Albert Camus. Alice wie, że w szafie znajdzie ubrania, których nie wkładała od sześciu czy siedmiu lat. Toaletkę dekorują sznury hippisowskiej biżuterii; pod ramą lustra są zatknięte zdjęcia przedstawiające Alice i jej różne koleżanki na imprezach, na plaży, w klasie, za pawilonem do krykieta. Alice, nie wstając z łóżka, wyciąga rękę i pociąga za róg jednego z plakatów; taśma klejąca, pożółkła i krucha ustępuje i Camus sfruwa na podłogę. Wstaje, depcząc po nim, i wyjmuje z szafy podomkę, która już jej się nie dopina na piersi.

W domu jest pusto; błąka się po pokojach, w których spędziła osiemnaście lat swojego życia. Ma wrażenie, że trafiła do jakiegoś miniaturowego tunelu czasoprzestrzennego, że być może za chwilę zobaczy Beth, w roli niezdarnego podlotka, albo że skręci za róg domu i znajdzie tam dziewięcioletnią Kirsty – z tą jej godną pozazdroszczenia anielską buzią – wlokącą wózek z lalkami. Alice chwyta własne odbicie w lustrze i zastanawia się, jak ja się tu znalazłam? Kiedy mi przybyło tyle lat?

Jest tu po raz pierwszy od śmierci Elspeth i inaczej niż w swoim pokoju, gdzie nic się nie zmieniło, stwierdza, że w całym domu jakimś dziwnym sposobem zdematerializowały się wszelkie ślady po Elspeth. Jej sypialnia jest nie do poznania, a wszystkie książki i czasopisma, które dawniej piętrzyły się na stole w salonie, są teraz schludnie ułożone na regale. Poznikały ozdoby i obrazy; poprzestawiano stoły i stołki. Fotel, na którym siadywała pod oknem, by tam czytać albo pisać listy, został nakryty ohydnym beżowym aksamitem i przeniesiony w kąt pokoju. Alice siada na nim na kilka chwil i zastanawia się, jakiej rady udzieliłaby jej Elspeth w sprawie Johna. Czy poradziłaby jej trwać w tym związku, czy raczej sobie odpuścić?

Na stole w kuchni leży kartka: to Ann informuje, że wyszła na miasto. Alice zastanawia się, czy nie zadzwonić do Beth, by sprawdzić, czy ona przypadkiem nie ma odrobiny wolnego czasu między wykładami, a potem bierze prysznic. Właśnie zdążyła się cała namydlić, kiedy słyszy dzwonek do drzwi. Puszcza wiązankę przekleństw, opłukuje się, owija ręcznikiem, podnosi okno łazienki i wreszcie wystawia głowę na zewnątrz, by sprawdzić, kto to taki. Ktokolwiek to jest, przesłaniają go gałęzie wisterii, którymi obrośnięta jest fasada domu. Prawdopodobnie jedna z tych okropnych przyjaciółek matki.

– Halo? – woła Alice. Podmuchy zimnego powietrza sprawiają, że dygocze konwulsyjnie, a tymczasem przybysz niemalże nie zdejmuje palca z dzwonka. – Halo! – krzyczy raz jeszcze, jeszcze głośniej i z jeszcze większą złością.

Słychać chrzęst żwiru, a po chwili, dwa piętra niżej, na podjeździe pojawia się John. Alice jest tak zaskoczona, że aż upuszcza okrywający ją ręcznik, wydając z siebie coś pośredniego między kaszlem a śmiechem. John przygląda się jej z przekrzywioną głową.

– Wiedziałaś, że nie masz nic pod spodem? – pyta w końcu.

– Tak, wiedziałam – odpowiada Alice, starając się nie uśmiechać. Nie sięga po ręcznik, który leży zaplątany wokół jej kostek, tylko wytrzymuje jego poważną minę. – Jak ty to nazywasz, John? – pyta, wskazując jego i torbę spoczywającą na podjeździe obok jego stóp.

– Nie wiem – odpowiada on. – A jak ty to nazywasz?

– Ja to nazywam naruszeniem zasad.

– Jakich zasad?

– Moich zasad.

– Nie ma już żadnych zasad. Niniejszym oświadczam, że uznaję twoje zasady za nieważne.

– Właśnie teraz?

John przytakuje.

– Właśnie teraz.

– Nie jestem pewna, czy masz prawo cokolwiek unieważniać w sprawie Friedmann kontra Raikes.

John drapie się po głowie.

– No cóż, pani Raikes, jeśli odniesie się pani do dokumentu sporządzonego w niedzielny wieczór między dwoma zainteresowanymi stronami, to chyba stwierdzi pani, że jednak mam podstawy do unieważnienia jakichkolwiek zasad, a zwłaszcza wszelkich ultimatów wydanych w związku ze sprawą Friedmann senior kontra Friedmann junior.

Odpowiada mu milczenie. Alice spogląda na niego z góry, z ciałem parującym na zimnym powietrzu wpływającym przez okno.

– To prawda? – pyta po chwili cichym głosem. – Mówisz to poważnie?

– Tak. – John znów przytakuje. – Czy teraz więc wpuścisz mnie do środka, królewno, czy będę musiał wspiąć się do ciebie?

– Nie rób tego. Matka będzie wściekła, jeśli zerwiesz to pnącze z muru. Schodzę na dół. Nie odchodź. – Zatrzaskuje okno, podnosi ręcznik i zbiega na dół.

Ann idzie przez Bank Street, brodząc w rozmiękłych liściach, które spadły z drzewa jej sąsiadów. Tyle razy prosiła, żeby zamiatali ten odcinek chodnika, ale nie słuchają. Do teraz nie pogodziła się z faktem, że w 1975 roku musieli odsprzedać sporą część ogrodu developerowi: tam, gdzie obecnie stały ohydne, podobne do pudełek domki, byłby teraz trawnik do krykieta i dolna część ogrodu. Elspeth twierdziła, że musieli to zrobić, bo inaczej zmuszono by ich do sprzedaży całej posiadłości i wyprowadzki. A tego nikt nie chciał.

Kiedy skręca w Marmion Road, widzi, że zasłony w pokoju Alice są jeszcze zaciągnięte. Ann wzdycha. Sypianie do późna nie pomoże w rozwiązaniu spraw. Czuje ukłucie czystej nienawiści do Johna Friedmanna, napędzane macierzyńską troską i czymś jeszcze, czymś, o czym aktualnie nie ma ochoty myśleć. Wiedziała, że ten człowiek oznacza kłopoty, już w chwili, gdy zobaczyła go na pogrzebie Elspeth, po prostu to wiedziała. Tacy jak on – typy o ciemnych, jarzących się oczach – rzeczywiście potrafią się podobać, ale w końcu rzucają, pozostawiając po sobie złamane serce, łzy i sypianie do późna. Ale Alice oczywiście nie chciała słuchać. Ann postanawia, że zadzwoni do niego i powie mu do słuchu: że jakim prawem zwodzi jej córkę, bo najpierw udaje zakochanego, a potem się wszystkiego wypiera, mówiąc, przepraszam, ale jestem Żydem.

Zatrzaskuje za sobą frontowe drzwi i czuje się trochę lepiej, kiedy słyszy poszczękiwanie talerzy ustawionych na półce pod sufitem. Zostawia torby z zakupami obok drzwi i wchodzi po schodach do pokoju Alice. Zamierza jej powiedzieć: zapomnij o tym mężczyźnie, bo on to nic dobrego; już tak czasami bywa, że po prostu trzeba zapomnieć, wyrzec się i zapomnieć.

Jest już w połowie schodów i nadziewa się na widok, od którego mruga ze zdziwieniem. To jakaś fatamorgana? Na piętrze stoi nagi mężczyzna. Ann znowu mruga. Przyjrzawszy się dokładniej, widzi, że to nie jakiś tam nagi mężczyzna, tylko ten cholerny John Friedmann owinięty w pasie ręcznikiem. On, w jej domu, w samo południe. Prawie nagi.

Na chwilę odbiera jej mowę. Oboje patrzą na siebie. Ann z satysfakcją zauważa, że Friedmann wydaje się stosownie przerażony.

– Może zechce mi pan wyjaśnić, co pan tu robi? – pyta wyniosłym tonem.

Mężczyzna, zamiast odpowiedzieć, majstruje przy maleńkim ręczniku. Wbrew wszystkiemu Ann odzyskuje panowanie nad sobą, prędko oceniając jego ciało. Przynajmniej rozumie teraz, co Alice w nim widzi.

– Pani Raikes – mówi on, jąkając się – ja...

W tym momencie drzwi sypialni Alice otwierają się gwałtownie i na korytarz wypada sama Alice, kompletnie naga. Ann unosi oczy w górę, ostentacyjnie demonstrując rozdrażnienie.

– Mamo! – woła przerażona Alice. – Co ty tu robisz?

Ann wspina się dalej po schodach, podchodząc bliżej.

– Co ja tu robię? Ja tu mieszkam. I chcę wiedzieć, co on tu robi! – Ann wystawia palec w kierunku Johna.

– Mamo, zachowuj się – mityguje ją Alice szeptem zgorszenia, jakby nie chciała, by on to słyszał. – Wszystko się wyjaśniło. Już jest dobrze.

– Czyżby? – warczy głośno Ann, zwracając się w stronę Johna. – Podejrzewam, że tylko do czasu. W międzyczasie będzie pan trzymał moją córkę na sznurku, żeby móc ją odepchnąć, kiedy tak panu podyktuje sumienie religijne.

– Pani Raikes – zaczyna John – to nie tak...

– Rzygać mi się chce od takich jak pan – ciągnie Ann, machając ręką na znak, że nie życzy sobie, by jej przerywano. – Jak pan śmie bawić się uczuciami mojej córki? Całe to miotanie się między nią a religią. Jakież to nędzne. A nie uważa pan przypadkiem, że trochę za późno, żeby się nad tym zastanawiać? Powinnam wyrzucić pana z tego domu, i to zaraz.

– John! – Alice chwyta go za rękę, sprawiając, że John oszalałymi ruchami przyciska swój ręcznik, i popycha go w stronę sypialni. – Wejdź tam. Nie musisz tego wysłuchiwać. – Kiedy on znika za drzwiami, odwraca się w stronę Ann. – Dlaczego to robisz? Jesteś taka żenująca. Nie masz pojęcia, o czym mówisz. Nie masz prawa przemawiać do niego w taki sposób.

— Mam prawo mówić do niego, jak mi się podoba. To mój dom, a ty jesteś moją córką. On to kawał drania, Alice.

— Nieprawda.

— A właśnie, że prawda. Wiedziałam to od pierwszej chwili, kiedy go zobaczyłam. Mężczyzna, który nie wie, czego chce, nie jest wart zachodu.

— Jak śmiesz! On doskonale wie, czego chce. A zresztą, co ty o tym wiesz? I jak ty tak możesz, przychodzisz tu ot tak i wydzierasz się na Johna jak jakaś opętana harpia. Ja go kocham, mamo, mówi ci to coś?

— Pozbądź się go, Alice. Zerwij z nim na dobre. Na dłuższą metę tak będzie dla ciebie lepiej. Musisz mi uwierzyć. Im bardziej go będziesz kochała, tym bardziej on będzie niszczył ci życie. Złamie ci serce, a tego nie zniosę.

— On mi nie złamie serca. Dla twojej informacji właśnie powiedział swojemu ojcu, co wybiera.

— Tak, ale jak długo będzie to trwało, Alice? Zastanów się nad tym.

Z sypialni ponownie wyłania się John, zapinając dżinsy.

— Proszę posłuchać – mówi spokojnie. – Chyba do niczego nie dojdziemy, jak będziemy tak na siebie pokrzykiwać. Dość już było krzyku na ten temat. Alice, może się ubierzesz, to wtedy wszyscy zejdziemy na dół i porozmawiamy po ludzku?

— Nie – mówi Alice. – Tu nie ma o czym rozmawiać. Wyjeżdżamy. Łapiemy najbliższy samolot do Londynu. Nie rozumiem, dlaczego mielibyśmy tego wysłuchiwać.

Ann przygląda się, jak on obejmuje nagie ramiona Alice.

— Pani Raikes – mówi, przytulając do siebie Alice – bardzo przepraszam. Przepraszam za to, że bez zaproszenia wszedłem do pani domu, przepraszam, że wywołałem kłótnię, i przepraszam, że zrobiłem coś, czym mogłem zranić Alice. Chcę jednak, by pani wiedziała, że ubiegłego wieczoru oświadczyłem mojemu ojcu, że kocham Alice i że on musi się po prostu z tym pogodzić. I to koniec z całym tym miotaniem. Obiecuję.

Ann piorunuje go wzrokiem. Do jakichś zamkniętych na cztery spusty drzwi, których ona nie ma chęci otwierać, dobija się pewne wspomnienie. John wytrzymuje jej spojrzenie. Alice popatruje z niepokojem to na jedno, to na drugie.

– Komu to pan obiecuje? Mnie czy jej? – pyta Ann po jakimś czasie.

– Pani, jej, wam obu, wszystkim, całej rodzinie, całemu światu. Podpiszę to krwią, jeśli pani sobie zażyczy.

Ann czuje, że do kącików jej ust podpełza uśmieszek. Do tamtych drzwi już nic się nie dobija.

– To raczej nie będzie konieczne. – Odwraca się, by zejść na dół, po czym jeszcze raz spogląda na nich. – Alice, ubierz się, na litość boską, to zjemy lunch. John, możesz zejść ze mną i mi pomóc, gdy Alice będzie się ubierała. Pewnie umieracie z głodu.

Kiedy następnego ranka przychodzą do szpitala, na parapecie okna leży długi rząd kartek z życzeniami; obok nich stoją kwiaty. Ann zabiera się do czytania kartek, trzymając każdą w dłoniach dostatecznie długo, by obejrzeć obrazek, przeczytać zawartą na odwrocie wiadomość i zdeszyfrować podpis. Ma wrażenie, że są takie delikatne, podatne na zgniecenie. Niektóre imiona rozpoznaje – przyjaciele albo koledzy, o których opowiadała im Alice – ale jest też wśród nich wiele takich, których zupełnie nie zna. Te to dla niej afront. Kim są ci ludzie, którzy tytułują jej śmiertelnie chorą córkę „drogą Alice" i przesyłają jej „ucałowania i uściski" albo „najlepsze życzenia i słowa modlitwy"? Ktoś, kto ma na imię Sam – ktokolwiek to jest, on, może ona – przysłał ogromny bukiet lilii. Kiedy Ann pochyla się, by przeczytać karteczkę przymocowaną zszywaczem do celofanu, ociera się o jeden z pręcików sterczących ze środka kwiatu. Drobiny pomarańczowego pyłku kwiatowego zostawiają rdzawą plamę na rękawie jej białej bluzki.

Za nią sączy się monotonnie głos Bena. Czyta na głos artykuł na temat porozumienia wydawców w sprawie cen książek. Ann odwraca się, strzepując plamę. Ben rozłożył gazetę na łóżku, na nogach i brzuchu Alice. To gazeta, dla której pracował kiedyś John. Zdaniem Ann to wyjątkowo bezduszny wybór. Dolny róg gazety, zauważa, spoczywa na dłoni Alice, w V utworzonym z kciuka i palca wskazującego. Ann jest pewna, że zębaty brzeg gazety drapiący skórę dłoni mógłby zezłościć Alice. Ma wrażenie, że ją też coś drapie w to samo miejsce na jej własnej dłoni. Nie potrafi uwierzyć, że Alice nie jest w stanie odsunąć swojej ręki, że pochwycona w pułapkę swego nie funkcjonującego ciała nie jest zdolna się ruszyć, nawet jeśli ta gazeta ją drapie. Ben tymczasem namolnie cytuje dane statystyczne, wyniki sprzedaży książek, za i przeciw małym firmom, porównania z amerykańskim rynkiem.

Ann chwyta gazetę i ściąga ją z łóżka. Słychać odgłos rozdzierania papieru.

— Przestań — mówi, rozcierając skórę między kciukiem i palcem wskazującym — przestań natychmiast... Skąd ty wiesz... Ona i tak cię nie słyszy... Spójrz prawdzie w oczy, Ben, ona cię nie słyszy.

Łzy, spływające po twarzy i szyi, zaczynają przesiąkać jej ubranie. Jest zdziwiona, że mają taki słony smak. Ben obejmuje ją teraz ramieniem. Ann spogląda ponad jego barkiem na Alice, która się nie poruszyła, która w ogóle się nie rusza, która — a przynajmniej Ann tak się dzisiaj wydaje — już nigdy więcej się nie poruszy.

Alice wchodzi do dużego pokoju i zastaje Johna zgarbionego nad komputerem; klawiatura postukuje szybkim, jednostajnym rytmem. Mija go w drodze do kuchni; John mruczy pod nosem, dając do zrozumienia, że zauważył jej obecność, ale dalej pisze, nie oglądając się. Alice otwiera lodówkę i ziewa. Spędziła większą część dnia na czytaniu i czuje się nieco oderwana od rzeczywistości, jakby jej własne życie stało się niematerialne w zetknięciu z fikcją, która ją tak pochłonęła.

W lodówce znajduje sałatę o znękanym wyglądzie, pół kubka jogurtu i papierową torbę pełną zwiotczałych grzybów. Zamyka lodówkę i siada przy stole. Umiera z głodu, ale nie ma ochoty na wyprawę do Sainsbury's. Wyraźnie też nie ma co liczyć na to, że John zechce iść na zakupy. Wzdycha, bębniąc palcami po blacie stołu, po czym wstaje i podchodzi do niego na bosaka.

– John... – zaczyna, kładąc dłoń na jego ramieniu.

John podrywa się z miejsca tak raptownie, jakby poraziła go prądem.

– Co ty wyprawiasz? – krzyczy. – Zgłupiałaś, że mnie tak straszysz?

Jest tak skonsternowana, że przez chwilę nie jest w stanie się odezwać. John ma zaczerwienioną twarz i zasłania sobą ekran, jakby nie chciał, by przeczytała, co napisał.

– Wcale cię nie chciałam straszyć. – Obdarza go pojednawczym uśmiechem, próbując jednocześnie dojrzeć, co jest na ekranie. – A co ty takiego piszesz, że to taki top secret?

– Nic takiego. – Nie chce spojrzeć jej w oczy.

Alice parska śmiechem.

— John, co to jest? Pozwól mi zobaczyć. — Próbuje zepchnąć go z drogi.

John jednak stawia opór i wciąż za nic nie chce odsłonić ekranu.

— Alice, nie patrz. To nic takiego... Takie tam coś... Muszę to jeszcze skończyć.

— Ale co? No dalej, gadaj. — Obłapia go silnie ramionami, a on próbuje rozprostować jej palce i odepchnąć ją. — To chyba nie jest list do jakiejś kobiety? — pyta, drocząc się.

— Nie gadaj głupot.

Jednak kiedy stoją tak blisko, Alice zauważa, że on się krzywi, czuje, że jego ciało tężeje. Po kilku sekundach, kiedy nie rejestruje nic oprócz czegoś w rodzaju zdumionego niedowierzania, cofa ręce i mówi:

— Przepraszam, nie miałam zamiaru ci przeszkadzać. Po prostu chciałam spytać, czy nie miałbyś ochoty się przejść coś zjeść. W domu nic nie ma oprócz jakichś zdechłych warzyw, a mnie się nie chce iść po zakupy i uznałam, że ty nie... — Alice łapie się na tym, że ten bełkotliwy jazgot dobywa się z jej własnych ust, i przymyka się. Jazgot ustaje, odwraca się wtedy i wychodzi z pokoju.

Kładzie się na łóżko, ze wzrokiem wbitym w sufit. John i romans? Cały pomysł jest tak niedorzeczny; niemal jest zła na siebie, że na niego wpadła. Ale dlaczego się wzdrygnął, kiedy spytała — żartem — czy pisze do jakiejś kobiety? Nie jest to przypadkiem dostateczny dowód na to, że rzeczywiście pisał do kobiety?

Wciąż tam leży i wszystko zaczyna się układać w logiczny łańcuch zdarzeń: ostatni tydzień na przykład. Przyszła do domu przed nim i stwierdziwszy, że w lodówce nie ma mleka, wyszła do sklepiku na rogu. Kiedy skręcała w Camden Road, minęła budkę telefoniczną i ze zdumieniem zobaczyła go, mówiącego do słuchawki, w odległości pięćdziesięciu stóp od ich domu, z dłonią przyciśniętą do ucha, by zagłuszyć hałas mijających go samochodów. Zastukała w szybę monetą, która trzymała w dłoni. I co się potem stało? Próbuje sobie przypomnieć. Podniósł wzrok, zobaczył ją i rozłączył się. Powiedział coś jeszcze do słuchawki, zanim się rozłączył? Czy raczej od razu odwiesił słuchawkę? Pamięta, że zamierzała go spytać, dlaczego, do licha, korzysta z budki, skoro jest o dwa kroki od domu. Dlaczego nie spytała? Wyszedł z budki i zaczął ją całować, na środku ulicy. Był w dobrym nastroju, przypomina sobie Alice, wsunął rękę pod jej bluzkę, a ona jakoś zapomniała, że dzwonił z budki. „Muszę iść po mleko", zaprotestowała, kiedy zaczął ją ciągnąć w stronę domu. „Pieprzyć mleko", odparł, „chcę cię mieć w domu, w łóżku, właśnie teraz". Dlaczego, dlaczego, dlaczego przeoczyła tę sprawę? Od jakiegoś czasu zachowywał się dziwnie, stwierdza nagle Alice – obsesyjnie sprawdza, i to wielokrotnie, wiadomości nagrane na sekretarce, stale ją wypytuje, czy ma coś do wysłania pocztą, a potem wypada jak jakiś wariat do skrzynki, późną nocą, z jakimiś tajemniczymi przesyłkami. I codziennie rano zbiega jak bomba na dół, kiedy słyszy, że przez otwór w drzwiach wpadają listy. Kiedy go pyta, skąd ten pośpiech, nieodmiennie powtarza, że spodziewa się czeków za swoją chałturę, ale teraz już nie jest taka pewna, czy on mówi prawdę.

Siada zezłoszczona. Kto to, u licha, może być? Przebiega w myślach listę znanych im obojgu kobiet, ale nie umie znaleźć prawdopodobnej kandydatki. Pewnie to ktoś z pracy. Ostatnio często pracował wieczorami. Co za głupoty. Musi go spytać wprost. Kiedy słyszy jego kroki na schodach, zaczyna czuć pierwsze ukłucia gniewu i oburzenia. Jak on śmie? Kim jest ta kobieta? Czy on ją kocha? Od jak dawna to się dzieje?

John pojawia się w drzwiach i tak tam zostaje.

– Hej – mówi z wymuszoną wesołością – to wychodzimy czy jak?

Przygląda mu się, kiedy podchodzi do okna i zaczyna majstrować przy kaktusie, którego ustawiła na parapecie.

– Ładny kaktus. Podoba mi się. Wyjątkowo miły.

Alice wciąż milczy.

– No to wychodzimy czy nie? – pyta znowu.

Wzrusza ramionami.

— Jak chcesz.

— Wspaniale. Dobrze się czujesz?

— Uhu.

— No to dobrze. OK. Idziemy więc?

Przy furtce ujmuje jej dłoń w silny uścisk i ruszają ulicą. Co trzy, cztery kroki musi truchtać, żeby go dogonić, ale on zdaje się tego nie zauważać. Nuci, idąc obok. Kiedy przechodzą przez kanał, Alice chwyta go za ramię.

— John!

John zatrzymuje się i wpatruje w nią takim wzrokiem, jakby zapomniał, że ona mu towarzyszy.

— Co?

— Nie idź tak szybko. Nie nadążam za tobą.

— Szedłem za szybko?

— Tak, o wiele za szybko.

— Nie szedłem szybciej niż zazwyczaj.

— A właśnie że tak.

— O co ci chodzi, Alice? — pyta z przesadną cierpliwością.

— Pytasz o mnie? Mnie o nic. To ja chciałabym wiedzieć, o co tobie chodzi.

— O nic.

— OK. No to super. A więc żadnemu z nas o nic nie chodzi.

— Świetnie.

— Świetnie.

John obejmuje ją ramieniem i idą tak razem w stronę włoskiej trattorii naprzeciwko stacji metra.

John patrzy uparcie za okno, bawiąc się kartą, zamiast ją przeglądać. Na chodniku awanturują się o coś dwaj taksówkarze: ten niższy stale uderza wierzchem dłoni o ramię tego wyższego. Alice maluje usta, pomagając sobie małym lusterkiem. Nakłada warstwę karminu na wargi, przyglądając mu się ukradkiem zmrużonymi oczyma. Ma romans czy nie? Nie widać po nim żadnych zmian. Z pewnością romans odcisnąłby na nim jakiś ślad. Przygląda się uważnie jego ustom i szyi, ale nie zauważa nic, oprócz rysów człowieka, którego kocha. Wizja jego ciała splecionego z czyimś cudzym ciałem sprawia, że przez jej serce przechodzi bolesny skurcz. Zanim do niej dociera, że chce to zrobić, cofa rękę, a wtedy jest już za późno – wymierzyła mu policzek.

– Masz romans? – krzyczy.

Efekt jest dramatyczny. W restauracji zapada cisza, dokładnie taka, jak to bywa w filmach. Wszyscy się na nich gapią. Kelner robi taki ruch, jakby chciał do nich podejść, ale zmienia zdanie i nadkładając drogi, idzie do stolika obok drzwi i poprawia tam kwiaty. John przygląda jej się wstrząśnięty, trzymając rękę przy twarzy.

– Co?

– Słyszałeś.

– Zwariowałaś?

– Odpowiedz mi na to cholerne pytanie, John. Masz romans czy nie?

– Alice, dlaczego, u licha, myślisz...

– Gadaj – syczy Alice przez zaciśnięte zęby. – Po prostu powiedz, tak czy nie. – Złowróżbnie ściska widelec, a on pochyla się i próbuje ją schwycić za rękę, ale ona mu się wyrywa.

John opada z powrotem na krzesło i patrzy jej w oczy.

– Nie, Alice. Nie mam romansu. – Odwraca się twarzą do wnętrza restauracji. – Nie mam romansu – oznajmia głośno.

Jedni goście ostentacyjnie kontynuują jedzenie i nie patrzą na nich, inni się uśmiechają; ktoś z tyłu sali krzyczy:

– To dobrze!

Odwraca się z powrotem w jej stronę. Na twarzy ma wściekle zaczerwieniony odcisk jej dłoni. Alice wybucha płaczem i zakrywa twarz rękoma. John przenosi krzesło na jej stronę stołu, siada obok i podaje chusteczkę.

– Wiesz co?

Alice pociąga nosem i wyciera twarz.

– Co?

– Nie powinnaś płakać, kiedy masz tusz na rzęsach.

Oddaje mu chusteczkę, całą umazaną czarnymi smugami, i wzdycha ciężko.

John ujmuje jej dłoń.

— Jedna z osobliwych atrakcji związku z tobą, Alice, jest taka, że nigdy nie wiem, co zaraz zrobisz.

— Moja matka wiecznie mi to powtarzała, kiedy byłam dzieckiem.

— Jakim cudem wymyśliłaś sobie, że mam romans?

— No bo — mówi, nagle oskarżycielskim tonem — korzystałeś z budki telefonicznej pod naszym domem, a potem nie chciałeś pozwolić, żebym zobaczyła, co napisałeś, a kiedy żartem spytałam, czy piszesz do jakiejś kobiety, to się wzdrygnąłeś.

— Ja się wzdrygnąłem?

— Tak.

John kręci głową z niedowierzaniem, a potem się śmieje.

— No więc skoro już musisz wiedzieć, to pisałem do mężczyzny. Pisałem do mojego ojca.

— Och. — Cały gniew i podejrzliwość wyciekają z niej, sprawiając, że czuje się jak spostponowana idiotka. — Nie wiedziałam, że do siebie pisujecie.

— Bo nie pisujemy. Ja do niego piszę, ale on nie odpowiada.

— Jak często piszesz?

— Z początku pisałem raz na kilka tygodni. Teraz to jest raczej raz na kilka miesięcy. Dzwonię od czasu do czasu i nagrywam się na sekretarce.

— I co mu mówisz?

— Mówię mu, co u nas. Nie na temat pracy; kupuje gazetę, tyle wiem. To dziwne myśleć, że prawdopodobnie czytuje artykuły, które piszę. Mówię mu, jakie filmy oglądaliśmy, gdzie byliśmy, co czytam. Tego typu rzeczy. I proszę go o kontakt.

— Ale on go nie nawiązuje?

— Nie.

— W ogóle?

— W ogóle. W każdym razie dotąd tego nie zrobił.

— John, nie miałam o niczym pojęcia.

– Wiem. Powinienem był ci powiedzieć. Po prostu nie chciałem, żebyś się denerwowała. Po tym, jak już raz odeszłaś... – Zawiesza głos. – Zdaje się, że to brzmi jak bardzo nędzna wymówka. Źle zrobiłem, że ci nie powiedziałem.

Zabierają się do jedzenia. Ludzie uśmiechają się do nich konspiracyjnie, kiedy mijają ich stolik. Alice gładzi Johna po policzku. Czerwony ślad blednie. Kiedy wychodzą, kelner życzy *bello* i *bellissima* „wiele szczęścia" i namawia ich usilnie, by jak najszybciej znowu ich odwiedzili.

Jeszcze tego samego wieczoru idą razem do skrzynki pocztowej. Alice wrzuca list do szerokich czerwonych ust i nasłuchuje, jak list pada na stos nie wybranej poczty. Impulsywnie obejmuje skrzynkę i całuje chłodny metal. John śmieje się.

– Teraz to już na pewno odpisze.

en wspiął się pospiesznie po stopniach wiodących do frontowych drzwi szkoły, w płaszczu rozwianym przez przenikliwy wiatr. Wypadł z domu tak prędko, nawet się nie zatrzymał, by go zapiąć. Sam też był kiedyś uczniem tej szkoły i zawsze, kiedy ją teraz odwiedzał, musiał się hamować, by nie wejść wejściem dla dzieci zamiast głównym wejściem dla nauczycieli i gości.

W sekretariacie – tuż po prawej stronie wejścia, w pomieszczeniu, gdzie za jego czasów odbywały się lekcje języków obcych – zagadnął kobietę o ufarbowanych na czarno włosach.

– Dzień dobry. Jestem Ben Raikes. Dzwoniono do mnie ze szkoły.

– A tak. – Kobieta wstała i obeszła biurko. – Proszę za mną.

Kiedy szli w głąb korytarza, powiedziała, nie patrząc na niego:

– Zdarzył się pewien incydent.

– Incydent?

Miała włosy czarne jak smoła, z szarymi odrostami. Wisiały wokół jej twarzy niczym wodorosty. Jej biodra były tak szerokie, że aż rozsadzały szwy spódnicy.

– Incydent związany z naruszeniem dyscypliny. Brała w tym udział pańska córka oraz jeden z uczniów szóstej lasy.

– Która? Która córka?

– Alice.

– Ach tak. A co się stało?

– Ona go uderzyła.

W gabinecie dyrektora szkoły zastali chłopca, który przyciskał do twarzy kłąb zakrwawionych chusteczek higienicznych, oraz Alice, która kuliła się na krześle i z wściekłością wpatrywała w podłogę. Dyrektor był wysportowanym, szczupłym, łysiejącym mężczyzną. Ben grał z nim któregoś razu w golfa. Pozdrawiali się wzajem na ulicy, a nawet wymieniali jakieś uprzejmości na temat rodzin czy pogody, jednak teraz nie było po tym śladu. Mężczyzna siedział za biurkiem, uzbrojony w cały swój autorytet.

– Proszę mi wybaczyć to nagłe wezwanie.

Patrzył na chłopca, więc Ben dopiero po chwili zrozumiał, że on to adresuje do niego.

– Ależ to drobiazg – powiedział Ben, po czym zdał sobie sprawę, że powinien przybrać poważniejszy ton, kaszlnął więc i dodał: – Cóż, w tych okolicznościach...

– Otóż to! – krzyknął dyrektor, sprawiając, że Ben drgnął nerwowo. – Okoliczności! Które z was zechce mi wytłumaczyć, na czym polegały te okoliczności? – Jego świdrujące spojrzenie wędrowało między parą nastolatków. – Alice? Andrew?

Odpowiedziało mu milczenie. Twarz Andrew była biała z bólu. Alice skrobała czubkiem buta o torbę, która leżała obok niej. Ben zauważył, że stawy jej prawej dłoni – zwiniętej w pięść i przyciśniętej do ciała – są zaczerwienione, podrapane i zapuchnięte.

– Złamałaś koledze nos, Alice Raikes – obwieścił. – Co masz do powiedzenia w tej sprawie?

Alice zadarła podbródek, pomalowane na niebiesko i czerwono pasma jej włosów trzepnęły o oparcie krzesła. Spojrzała na dyrektora, potem na chłopca i powiedziała wyraźnie:

– Jestem zadowolona, że to zrobiłam.

Dyrektor postukał obsadką pióra o swój paznokieć i spojrzał na Alice takim wzrokiem, jakby miał ochotę ją uderzyć.

– Rozumiem. – Wyduszał teraz słowa przez zaciśnięte zęby. – A zechciałabyś wytłumaczyć swojemu ojcu i mnie, co cię w tym tak cieszy?

Rozległo się pukanie do drzwi i do gabinetu wszedł wysoki,

barczysty mężczyzna o przydługich, ciemnych włosach. Rozejrzał się po wnętrzu, zauważając swojego syna, którego twarz była zalana krwią, ponurą Alice, dyrektora i Bena.

– A, pan Innerdale. Dziękuję za przyjście. To pan Raikes.

Ben wyciągnął rękę w jego stronę.

Mężczyzna nie patrzył mu w oczy, kiedy się z nim witał; zaraz potem obrócił się prędko w stronę syna.

– Jak się czujesz, Andrew?

– Ma złamany nos – wyjaśnił dyrektor – złamała mu go ta oto młoda dama – tu wycelował palec w stronę Alice – która, zdaje się, miała nam właśnie podać swoją wersję zdarzeń i wytłumaczyć, dlaczego jest taka z siebie zadowolona. Alice?

– On za mną chodził – powiedziała Alice. – Ściągnął ze mnie sweter i nie chciał oddać. Próbowałam go zmusić, żeby mi go oddał, ale on... ciągle... próbował mnie... przewrócić. Więc go uderzyłam.

Dyrektor miał taką minę, jakby zupełnie się nie zgadzał z jej słowami.

– Czy to prawda, Andrew? – zapytał, niczym automatyczny pilot autorytetu, obracając głowę w kierunku chłopca.

– Chwileczkę – wtrącił się Ben i ojciec chłopca spojrzał na niego. – Powiedziałaś, że on za tobą chodził? I że ściągnął z ciebie sweter? I że próbował cię przewrócić? Co to znaczy?

Alice wzruszyła ramionami.

– Chodził za mną podczas przerwy na lunch, więc zaczęłam uciekać, a wtedy zaczął mnie gonić. Byłam obwiązana swetrem w pasie. I on za niego złapał. I – dodała, obracając się oskarżycielsko w jego stronę – nie chciał go oddać.

– A chrzań się – mruknął pod nosem chłopak.

– Sam się chrzań, kretynie – wysyczała Alice.

Ben potarł się po czole. Ojciec Andrew położył rękę na ramieniu syna, jakby chciał go powściągnąć.

– Dość tego! – wykrzyknął dyrektor. – Żadnych więcej wytłumaczeń. Dla mnie to oczywiste, że oboje jesteście winni. Na razie jesteście oboje zawieszeni na tydzień. Andrew, oddaj Alice sweter, Alice przeproś Andrew. I nie chcę żadnych więcej awantur z waszej strony. Zrozumiano?

Oboje milczeli, Alice miała na twarzy wyraz butnego oburzenia.

— Powtarzam: zrozumiano?

— Tak, sir — wymamrotał Andrew, zza swoich chusteczek.

— Alice?

— Tak. Sir.

Ben pierwszy wyszedł na korytarz. Alice wciąż nie patrzyła na Andrew.

— Masz sweter Alice, Andrew? — spytał go jego ojciec.

Ben przyglądał się, jak Andrew, wciąż trzymający chusteczki przy twarzy, rozsuwa zamek torby i wyciąga z niej wielki sweter z czarnej włóczki. Ojciec wziął go, przez chwilę trzymał w dłoniach, po czym zwrócił się do Alice.

— Proszę, Alice — powiedział.

Bez słowa wzięła od niego sweter i włożyła go przez głowę. Jej włosy zatrzeszczały i uniosły się nieznacznie, gdy przebiegł przez nie ładunek elektryczny, jakby były podłączone do generatora van der Graaffa. Andrew na chwilę nie oderwał od niej wzroku, zauważył Ben.

— Przepraszam za... za to wszystko — powiedział do niej ojciec chłopaka. A potem wyprowadził go na korytarz.

Alice podwinęła rękawy swetra. Ben stał i odprowadzał tamtych wzrokiem.

Andrew nie wrócił już do liceum w North Berwick. Rodzice posłali go do prywatnej szkoły w Edynburgu, gdzie miał dokończyć ostatnią klasę. Alice widywała go czasem z daleka, kiedy wysiadał z pociągu o piątej, ubrany w nieskazitelny, granatowo-biały mundur nowej szkoły. Nigdy więcej nie zamieniła z nim ani słowa. Kiedy się mijali na High Street albo na Lodge Grounds, nie patrzyli sobie w oczy, jakby się nigdy nie poznali.

Od jakiegoś czasu zdarza mi się słyszeć głos ojca. Wiem, że sobie tego nie wyobrażam. Nie tyle słyszę, co on mówi, ile rozpoznaję barwę, nawyki wymawiania poszczególnych głosek, ten cichy głos, którym mruczy coś często, gdzieś poza mną.

Bardzo źle to znoszę; ten głos mnie unieszczęśliwia. Mam ochotę się odwrócić, pójść na dno, pozwolić, by wody zamknęły się nad moją głową. Nie wiem, co bym mu powiedziała — jak bym się przed nim tłumaczyła, jak bym mu wytłumaczyła to wszystko.

Musiało minąć kilka tygodni od dnia, w którym wysłali tamten list. John codziennie sprawdzał pocztę, co rano i co wieczór, wykręcał też 1471, jeśli po powrocie do domu nie zastawał żadnych wiadomości nagranych na sekretarce — tak na wszelki wypadek — ale nic nie przychodziło.

Była sobota rano; Alice zadekowała się w salonie, gdzie jadła jabłko i zaczytywała się przewodnikiem po Andaluzji. John robił coś na górze. Słyszała odgłosy jego kroków i co jakiś czas pokrzykiwała do niego coś w rodzaju: „John, masz ochotę na kilka dni w Sewilli?" albo „Ta Alhambra jest chyba niesamowita!"

John za każdym razem miał w pogotowiu tę samą odpowiedź, którą wygłaszał rozwścieczająco cierpliwym tonem: „Brzmi ciekawie".

Wstała i podeszła do schodów.

— John!

– Co?

– Dlaczego ty się nie cieszysz na tę wycieczkę?

Roześmiał się, czym już zupełnie ją wkurzył.

– Ależ cieszę się, cieszę.

– Wcale tego nie słychać.

– Po prostu nie umiem się tak podniecać jak ty.

– Co chcesz przez to powiedzieć?

Pojawił się na szczycie schodów i spojrzał na nią z góry.

– Co chcę przez to powiedzieć? Ty przez ostatnie dwa tygodnie w każdej wolnej chwili pożerasz ten przewodnik, praktycznie spakowałaś już plecak, od kilku miesięcy uczysz się hiszpańskiego... mam dalej wymieniać? Podniecasz się za nas oboje.

Już miała mu jakoś przygadać, kiedy usłyszeli delikatne pukanie.

– A to co znowu? – spytał John.

Alice wróciła do salonu i zobaczyła za oknem posłańca w niebieskim kombinezonie, który stukał w szybę. Razem z Johnem otworzyli drzwi. Przed domem stało dwóch mężczyzn z monstrualnie wielką paczką owiniętą w folię. Jeden z nich zajrzał do swoich papierów.

– John Friedmann i Alice Raikes?

– To my – odparł John. – Co to takiego?

Alice nadusiła paczkę; w dotyku wydawała się twarda i chłodna.

– Nie wiemy. Proszę tu podpisać.

– Od kogo to?

– Przepraszamy, ale nie mamy pojęcia. – Mężczyźni wzruszyli ramionami.

Przedmiot był płaski, niewiarygodnie ciężki, cały pokryty nalepkami z napisem „Ostrożnie! Szkło!" Natychmiast zabrali się do odzierania go z kolejnych warstw folii z bąbelkami.

– Co to jest, u licha? – spytała po chwili zadyszana Alice, siadając na podłodze, by nieco odpocząć.

– To chyba jakiś obraz – odparł John, patrząc na przesyłkę z góry, z głową przekrzywioną na bok. – W każdym razie taki ma kształt.

— Popatrz — powiedziała. — Widzę tu coś złotego. To ma złotą ramę. Znamy kogoś, kto mógłby nam przysłać obraz?

— Nie wiem. — Podniósł całe naręcze zdjętej folii i cisnął je w powietrze. Folia sfrunęła na Alice, która leżała na plecach i wpatrywała się w powoli sfruwające na nią płachty.

— To mi przypomina nasze zabawy z babcią — powiedziała spod sterty folii. — Kirsty i ja kładłyśmy się na podłodze w holu, a babcia stawała nad nami na schodach i rzucała na nas pościel przeznaczoną do prania. Uwielbiałyśmy to. Ale musiałyśmy przestać się w to bawić, bo kiedyś jedno prześcieradło zaczepiło o talerz wiszący na ścianie. Spadł, pękł i jeden odłamek skaleczył mnie obok oka, o tutaj.

W polu jej widzenia pojawiła się sylwetka Johna, zamazana przez leżący na niej plastik.

— Gdzie? — Położył się na niej, wywołując kanonadę pękania foliowych bąbli.

Alice zaczęła chichotać.

— O tutaj — powiedziała, pokazując swoje oko.

Pocałował ją przez szeleszczący plastik, przygważdżając jednocześnie do podłogi. Alice mocowała się z nim i śmiała tak bardzo, że aż zabrakło jej tchu.

— John, przestań. Zaraz się uduszę.

Zdarł z niej płachty, nurkując pod nie prosto na nią, a potem zaczął z niej zrywać ubranie.

— Nie, zaczekaj. Chcę wiedzieć, co jest w tej paczce.

— To sprawdzimy później — powiedział i wstał, żeby zdjąć spodnie.

Alice zdjęła T-shirt.

— Przynajmniej moglibyśmy zasłonić okno.

— Po co? — spytał, znowu się na niej kładąc. — Co ktoś miałby robić w naszym ogrodzie w sobotę rano?

— A jeśli znowu przyjdą jacyś ludzie z tajemniczymi przesyłkami?

— To już ich ryzyko zawodowe. Mamy przecież prawo uprawiać seks w prywatności naszego domu.

Później, kiedy już się ubrali, zajęli się zdejmowaniem kolejnych warstw folii. Spod spodu zaczęła się wyłaniać jakaś lśniąca powierzchnia i John usiadł na sofie, by się przyjrzeć, jak Alice zdejmuje ostatnie płachty. Jak się okazało, było to wielkie lustro w pozłacanych ramach, ozdobione barokowymi zakrętasami i tłustymi amorkami, które zakrywały sobie genitalia zwojami tkaniny. Odsunęła się zdumiona.

– Boże mój! Przecież to jest ohydne. – Podeszła znowu i dotknęła czubkiem palca uśmiechniętego, złotego cherubinka. – Kto mógłby nam przysłać coś takiego?

John wpatrywał się w lustro, z głową wspartą na pięściach.

– To kiedyś wisiało w sypialni moich rodziców. To rodzinna pamiątka, przywieziona jeszcze przed wojną z Polski.

Alice przeszła przez pokój i chwyciła go za ramię.

– Twój ojciec to przysłał?

– Na pewno on... no chyba że to mój stryj... nie... to na pewno od niego. Bardzo to wszystko dziwne.

Znowu potrząsnęła go za ramię, zakłopotana jego nagłym przygnębieniem,

– Ale to przecież chyba dobrze, John? No że przysłał to dla nas obojga. – Machnęła kopią pokwitowania, na której obok jego nazwiska widniało również jej nazwisko. – Czy to nie oznacza, że on jakby... no wiesz... pogodził się?

John wstał i zaczął chodzić po pokoju. Folia, zaściełająca całe wnętrze, świszczała pod wpływem ruchów powietrza wywołanych jego gwałtownymi krokami.

– Nie wiem, Alice. Nie wiem, co on chce przez to pokazać.

– Może powinieneś do niego zadzwonić?

Przestał chodzić i potarł się ręką po głowie, zastanawiając.

– Mhm. Może. Nie jestem pewien, czy mogę. No bo co powiem? Że jestem wściekły na niego, na całą tę gównianą aferę?

– Ale przecież chcesz się z nim pogodzić, prawda? Wiesz, że tak. Czy nie czas uporać się z tą gównianą aferą, jak to nazywasz, zostawić ją za sobą, schować dumę? On prawdopodobnie tak samo boi się rozmowy z tobą jak ty z nim.

– Może masz rację. Ale nie wiem, czy potrafiłbym rozmawiać z nim teraz przez telefon. Przecież minął już cały rok.

– No to napisz do niego kartkę albo coś i poproś o spotkanie.

– To nie jest zły pomysł – stwierdził z niechęcią. – Mógłbym zaprosić go do nas, żeby cię poznał.

Potrząsnęła głową.

– Moim zdaniem powinieneś najpierw uporządkować wasze relacje. Spotkanie ze mną to chyba za wiele jak na pierwszy raz. Pójdzie wam łatwiej, jeśli spotkacie się na jakimś neutralnym gruncie, w restauracji albo kawiarni.

– Tak. OK. Masz rację. – Usiadł przy biurku i wyciągnął z szuflady arkusz papieru. – Drogi tato – powiedział, z piórem zawisłym w powietrzu – dzięki za lustro. A także za opakowanie, moja dziewczyna i ja fantastycznie się na nim pieprzyliśmy.

– Koniecznie mu o tym napisz, to na pewno bardzo pomoże.

– Tylko żartowałem.

Napisał list i natychmiast poszedł go wysłać. Wrócił z ogromnym hakiem i nowym wiertłem, kupionym u gburowatego właściciela sklepu z towarami żelaznymi po drugiej stronie ulicy. Pogwizdywał, kiedy podnosił z podłogi lustro rzucające na sufit romboidalną plamę białego światła. Powiesił je w korytarzu, nad frontowymi drzwiami. Alice przyglądała się z niepokojem, jak nakładał je na hak, niebezpiecznie balansując na dwóch krzesłach.

Co powiedziałabym o naszym wspólnym życiu? Powiedziałabym, że byliśmy szczęśliwi. Że prawie się nie rozstawaliśmy. Że nieraz przelotnie doznawałam tego oszałamiającego, obezwładniającego olśnienia, że jest na świecie ktoś taki, kogo znam tak dobrze, jakbym sama nim była. Że przed poznaniem Johna wprawdzie nigdy nie czułam się niekompletna, ale przy nim czułam się zrealizowana, spełniona, cała. Co jeszcze? Mieszkaliśmy razem w jego domu, w Camden Town. Ja go zmusiłam, by zaczął bardziej dbać o porządek, i ja przemalowałam klatkę schodową na niebiesko, on z kolei wyśmiewał się ze mnie, kiedy wpadałam we wściekłość, i w ten sposób mnie rozbrajał. Leczył moją bezsenność, czytając mi na głos w środku nocy, mimo że sam przy tym przysypiał. Co jeszcze, co jeszcze? Puszczaliśmy latawce w Regent's Park i na plaży na wyspie Wight. Razem też oglądaliśmy błyszczący odbitym światłem słońca sierp Wenus przez szerokoogniskowy teleskop w praskim obserwatorium. Siedzieliśmy na plaży w Sri Lance podczas burzy elektrycznej i przyglądaliśmy się błyskawicom, które rozpoławiały horyzont, gdy tymczasem na linii brzegu niczym kocie oczy iskrzyła się fosforescencja. Kochaliśmy się na każdej dostępnej powierzchni w naszym domu, w wielu stolicach, na wąziutkim posłaniu w pociągu jadącym przez Polskę, nie zważając na to, że konduktor atakował klamkę drzwi do przedziału, w młynie w Norfolk, na zimnym szkockim boisku do golfa, w ciemni fotograficznej, a nawet w windzie metra.

Pobraliśmy się trzy lata po naszym pierwszym spotkaniu. Wcale tego nie chciałam. Zgodziłam się w końcu tylko dla świętego spokoju. John wbił sobie do głowy, że powinniśmy się pobrać: oświadczył się, a ja powiedziałam nie, po co, jaki w tym sens? Był jednak uparty i prosił, żebym za niego wyszła, przy każdej nadarzającej się okazji, nawet kilka razy dziennie. „Alice, co chcesz na kolację i czy wyjdziesz za mnie?" mówił albo: „Co chcesz robić jutro? Bo może tak byśmy się pobrali?", albo szeptał: „Alice, dzwoni twoja siostra. A tak à propos, może za mnie wyjdziesz, co?" I tak to się ciągnęło miesiącami. W końcu powiedziałam „tak", niech już będzie, zresztą czemu nie?

Co tu jeszcze dodać? Dodam, że zanim go pokochałam, nie miałam pojęcia, że można kogoś tak bardzo kochać. I że jego ojciec nigdy więcej się do niego nie odezwał.

Tamtego dnia informacje o podłożonej bombie rozeszły się po Londynie jakby za sprawą jakiejś urbanistycznej odmiany osmozy. Pogłoski rozchodziły się z ust do ust, jeszcze zanim gazety zdążyły opublikować artykuły o wybuchu. Piątkowe popołudnie, zima, ja byłam w pracy. Niebo już ciemniało, kiedy z włoskiego baru kanapkowego wróciła Susannah; cała zziębnięta niezdarnie mocowała się z drzwiami, bo ręce miała pełne parujących, papierowych kubków.

— Właśnie się dowiedziałam, że gdzieś wybuchła bomba — rzuciła bez tchu, z szeroko rozwartymi oczyma.

Siedziałam akurat przy biurku, rozmawiałam z Anthonym. Wszyscy spojrzeliśmy na nią.

— Gdzie? — spytał Anthony.

Odstawiła kubki z kawą na biurko i zaczęła rozpinać płaszcz, nie patrząc na mnie.

— To znaczy... to może być tylko plotka. Ten, kto mi to mówił, nie był pewien.

— A niby gdzie to się stało? — spytałam.

— Ten człowiek nie wiedział dokładnie.

— Susannah! Mów! Gdzieś w Camden?

— Nie. Podobno gdzieś we wschodnim Londynie.

Pamiętam, że zapatrzyłam się na guziki jej płaszcza. Były bardziej czerwone niż materiał, do którego je przyszyto. Wystarczyłoby domieszać odrobinę czerni do czerwieni płaszcza — tyle co na czubku pędzla — a uzyskałoby się kolor guzików.

Chwyciłam za telefon. Moje palce wystukały znajomy układ cyfr.

— Działa.

Telefon dzwonił jakoś tak wyjątkowo długo; wreszcie w słuchawce odezwał się kobiecy głos:

— Słucham?

— Dzień dobry. Czy zastałam Johna?

— Nie. Wyszedł z biura. Zdaje się przeprowadza gdzieś wywiad.

Roześmiałam się z ulgą.

— No oczywiście, zapomniałam. Przepraszam, tu Alice. Słyszeliśmy, że gdzieś w waszych okolicach podobno wybuchła bomba.

— Boże, jak te wieści szybko się rozchodzą. Rzeczywiście jakąś godzinę temu był tu ogromny wybuch. Omal nie wyskoczyłam ze skóry. To stało się gdzieś po drugiej stronie Docklands. Tu wszędzie panuje totalny chaos; zapadła się połowa jakiegoś budynku. Dział aktualności szaleje.

– I nie dziwię się. No cóż, cieszę się, że wam nic się nie stało. Możesz przekazać Johnowi, żeby zadzwonił, jak wróci?

– Jasne.

Rozłączyłam się.

– Nic się nie stało! On robi gdzieś wywiad.

– Dzięki Bogu. – Susannah opadła na krzesło. – A więc to prawda?

– Tak. Podobno gdzieś w Docklands.

– Coś potwornego. Są jakieś ofiary w ludziach?

– Nie powiedziała.

Przez chwilę panowało wśród nas milczenie. Potem zadzwonił telefon; słuchawkę podniosła Susannah i rozpoczęła rozmowę na temat stypendiów literackich.

Wieczorem tego samego dnia oglądałam wiadomości w towarzystwie kota, który leżał zwinięty w kłębek na moich kolanach. Kamera zrobiła ujęcie resztki murów zrujnowanego budynku, okryte teraz zielonym brezentem. Wśród zawalonych belek stropowych uwijali się mężczyźni w żółtych kaskach i odblaskowych kurtkach.

– Jak dotąd nikt się nie przyznał do odpowiedzialności – głosił sprawozdawca. – Tego wieczoru do szpitala trafiło dwudziestu siedmiu rannych, ale jakimś cudem nie ma ofiar śmiertelnych dzisiejszego wybuchu.

Lucyfer zadrżał i przeciągnął się przez sen. Było wpół do dziesiątej. John wciąż nie wracał. Życie bez niego wydawało się czymś tak niedorzecznym, tak niemożliwym, że uparcie nie dopuszczałam do siebie żadnych wątpliwości. Spóźniał się. Spóźniał się. Bardzo się spóźniał.

Odsuwasz aluminiową zasuwę na drzwiach przegrody, wychodzisz na zewnątrz. Fluorescencyjne żarówki sprawiają, że we wnętrzu toalety jarzy się jak w sali operacyjnej: morderczo lśniąca posadzka, rzędy melaminowych przegród, stalowe umywalki, nie kończące się metry błękitnego lustra, ściany wyłożone białą porcelaną, w których odbija się twoje pokawałkowane, rozmazane odbicie. Przy umywalkach zanurzasz dłonie we wrzącej, utlenionej wodzie, oglądając się na siebie w lustrze. Dwie nastolatki, jedna ubrana w kurtkę ze sztucznego czerwonego misia, przechodzą przez całą długość lustra, waląc w kolejne drzwi przegród, by znaleźć dwie puste obok siebie.

– Tu jest wolne – mówi ta wyższa.

– Już, już, czekaj – odpowiada ta druga, poprawiając piętę lewego buta, wetknąwszy czubek palca wskazującego za brzeg skóry.

Mydło z dozownika jest różowe, ma perłowy połysk. Później twoje dłonie będą długo pachniały tym duszącym, słodkawym zapachem. Opłukujesz je. Strumienie baniek mydlanych znikają w stalowym oku odpływu. Nastolatki krzykliwie dyskutują na temat jakiejś sukienki. „Falbaniasta!", krzyczy jedna z nich. To ta w kurtce z czerwonego misia, myślisz sobie. „Falbaniasta", to potworne słowo. Przywodzi ci na myśl pluszowe króliczki albo kwieciste lambrekiny. Obracasz się w stronę suszarki, wciskasz chromowany przycisk. Końcówki twoich włosów unoszą się, podrzucone strumieniem zbyt gorącego powietrza. Do rzędu umywalek podchodzi obładowana zakupami kobieta w średnim wieku, która rzęzi astmatycznie. Stajesz bliżej suszarki – dlaczego? Żeby ją przepuścić? Dać jej więcej miejsca? Czy ta kobieta otarła się o ciebie?

Niewielkie lusterko wmontowane w suszarkę jest zamazane odciskami palców. Przez kilka sekund skupiasz wzrok na tych odciskach, po czym pozwalasz mu odpocząć w głębszej perspektywie obrazu zastygłego w lusterku. Najprawdopodobniej w tym właśnie momencie przenosisz ciężar ciała z jednej nogi na drugą, bo nagle nabierasz przekonania, że przez miniaturowy kwadracik przemknęła ci twoja własna matka. Mrugasz ze zdziwienia, przystawiasz bliżej twarz. Twoja matka też jest tutaj, też wyszła po ciebie? Pewnie Kirsty do niej zadzwoniła, żeby ją powiadomić o twoim przyjeździe. Wpatrujesz się teraz w lusterko dokładnie tak, jak wpatrywałabyś się w obiektyw aparatu fotograficznego, żeby jak najlepiej uchwycić fotografowany obiekt. Zauważasz błysk płowiejących, jasnych włosów, ale odchyliłaś się za daleko w jedną stronę, więc teraz musisz się odchylić w drugą. Znowu go namierzasz – ten sam białożółty błysk, ale tym razem miesza ci się z sylwetką ciemnowłosego mężczyzny, zapewne przechodnia. I w tym momencie sztywniejesz, wpatrzona w ujęcie, które masz przed sobą, perfekcyjnie skadrowane w lusterku. Jedna z nastolatek podźwignęła się do góry przegrody, wyrzucając łokcie przez jej skraj, i z takiej pozycji rozmawia ze znajdującą się niżej koleżanką. Kobieta przy umywalkach sapie, z otwartymi ustami, ciężko pracując płucami. Nad waszymi głowami buczy psująca się neonówka.

Odwracasz się, najpierw twoje ciało, potem szyja i głowa, na końcu oczy. Nie chcesz tego oglądać, naprawdę nie chcesz. Za tobą, już to wiesz bez patrzenia, wisi naturalnej wielkości jednostronne lustro. Ludzie myjący ręce mogą przez nie wyglądać na peron, przez taflę obrzydliwego brązowego szkła. Za tym szkłem, w powietrzu barwy taniny, brodzą ludzie, którzy przyglądają się tablicy odjazdów, biorą rozkłady jazdy ze stoisk, wloką walizki na kółkach albo siadają na rzędach krzesełek, ziewając. Tuż obok, wsparci o to, co ich zdaniem jest po prostu lustrem, stoją twoja matka i jakiś mężczyzna.

Stawiasz jeden krok w ich stronę, potem jeszcze jeden. Dzieli cię od nich jakiś metr, może mniej. Możesz przycisnąć palce do szkła, w miejscu, gdzie spoczywa skroń twojej matki. Albo gdzie opiera się jego ramię.

Mężczyzna karmi ją malinami. Trzyma w ręku przezroczystą, plastikową tackę pełną ciemnoróżowych grudek. Zanurza czubek małego palca w ich miękkie, porośnięte meszkiem wnętrza i podstawia ten palec w jej stronę, raz za razem. Ona zaś zamyka wokół nich usta, widzisz, jak pracują jej szczęki, jak zaciska się gardło, jak zaraz potem z tych ust wyłania się z powrotem jego palec, już nagi.

Rozpoznałaś go natychmiast – ostatecznie North Berwick nie jest dużym miastem. Jednak myśl, która szybuje w głąb twojego umysłu, potrzebuje kilku sekund. Patrzysz na niego, twój wzrok omiata jego sylwetkę, czoło, włosy, dłonie. Nie jest to właściwie myśl, bardziej przekonanie. Albo fakt. Ten mężczyzna to twój ojciec. Nie masz nawet cienia wątpliwości. Dopuszczasz do siebie tę myśl i w tym momencie już wiesz, że to prawda. Patrzysz na swojego ojca. Swojego prawdziwego ojca. To objawienie jakby spada na ciebie z wielkiej wysokości i nieoczekiwanie ulega rozszczepieniu na tysiące barwnych pierścieni.

Patrzysz najpierw na niego, potem na nią, czujesz ukłucie potu pod włosami i między łopatkami, a potem wypadasz z toalety, pokonujesz kołowrót, biegniesz po wyłożonym marmurem peronie. Nie mogą cię zobaczyć, nie mogą, nie mogą. Oddalasz się, nie oglądając w ich stronę, stawiając kroki tak wielkie, że zaczynają cię boleć stopy i kolana.

A potem, kiedy już idziesz normalnie, masz wrażenie, że z każdym krokiem ktoś od ciebie odpada. Ben. Kirsty. Beth. Annie. Jamie... Stajesz jak wryta. Stoisz pośrodku zwieńczonej kopułą rozległej przestrzeni dworca Waverley, wpatrzona we własne stopy, niczym człowiek gwałtownie wsysany przez ruchome piaski. Stawiasz jeszcze jeden krok. Elspeth.

Za szybą kawiarni widzisz swoje siostry. Kirsty opowiada coś Beth, rysując dłońmi w powietrzu. Idziesz przez kawiarnię, lawirując między stolikami i krzesłami.

– Muszę jechać – mówisz do nich, a wtedy ich twarze zwracają się w twoją stronę.

Dzwonek do drzwi dzwoni bardzo wcześnie. Alice przez chwilę kompletnie nie wie, gdzie jest; sufit nad nią to wcale nie sufit sypialni. Wnętrze pokoju oświetla słaby, szarawy blask słońca.

Po chwili dociera do niej, że leży skulona na kanapie, w bardzo niewygodnej pozycji. Siada i rozprostowuje zesztywniały kark. Dzwonek dzwoni jeszcze raz. Telewizor w kącie pokoju szczebiocze poranną, sobotnią telewizją; rudowłosy mężczyzna bije młotkiem z gumy kobietę ubraną w kombinezon roboczy. Widownia się śmieje. Lucyfer siedzi na parapecie za firanką. Jest lekko zjeżony; jego sylwetka jest zamazana za nicianą siatką. Później przyjdzie jej do głowy, że zobaczył policjantów wcześniej niż ona.

Jest zdumiona, że są tacy duzi. Mężczyzna zdaje się wypełniać sobą cały pokój. Bierze do ręki pilota i wyłącza telewizor: to pierwsza czynność, jaką wykonuje. Kobieta tymczasem staje przed nim. Pachnie papierosami i przegrzanymi, tłocznymi wnętrzami. Jej obgryzione paznokcie są pomalowane lakierem.

– Proszę, niech pani usiądzie.

Alice ma ochotę się roześmiać, gdy słyszy tę formułkę, ale siada i oni też. Słychać trzaski i pokrzykiwania z nadajnika przyczepionego do ramienia mężczyzny. On i kobieta wymieniają się spojrzeniami; mężczyzna wyłącza nadajnik, z zawstydzoną miną. Alice wstaje ponownie.

– Jest nam bardzo przykro, pani Friedmann, ale niestety musimy panią poinformować, że pani mąż, John Friedmann, nie żyje.

Policjantka, mówiąc to, wstaje, podchodzi do jej boku i ujmuje jej dłoń, stosując przy tym lekki nacisk w dół. Ona chce, żebym usiadła, stwierdza w myślach Alice. Siada. Znajome przedmioty znienacka wydają się bardzo obce. Jej zimowe botki leżą na dywanie, gdzie zdjęła je ubiegłego wieczoru; długi skórzany jęzor jednego jest wetknięty do wnętrza drugiego. Wpatruje się w lampkę stojącą na biurku Johna, jakby widziała ją pierwszy raz w życiu. Abażur, ozdobiony długimi frędzlami z paciorkami na końcach, jest lekko przekrzywiony.

– Dziś rano znaleźliśmy jego ciało w ruinach. – Jej dłoń gładzi dłoń Alice. – Był przy stoisku z prasą, kupował gazetę.

– To jakieś bzdury. Oni dostają wszystkie gazety w redakcji –

mówi Alice. – Zapomniał wziąć swoją, kiedy wychodził. Wiecznie mu się to zdarza.

– Tak, rozumiem.

Alice zaczyna konwulsyjnie potrząsać nogą. Jej matka zawsze nazywała to głupim nawykiem.

– Nazywam się Raikes.

– Słucham? – Policjantka przysuwa się bliżej.

– Nazywam się Raikes – powtarza Alice, znacznie wyraźniej. Może trochę zbyt wyraźnie? Nie chce być chamska. – Nazwała mnie pani panią Friedmann. Nie zmieniłam nazwiska, kiedy się pobraliśmy.

– Ach tak. – Kobieta z powagą kiwa głową. – Przepraszam, pani Raikes.

Alice kręci głową.

– Może mnie pani nazywać Alice.

– OK, Alice.

Mężczyzna chrząka. Alice wzdryga się. Zapomniała o nim.

– Czy jest ktoś, do kogo moglibyśmy zadzwonić w pani imieniu, Alice?

Alice gapi się na niego pustym wzrokiem.

– Zadzwonić?

– Tak. Do pani rodziny, może do jakichś znajomych?

– Moja rodzina mieszka w Szkocji.

– Rozumiem. A co z rodziną Johna? Może chciałaby pani być z nimi.

Alice parska – urywanym, pozbawionym wesołości śmiechem, który opuszcza jej gardło, wywołując wrażenie, że jest otarte do krwi.

– Nie.

Kobieta robi wszystko, by nie ujawnić szoku na twarzy.

Alice usiłuje sformułować jakieś wyjaśnienie.

– Ja wcale... Nigdy nie poznałam jego ojca.

Kobieta, zapanowawszy nad mimikę, uspokajająco kiwa głową.

Alice odwraca się, by po raz pierwszy spojrzeć jej prosto w twarz.

– Czy on umarł?

– Tak.

– Jesteście pewni?

– Tak. Bardzo pani współczujemy.

Rachel pojawia się w środku dnia, a później Ben i Ann wchodzą na palcach do sypialni, w której Alice leży na łóżku zwinięta na podobieństwo krewetki. Ann zostawia ciemne kółka z łez na kołdrze tuż obok suchej, białej twarzy Alice, nazywa ją „dzieckiem" i stara się wmusić w nią kilka łyżek zupy, którą Ben przynosi na tacy.

W którymś momencie Alice orientuje się, że jest w łazience. Po raz pierwszy tego dnia nikt jej nie towarzyszy. Opiera czoło o chłodne srebro lustra i patrzy sobie prosto w oczy. Czuje się zła i zmęczona, taka jakaś nie w humorze: w domu jest tłum ludzi i wolałaby, żeby oni wszyscy sobie poszli. Z powoli wsiąkającym w nią przerażeniem nagle zdaje sobie sprawę, że czeka na Johna, który zawsze wraca o tej porze. Stoi wsparta rękami o umywalkę. Spuszcza wzrok i widzi jego pędzel do golenia na półce. Jest lekko wilgotny; używał go jeszcze wczorajszego ranka.

Są w kuchni, siedzą przy stole.

– Widziałam go w zeszłym tygodniu, w ostatnią sobotę, stał przy kuchence i robił dla nas kolację – mówi właśnie Rachel, kiedy Ann prostuje się gwałtownie.

– Co to jest?

Powietrze przecina przeciągły, wysoki, żałobny odgłos. Urywa się i zaraz rozlega ponownie, z nową siłą, przeobrażając się w ostry, zwierzęcy krzyk.

– To Alice!

Ann wybiega z kuchni, z pośpiechu po drodze przewracając krzesło. Słyszą tupotanie jej kroków na schodach, a potem, jak zaczyna się dobijać do łazienki.

– Alice! Wpuść mnie! Otwórz drzwi! Alice, proszę!

W tle wciąż słychać krzyk, ledwie ludzki, niepomny niczego.

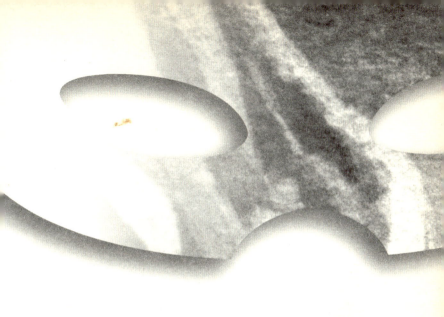

CZĘŚĆ TRZECIA

Alice po raz kolejny zdumiewa się zmienną naturą, pustką, bierną gruboskórnością luster. Kiedy przechodzi z salonu do holu, łapie przelotnie swoje odbicie: ma białą twarz i wielkie oczy jak u przerażonej zjawy. Staje jak wryta przed lustrem i gapi się na siebie z niedowierzaniem. Jej oczy wydają się nienaturalnie jasne, a skóra dookoła nich jest jakby posiniaczona i zapadnięta. Schudła tak, że mocno teraz wystające kości policzkowe nadają jej wyniszczonego, szkieletowatego wyrazu. Dookoła niej mizdrzą się uśmiechnięte złocone cherubinki z ramy.

John na pewno z tysiąc razy oglądał się w tym lustrze – kiedy wychodził rano z domu, kiedy wchodził na górę tak jak ona teraz. Gdzieś w tych szklanych głębinach musi być zaklęty jego obraz. Dlaczego więc, kiedy bardziej niż czegokolwiek na świecie pragnie go zobaczyć, choćby tylko przez ułamek sekundy, ono nie chce ofiarować nic więcej prócz jej własnej, pozbawionej wszelkiego wyrazu twarzy? W bardziej przygnębiających chwilach wyobraża sobie, że on stoi tuż za tym lustrem, z twarzą przyciśniętą do jego powierzchni, i przygląda się, jak ona przechodzi pod nim, nie widząc go, opłakując go, i choćby nie wiadomo z jaką siłą walił pięściami w szklaną taflę, nie jest w stanie sprawić, by ona go usłyszała.

Odwraca się i wchodzi na górę. Jest upalny, bezwietrzny dzień; w powietrzu wisi zapowiedź burzy. Z oddali dobiega ją pomruk samochodów powoli przetaczających się po Camden Road.

Na górze, na łóżku śpi zwinięty w ciasną kulkę Lucyfer, z ogonem przyciśniętym do pyszczka. Alice przejeżdża dłonią po jego ciepłym futrze i kot wydaje senny, niezrozumiały dźwięk, dając do zrozumienia, że zauważył jej obecność.

Robi dwa głębokie, drżące wdechy, czując, że zaczynają się po niej przetaczać znajome, mdlące fale smutku. Pierwsze łzy kapią na kocie futro, zanim układa się na łóżku obok niego. Zwierzę uchyla szczeliny zielonych oczu i przygląda się, jak ona płacze z palcami przyciśniętymi do ust. Łóżko się trzęsie. Alice wyciąga spod poduszki koszulkę Johna, która wciąż nim pachnie, i przyciska ją sobie do twarzy.

Pewna nauczycielka angielskiego w szkole powiedziała jej kiedyś: „Alice, mam nadzieję, że nigdy się tego nie dowiesz: złamane serce boli fizycznie". Nic, czego kiedykolwiek doświadczyła, nie przygotowało jej na taki ból. Praktycznie cały czas ma wrażenie, że jej serce jest nasiąknięte wodą i że jej klatka piersiowa, ręce, plecy, skronie, nogi bolą ją w tępy, uporczywy sposób: jednak w chwilach takich jak ta niedowierzanie i przerażająca nieodwracalność tego, co się stało, obezwładniają ją bólem tak ogromnym, że często całymi dniami nie odzywa się do nikogo.

Jakiś czas później wstaje i zaczyna się krzątać po pokoju, wykonując różne drobne czynności wokół siebie: wyciera łzy, uprząta zużyte chusteczki, które lądują w koszu z towarzyszeniem mokrego pacnięcia, upija łyk wody, połyka tabletkę paracetamolu, zapala lampkę oliwną i wygładza kołdrę, pieczołowicie chowając koszulkę Johna pod poduszkę. Napuszcza wody do wanny, a kiedy już leży w kłębach pary, jeszcze chwilę płacze. Weekendy są najgorsze: długie grudy czasu tylko dla niej samej. Jego śmierć sprawiła, że wszystko inne jest nieważne, więc wszystko, czym próbuje zapełnić sobie czas – książki, filmy, spotkania z ludźmi – wydaje się trywialne, pozbawione sensu.

Wyciera się powoli grubym ręcznikiem. Jej skóra wydaje się sucha i spierzchła, jakby wszystkie te łzy, które wylała podczas ostatnich czterech miesięcy, całkiem ją wyjałowiły. Ubrana w szlafrok, schodzi do kuchni i robi sobie kanapkę. Je na stojąco, wciąż nie mając siły, by zjeść samotnie przy stole, zmuszając się do przełykania kawałów chleba, który smakuje popiołem. W domu panuje absolutna cisza, wyjąwszy odgłos jej przeżuwania. Chce umrzeć.

Ben stał samotnie pod kasą biletową, zerkając na zegarek przeciętnie raz na trzy minuty. Nie spoglądał na czerwony cyfrowy zegar przy tablicy, nie całkiem mu ufał – wiedział, że jego zegarek jest dokładny. Nakręcał go codziennie; to była pierwsza poranna czynność. Przepuścili już dwa pociągi i nie chciał przepuścić również tego, nie chciał spędzać jeszcze jednej nocy w tym mieście. Chciał być znów w domu, chciał, żeby jego córka była z nimi, żeby spała na górze w swoim dawnym pokoju, z dala od tego miejsca. A oczywiście najbardziej z wszystkiego chciał, przypomniał to sobie, żeby to się nigdy nie zdarzyło.

Zobaczył Ann idącą szybko przez halę dworca, więc wyprostował się, wyciągnął rękę, zaczął machać.

– Ann! Tutaj!

Oblizał wargi, miał wrażenie, że są spękane. Nie uśmiechnęła się, kiedy podeszła do niego. Przyjrzał się badawczo jej twarzy, wbrew sobie ciekaw, jak to jest, gdy trzeba identyfikować czyjeś ciało. Ann uparła się, że ona to zrobi – Alice nie jest w odpowiednim stanie, by to zrobić, powiedziała mu podczas krótkiej narady, którą tego ranka odbyli szeptem w korytarzu w domu Alice. Rachel też się zaoferowała, ale Ann powiedziała, że nie, ona to zrobi. Rachel nie sprzeczała się i Ben też nie. Jak to się odbyło, chciał spytać. Czy to na pewno, absolutnie na pewno był on? Nie zaszła jakaś pomyłka? Dlaczego tyle to trwało i jak... jak on... jak, w imię boże, on wyglądał?

Ann ujęła go pod łokieć, a potem jakby go ignorowała, popatrując po sobie, obracając się i oglądając przez ramię.

– Gdzie Alice? – spytała napastliwym tonem. Pod jej okiem cały czas drżał jeden z mięśni. Ben przyglądał się temu z fascynacją.

– Jak było? – spytał, kładąc dłoń na jej ramieniu. Czy było okropnie, chciał powiedzieć. Tak ci współczuję. Strząsnęła jego rękę.

– Gdzie Alice? – powtórzyła.

Ben wzruszył ramionami.

– Chyba poszła do stoiska z prasą.

– Rany boskie! – eksplodowała jego żona. – Jak mogłeś być taki głupi?

Znaleźli ją stojącą przed stoiskiem, z dłońmi przy twarzy. Ludzie wymijali ją całymi hordami, niektórzy przyglądali jej się z ciekawością. Na pierwszych stronach wszystkich gazet znajdowało się zdjęcie budynku, w którym podłożono bombę, i nagłówki wydrukowane tłustymi, czarnymi literami: „Ciała znalezione w ruinach". „Znaleziono śmiertelną ofiarę wybuchu we wschodnim Londynie".

Oboje wzięli ją za ręce i poprowadzili między sobą do podstawionego już pociągu.

C o się robi z miłością do kogoś, kogo już nie ma? Co robić z taką zbyteczną miłością? Należy ją zwalczać? Ignorować? Oddać komuś innemu?

Nie miałam przedtem pojęcia, że można myśleć o kimś bez przerwy, że ktoś może wiecznie skakać po twoich myślach jak jakiś akrobata. Wszystko inne stanowiło niemiłe oderwanie od tego, o czym chciałam myśleć.

Wiedziałam, że powinnam uprzątnąć jego rzeczy. Nie mogłam znieść żadnych przedmiotów, których dotykało jego ciało. Komputer i faks dałam jego znajomym. Przyczłapało dwóch takich, byli ogromni, misiowaci, wzięli pudła i wynieśli je do samochodu, zatrzasnęli nad nimi klapę bagażnika. Wyraźnie czuli, że powinni zostać chwilę, tak więc usiedli ze mną przy kuchennym stole i pochłaniali gwałtownymi haustami gorącą herbatę, zadając mi ostrożne pytania, unikając tematu Johna. A gdy już był czas się rozstać, wstali z niejaką ulgą.

Po drodze z domu do stacji metra mijałam sklepy organizacji dobroczynnych i stale zbroiłam się wewnętrznie, by odnieść tam ubrania. Był nawet taki jeden weekend, kiedy z rozmysłem otwarłam drzwi naszej szafy, planując, że przekażę wszystko do filii Oxfam przy Camden High Street. Wystarczyło jednak, że zaciągnęłam się jego zapachem, który wylał się z fałd i splotów tkanin, i już wiedziałam, że nigdy nie będę w stanie tego zrobić. Nigdy przedtem nie myślałam o tych sklepach z darami w taki sposób: że muszą być pełne wycieków tragedii i straty.

Rachel przetrząsnęła swoją torbę, szukając kremu do opalania.

– Alice. – Trąciła nieruchomy kształt leżący u jej boku. – Alice!

Alice usiadła, nasadzając okulary na czubek głowy.

– Co?

– Posmaruj się tym, bo jeszcze się usmażysz.

Rachel przyglądała się, jak Alice wyciska odrobinę kremu na dłoń i rozsmarowuje go drugą dłonią na ramionach. Siedziały w przerośniętej trawie na Parliament Hill. Był to ten pierwszy dzień w roku, kiedy słońce wreszcie przygrzało na dobre. Nad nimi na tle błękitnego nieba krążyły i krzyżowały się latawce puszczane przez fanatyków tego sportu, których przyciągnęły na to wzgórze przecinające się wiatry.

– Opowiedz no, jak ty się czujesz – powiedziała Rachel.

– Świetnie. – Alice nie patrzyła jej w oczy, tylko bawiła się nakrętką od tubki z kremem.

Rachel wyrwała jej nakrętkę z ręki.

– Nie rób mnie w konia, Raikes. Świetnie? Jak możesz czuć się świetnie? Wyglądasz, jakbyś nie spała od miesiąca, i ważysz pewnie nie więcej jak czterdzieści pięć kilo.

Alice westchnęła i nic nie powiedziała. W oddali lśniła tafla otwartego basenu pływackiego.

– Posłuchaj – ciągnęła Rachel – jeśli chcesz mi powiedzieć, że to nie mój interes, albo jeśli chcesz gadać bez końca na temat Johna, albo jeśli masz ochotę sobie pokrzyczeć, to proszę bardzo, nie ma sprawy. Tylko nie wciskaj mi, że czujesz się świetnie.

Alice uśmiechnęła się blado.

– OK. Naprawdę chcesz wiedzieć?

– Naprawdę.

– Czuję się upiornie.

– Jak upiornie?

– Po prostu... upiornie... – Alice uderzyła zwiniętą w pięść dłonią w trawę. – Tęsknię za nim. Tęsknię. Tęsknię. A on odszedł. Nie żyje. Nie potrafię w to uwierzyć. Nie chcę w to uwierzyć. – Urwała. Rachel objęła ją i Alice rozpłakała się w jej ramię. –

Przepraszam — powiedziała w przerwie między kolejnymi spazmami.

— Nie wygłupiaj się.

Alice wyrwała się i usiadła prosto.

— To wszystko to takie... gówno, Rach. Wiem, że z czasem będzie łatwiej, ale teraz to jest takie okropne... wyczerpujące, okrutne i... po prostu nie umiem wyobrazić sobie życia bez niego... Nie mogę spać, bo jego już nie ma, i nie mogę wstać, bo jego już nie ma, i wydaje się, że... nie ma sensu w robieniu czegokolwiek — w ubieraniu się, w chodzeniu do pracy, w trwaniu, w byciu dzielną, ponieważ... jego już nie ma. Jednego dnia był... a potem już go nie było... i to jest takie niesprawiedliwe, takie wredne... A ludzie mówią mi, och, jesteś młoda, uporasz się z tym, poznasz kogoś innego, ale sam pomysł bycia z kimś innym wydaje się po prostu obrzydliwy... To jakaś groteska... bo ja chcę tylko jego, a nie mogę go mieć i już nigdy nie będę mogła... Jestem taka zmęczona, Rach... jestem zmęczona dźwiganiem tego ciężaru. Zawsze byłam taka szczęśliwa, a teraz noszę w piersi ten wielki, przygniatający ciężar smutku... i jestem taka wściekła... taka wściekła, że to był on, a nie ktoś inny... i jestem wściekła na niego... że mnie zostawił... i wiem, że to głupie, ale jestem zła na niego, że nie zabrał tej cholernej gazety ze swojej zakichanej redakcji, jak należało... bo gdyby to zrobił, to teraz by żył... przede wszystkim nie stałby przy tamtym stoisku z prasą... Może nawet leżałby teraz na tym kocu, obok nas... i to jest takie nie do wytrzymania... to było wszystko dzieło takiego przypadku i mogło się zdarzyć każdemu, a tymczasem zdarzyło się jemu...

Alice urwała, słysząc odgłos czyichś kroków świszczących w trawie. Pospiesznie wytarła twarz dłońmi. Obok nich przeszła kobieta z dziewczynką: dziecko szło uwieszone u jej ręki i stale się na nie oglądało.

— Mamusiu, a dlaczego ta pani płacze? — doleciał je czysty, cienki głosik małej.

Matka przyciągnęła ją do siebie i poszeptała coś do ucha.

– Ale dlaczego? – dopytywała się dziewczynka.

Matka wzięła ją na ręce i poniosła dalej; drobna, jasnowłosa główka kołysała się ponad jej ramieniem. Alice przyglądała się im z obwisłymi ramionami, kompletnie opadła z sił po swoim wybuchu.

– I jest jeszcze jedno – powiedziała tępym głosem.

– Co?

– John chciał mieć dziecko. Stale rzucał jakieś aluzje na ten temat, a w końcu zdobył się i powiedział to wyraźnie. Roześmiałam się i oświadczyłam, nie ma mowy, koleś... Był rozczarowany, ale starał się tego nie okazać... Później jeszcze o tym porozmawialiśmy szczerze i obiecałam, że może za rok czy jakoś tak, ale tylko go w ten sposób zbywałam, bo wcale nie chciałam... a potem on umarł... i widzisz, teraz pragnę tego dziecka tak strasznie, że nie mogę tego wytrzymać... czasami wydaje mi się, że opłakuję to dziecko tak samo jak jego... Byłam taka głupia, taka niewiarygodnie, idiotycznie, samolubnie głupia... bo gdybym je urodziła... to miałabym je teraz... miałabym po nim coś trwałego... miałabym dziecko Johna na zawsze... a tymczasem nie mam ani dziecka, ani jego i obijam się zupełnie sama po tym pustym domu.

– Nigdy mi nie mówiłaś, że chcesz mieć dziecko.

– No bo nie chciałam. Nie wtedy. Nie miałam najmniejszej ochoty. Wręcz przeciwnie. Zawsze tak mi się wydawało, że kiedyś tam będziemy je mieli, ale możemy to jeszcze odłożyć, zastanawiać się nad tym w nieskończoność, bo przecież jest jeszcze przed nami cały czas tego świata...

Alice umilkła i objęła głowę dłońmi. Rachel odczekała, aż to jednostajne kapanie łez ucichnie wreszcie. Tuż nad ich głowami wciąż pikowały i szybowały w górę latawce.

– Coś jeszcze?

Alice wytarła nos.

– Strasznie przepraszam.

– Za co?

– Że tak biadolę.

Rachel klepnęła ją delikatnie po nodze.

— Tak, jesteś taka nudna z tymi swoimi trywialnymi problemami. Posłuchaj, nawet nie waż mi się sugerować, że nie powinnaś mi mówić tych rzeczy. Chcę jakoś pomóc, rozumiesz?

Alice przytaknęła.

— Dzięki. Jesteś dla mnie taka dobra.

— Och, cicho bądź i nie kadź mi tu. Gdzie to wino, które przyniosłaś?

Alice ścisnęła butelkę kolanami i wyciągnęła korek. Wyskoczył z głośnym hukiem. Dwaj fanatycy puszczania latawców odwrócili się z dezaprobatą.

— Na zdrowie! — krzyknęła Rachel wyzywającym tonem. Pospiesznie się odwrócili. Rachel spojrzała na Alice. — Wyobrażasz sobie, jak by to było chodzić z kimś, kto spędza całe weekendy tutaj, uganiając się ze sznurkiem w ręku?

— Ciii — Alice uśmiechnęła się — jeszcze cię usłyszą. W każdym razie puszczanie latawców to całkiem fajna zabawa. Powinnaś spróbować.

— Nie mów mi, że też to uprawiasz. Nie chcę wiedzieć.

— Uprawiałam. John podarował mi latawiec.

— Alice, przepraszam, nie chciałam...

— No coś ty. Ten latawiec wisiał... to znaczy dalej wisi przy frontowych drzwiach, o ile wiem... Jest mały, czerwony, z dwoma sznurkami. Czasami chodziliśmy go razem puszczać. Uwielbiałam to, choć nie byłam w tym dobra. Za bardzo się podniecałam i nie umiałam skupić jak trzeba, ale uczucie jest niesamowite. Naprawdę cię uskrzydla.

Rachel położyła się na brzuchu i zapaliła papierosa.

— No cóż, wierzę ci na słowo. — Spojrzała na Alice. — Hej, może właśnie tego ci trzeba.

— Czego?

— Odrobiny uskrzydlenia. Może znowu powinnaś puścić swój latawiec.

Alice potrząsnęła głową.

— Nie, raczej nie.

– Dlaczego nie?

– Nie mogłabym robić tego bez niego, nie wyobrażam sobie jak.

– Jestem pewna, że poradziłabyś sobie. To by ci na pewno dobrze zrobiło.

– Są rzeczy, których nie da się robić w pojedynkę, Rach, tak jak na przykład puszczanie latawców. Ktoś powinien stać obok i podrzucać je w powietrze, a ciebie nie chciałabym na to narażać. Wiem, że ty byś od tego oszalała. – Alice podała jej szklankę z winem. – Za co wypijemy?

Rachel podniosła szklankę do góry.

– Za Johna.

Przed tym często się zastanawiałam, jak długo będę żyła. Myślałam, że może w wieku lat trzydziestu złapię jakąś straszną chorobę i umrę. Albo że trafi mnie piorun, zanim skończę czterdzieści pięć lat, że przytrafi mi się katastrofa lotnicza albo kraksa samochodowa, że stanę się przypadkową ofiarą jakiegoś szaleńca.

Niemniej, biorąc choroby, pioruny i szaleńców na bok, realistycznie myśląc, mogłam dożyć siedemdziesięciu albo i osiemdziesięciu lat. Albo nawet jeszcze więcej. Nie potrafiłam uwierzyć, że będę żyła jeszcze tyle czasu. Nie ogarniałam ich rozumowo – tych pięćdziesięciu lat z okładem wlokących się przede mną, lat, które będę musiała przeżyć bez ciebie. Czym miałabym je wypełnić? To mi się wydawało takie okrutne, że jestem taka zdrowa, taka żywa, taka najwyraźniej niezniszczalna, gdy tymczasem twoje życie zostało z taką łatwością przerwane, i to za sprawą ślepego trafu.

Intrygowały mnie te kobiety z minionych stuleci, które umierały z powodu złamanego serca, które kładły się do łóżek i zwyczajnie gasły. Tego właśnie pragnęłam najbardziej: położyć się i pozwolić, by wyciekło ze mnie życie. I kiedy co rano otwierałam oczy i czułam, jak ono krąży po moim wnętrzu niczym sok w tkankach drzewa, nie potrafiłam uwierzyć – w tę żywotność, w tę niezaprzeczalną moc istnienia. W bicie mojego serca, w pracę płuc, w zesztywnienie mięśni, które nakazywały mi, wbrew wszystkiemu, wstać, użyć nóg, rozprostować ręce.

I nawet teraz, po tym, jak wpadłam pod samochód – rozpędzony, dwutonowy młot ze stali, chromu i hartowanego szkła – moje ciało wciąż czepia się życia, a ja sama czuję się jak Persefona, tak trwając w zawieszeniu między dwoma stanami. Nie umiem powiedzieć, który z nich wolę. Śmierć wydaje mi się czymś trudnym i nieuchwytnym.

B eth nie bardzo potrafi połączyć Alice, osobę, którą widziała zaledwie dwa dni wcześniej, z tą nieruchomą lalką naturalnej wielkości, która spoczywa na łóżku. Jej skóra wydaje się woskowa, nierzeczywista. Na studiach medycznych cały czas im to powtarzają: nie angażuj się w związek emocjonalny z pacjentem, myśl o takim jako o komplecie objawów. Tylko jak to stosować, gdy pacjentem jest twoja własna siostra?

W szpitalu wszędzie unosi się mdląca woń środka odkażającego i podgrzewanego jedzenia – to zapach, do którego będzie musiała przywyknąć. Rodzice siedzą obok siebie na jedynych dwóch krzesłach w pokoju. Spierają się, gdzie będą jeść tego wieczoru: matka nie zniesie więcej jedzenia w szpitalnym bufecie. Ben mówi, że się z nią zgadza, ale nie wie, dokąd można pójść w Londynie.

– Może kogoś spytamy, czy poleciłby nam jakiś lokal w okolicy? – proponuje Beth.

Przerywają dyskusję i patrzą na nią, jakby zdziwieni, że mogła wpaść na jakiś dobry pomysł.

– Tak, ale kogo? – pyta Ann.

– No na przykład tę pielęgniarkę – odpowiada

– Którą?

– Tę wysoką.

– Aha. To znaczy tę młodszą.

– Tę młodszą z tlenionymi włosami? Myślisz, że będzie wiedziała? Nie byłabym taka tego pewna, Ben.

Beth spogląda z góry na Alice, obłapia jej nadgarstek palcami, wyczuwa puls. Czytała kiedyś, że ludzie pogrążeni w śpiączce są często świadomi tego, co się przy nich mówi i robi. Co Alice pomyślałaby, gdyby usłyszała, co się tu teraz dzieje? Pogoniłaby ich, żeby się pospieszyli i podjęli wreszcie jakąś decyzję, że zdechnąć można, przecież to nie jest takie ważne.

– Alice? – szepcze Beth. – Słyszysz ich? Kłócą się na temat wyjścia do restauracji.

Czy Alice ich słyszy? Jej twarz jest pozbawiona wszelkiego wyrazu. Wygląda, jakby już umarła, myśli Beth, Alice przypomina trupa. Beth widywała już zmarłych, a nawet rozcinała ich ciała skalpelem, jakby to był uchwyt zamka błyskawicznego przebiegającego przez ich skórę; wkładała dłonie do tych ciał, a któregoś razu wyjmowała nawet serce z ciała trzydziestojednoletniego mężczyzny, które okazało się ciężkie, i potrzebowała do tego obu rąk. Alice wydaje jej się martwa, ale Beth wie, że to niemożliwe, bo sama widzi poruszający się wentylator i wykres na monitorze od EKG, na którym zielona elektroniczna kreska odnotowuje skurcze jej serca. A jednak Alice ma ten bezkrwisty, woskowy wygląd, który Beth zdążyła już poznać. Zauważa go i czuje uderzenie fali rozpaczy podszytej paniką. Czuje, że miałaby ochotę potrząsnąć tym ciałem, które leży przed nią na łóżku.

– Nigdy nie lubiłam meksykańskiej kuchni – mówi jej matka – wiesz przecież.

Beth odwraca się, bo za jej plecami otwierają się drzwi. Rodzice milczą. Na progu stoi jakiś lekarz o lekko niechlujnym wyglądzie, z długopisem zatkniętym za uchem.

– Dzień dobry – mówi. – Jakie dzisiaj nastroje?

– Dzień dobry – odpowiada mu Ben. – Dobre. To moja najmłodsza córka, Beth.

Lekarz wchodzi do środka bardzo powoli, staje obok łóżka i przez długi czas przygląda się twarzy Alice. Potem odwraca się i patrzy na Beth. Ma około trzydziestu pięciu lat, a może nawet mniej, i ciemne sińce pod oczami.

– Beth – powtarza z namysłem. – Studentka medycyny, prawda?

Beth zauważa, że on ujmuje dłoń Alice jakoś tak zbyt intymnie, i ma ochotę wyrwać mu tę dłoń. Jak on śmie dotykać jej siostrę? Alice znienawidziłaby tego człowieka, nazwałaby go szarlatanem i erotomanem, nie chciałaby mieć z nim nic wspólnego. Beth patrzy na niego, ponad ciałem Alice, i przemawia tonem wyniosłej nauczycielki:

— Zgadza się. A pan to...

Mężczyzna tylko przytakuje. Ben podchodzi do nich ociężale.

— To doktor Colman, Beth. Sprawuje opiekę nad Alice.

Doktor Colman wyciąga dłoń w jej stronę.

— Mam na imię Mike.

Beth wychodzi z toalety i lawiruje między stolikami w szpitalnym bufecie, w stronę tego, przy którym siedzą jej rodzice, i pada na krzesło naprzeciwko nich. W końcu zdecydowali się mimo wszystko zjeść tutaj. W pomieszczeniu nie ma nikogo z wyjątkiem kobiety w zielonym fartuchu za oszkloną ladą oraz kilku lekarzy rozmawiających ściszonymi głosami nad tacą z jedzeniem, którego żaden z nich nie tyka. Ojciec nalewa jej herbatę z lekko zdeformowanego dzbanka z nierdzewnej stali.

— O co chodzi z tym Mikiem? — pyta Beth.

— Nie rozumiem?

— Jest w niej zakochany czy co? Typowe dla Alice: ludzie się w niej zakochują, mimo drobnego szczegółu, że jest pogrążona w śpiączce.

— Nie gadaj głupot, Beth. — Ann wydyma wargi i upija łyk stygnącej herbaty. — To przecież lekarz. Po prostu wykonuje swoją pracę.

— Wiele wykładów straciłaś? — pyta Ben, wyraźnie próbując zmienić temat.

Beth dolewa sobie mleka do herbaty i miesza ją plastikową łyżeczką.

— Kilka. Rozmawiałam wczoraj z panią dziekan, po tym jak przyszedł po mnie Neil. Powiedziała, że mam wziąć wolne na tak długo, jak będę potrzebowała.

— To miło z jej strony.

— Tak, chyba tak.

Ben ściska dłoń córki.

— Ona wyjdzie z tego — zapewnia.

— Wierzysz w to? — Beth podnosi wzrok na ojca.

— Tak, wierzę.

Beth upija duży łyk herbaty. Ma tępy smak, była zbyt długo parzona.

Ben wstaje.

— Zadzwonię po taksówkę i zaraz pojedziemy do domu — mówi. — Wyglądasz na bardzo zmęczoną, Beth. Rozłożyłem dla ciebie łóżko polowe.

Beth przygląda się, jak ojciec idzie przez pomieszczenie w stronę szeregu aparatów telefonicznych. Ann wyciąga z torebki papierosa i wydaje się szukać zapalniczki.

— Mamo, nie rób tego. — Beth wskazuje tabliczkę. — Tu się nie pali.

— Ach tak. — Ann mnie papierosa, po czym rzuca go ukradkiem pod krzesło. — Zapomniałam.

Beth spodziewa się, że zaraz zacznie szukać po omacku tego papierosa pod swoimi stopami, ale ona wspiera się o stół, patrząc Beth prosto w twarz.

— Beth, opowiedz mi o przyjeździe Alice do Edynburga.

— Tak naprawdę to nie ma tu wiele do opowiadania — mówi Beth, wstrząśnięta nagłą natarczywością matki. — Przyjechała i zaraz potem wyjechała.

— Czy ona... Czy wydawała się... zdenerwowana, kiedy wyjeżdżała, jak myślisz?

— Mhm... Tak. Chyba była zdenerwowana.

— A wiesz może, co ją zdenerwowało?

— Nie. Nic nie wiem. Razem z Kirsty próbowałyśmy się czegoś dowiedzieć. Wstała, żeby iść do toalety, nie było jej jakieś pięć minut, a potem, kiedy wróciła, była jakaś dziwna i jakby daleka.

— Do toalety? — powtarza Ann. — Poszła do toalety? Której?

– O Boże, mamo, nie wiem. Chyba do tej wielkiej. – Beth mocno się zastanawia. – Właściwie to jestem pewna, że była w tej największej, bo spytała nas, czy mamy drobne.

– Drobne?

– Tak. Trzeba mieć monetę dwudziestopensową, żeby tam wejść.

– Która to była godzina? – Ann już na nią nie patrzy, tylko wyciąga szyję, oglądając się na Bena. Ben rozmawia przez telefon, z ręką przyciśniętą do drugiego ucha.

– Dlaczego mnie o to wszystko wypytujesz?

– A jak ci się wydaje? – mówi Ann prawie szeptem. – Bo chcę wiedzieć. Po prostu powiedz mi, Beth. Która to była?

– Myślę... zaraz... Pociąg Alice przyjechał około jedenastej. Więc to mogło być... nie wiem... piętnaście, może dwadzieścia po.

– Dwadzieścia po jedenastej? Jesteś pewna?

– Tak – mówi Beth. – Ale co to ma wspólnego z czymkolwiek?

– O, jest twój ojciec – oznajmia Ann głośnym głosem.

Ben idzie w ich stronę długimi krokami, pobrzękując drobnymi w kieszeni spodni.

W ciąż nie potrafię uwierzyć, że cię nie ma. Przed tym zwykłam się budzić i zastanawiać przez ułamek sekundy, dlaczego na mojej piersi gnieździ się ten ciężar smutku i dlaczego moja poduszka jest mokra. Zapominałam, bo to mi się wydawało takie absurdalne, żyć bez ciebie. Absurdalne.

Ale ty naprawdę umarłeś. I to bez żadnego powodu.

Kilka dni po tym, jak umarłeś, gazety zamieściły fotografię człowieka, który podłożył bombę. Bombę, która cię zabiła. On też zginął; był młody, młodszy od ciebie. Moja rodzina robiła wszystko, żebym w tym czasie nie czytała gazet, ale ja zobaczyłam tę fotografię i wiesz co? Wcale go nie znienawidziłam. Pragnęłam pójść do jego matki i ojca, zapytać: jak się czujecie, czy czujecie się tak jak ja, powiedzcie, jak się czujecie?

W którymś momencie posadzono mi Annie na kolanach. Jestem zdumiona. Nie pamiętam, kiedy to się stało. Pewnie Kirsty to zrobiła. Obracam głowę w prawo. Kirsty też siedzi na tylnym siedzeniu, z twarzą zwróconą ku oknu; między nami siedzi ojciec. Prowadzi matka, ściska kierownicę upierścienionymi dłońmi. Nie znosi prowadzić po Londynie. Beth siedzi obok niej. Zastanawiam się mętnie, gdzie jest Neil. Jestem przekonana, że widziałam go wcześniej, razem z młodszym dzieckiem, Jamiem.

Duszę się z gorąca. Jestem dziwacznie ubrana. Rano wzięłam kąpiel, a kiedy wyszłam z łazienki, matka stała przy oknie i gniewnymi ruchami ręki odrywała metki od nowej spódniczki i marynarki, mamrocząc pod nosem: „Skoro się wybierasz na spotkanie z tymi sukinsynami, to ja już dopilnuję, żebyś wyglądała jak należy". Garsonka jest z czarnej, dzianej wełny, od której swędzi mnie skóra; rękawy marynarki są przykrótkie, a spódnica kończy się bezsensownie w połowie łydki. Przy kolanach jest za ciasna i muszę drobić w niej małymi kroczkami. Czuję się stara w tym ubraniu.

Pochylam się, dotykając głową główki Annie, i kilkakrotnie przekręcam klamkę okna. Szyba zjeżdża w dół, dygocząc nieznacznie, i przez powstałą szczelinę wlatuje podmuch lodowatego powietrza. Annie sztywnieje w moich ramionach, jej niebieskie oczy o migdałowym kształcie otwierają się szeroko. Przyglądam się, jak wyciąga rękę w górę i wsuwa małe, giętkie paluszki w szczelinę. Natychmiast je wyciąga i przyciska dłoń do piersi. Otulam jej palce swoimi.

– Zimno ci się zrobiło? – pytam ją.

Nagle wszyscy w samochodzie obracają się w moją stronę. „Co powiedziałaś?", „Co to było?", „Możesz powtórzyć?", „Słucham?", „Mówiłaś coś?" – mówią jedno przez drugie.

Patrzę na Annie. Jej włosy, wyrastające wiotkimi kosmykami z delikatnej skóry, są tak jasne, że wyglądają jak utkane z surowego jedwabiu. Przez jej czoło biegną wykresy z niebieskich żyłek. Nie pamiętam, kiedy po raz ostatni słyszałam własny głos. Chrząkam tytułem próby, ale zaraz zaciskam usta. Udzielam sobie zgody na wymówienie jego imienia w myślach: John. Próbuję jeszcze raz: on nie żyje.

Annie omiata wzrokiem ulice, przez które przejeżdżamy. Nagle znów podnosi rękę, jej gibkie, jędrne ciałko całe napina się z wysiłku. Kiedy celuje w coś palcem, we wszystkich stawach dłoni tworzą się dołki.

– Jesiek! – wykrzykuje z uwagą, oglądając się na mnie w poszukiwaniu potwierdzenia.

Chwila milczenia.

– Ona mówi „piesek" – wyjaśnia Kirsty. – Widzi tam gdzieś psa.

Wyglądam przez okno. W odległości nawet nie trzech stóp od nas idzie po chodniku jakaś para. Mężczyzna wsunął dłoń do kieszeni dżinsów kobiety, ale ona jest zła. Jej twarz zwrócona ku niemu jest wykrzywiona; wybucha krótkimi, pełnymi emfazy zdaniami, bardzo przy tym wymownie podrygując, przez co umocowana do niej za pośrednictwem kieszeni w dżinsach ręka pląsa jak u marionetki. Obok drepcze, niepomny ich gniewu, brązowy, kudłaty pies z czerwoną smyczą w pysku.

Samochód rusza. Wyciągam szyję i oglądam się na nich; my skręcamy za róg, a oni dalej się kłócą. Przystanęli, on wyjął rękę z jej kieszeni. Znikają nam z widoku. Annie obróciła się i dociekliwie mi się przygląda. Nie widuje mnie często. Przyciska czubek wskazującego palca do mojego podbródka. Natrafia na niego jedna z moich łez, która teraz ścieka po tym palcu, po jej ręce, wpada do rękawa. Annie odrywa dłoń od mojej twarzy i zagląda ze zdziwieniem do rękawa.

Samochód się zatrzymuje i wszyscy wysiadają. Zwalniam blokadę drzwi i przytulam Annie. Niezdarnie uginam kolana i wysiadam bardzo pomału, żeby nie uderzyć jej głową o drzwi. Zauważam nagłe poruszenie wśród ludzi stojących na chodniku i słyszę stłumiony odgłos stóp uderzających o asfalt, spieszących w moją stronę. Zewsząd osaczają mnie kłębiący się ludzie, kanonada pytań, oślepiające rozbłyski fleszy.

— Pani Friedmann, jak pani skomentuje śmierć swojego męża?

— Czy to prawda, że John był skłócony z rodziną?

— Pani Friedmann, ma pani jakieś przesłanie dla tych, którzy podłożyli bombę?

— Alice, czy to pani dziecko? Czy to dziecko Johna Friedmanna?

— Alice, zechce pani spojrzeć w tę stronę?

Ochraniam dłonią główkę Annie. Ściska silnie kołnierzyk mojej bluzki, przez co mam wrażenie, że zaraz się uduszę, i jej coraz głośniejszy krzyk wdziera mi się do uszu. Potem ktoś — jakiś znajomy Johna z jego gazety, który pojawił się nagle nie wiadomo skąd — przepycha się między tymi ludźmi i pociąga mnie do przodu, ściskając za ramię. Potem przechodzimy przez jakieś drzwi i obok mnie jest Beth, za to Annie zostaje mi zabrana i za rękę trzyma mnie ojciec. Robi się nagle bardzo cicho.

Szok na widok trumny. On tam jest w środku, mówię sobie w myślach, pod tym drewnem ukryte jest jego ciało. Muszę – czuję, że to strasznie ważne – przyjrzeć jej się z bliska, przejechać po niej dłonią, pogładzić słoje drewna liniami papilarnymi mojej dłoni. Idę w jej stronę i widzę teraz wielkie mosiężne śruby o szerokich przekrojach, którymi zamocowane jest wieko. Czuję duszący ucisk w piersi. Wyobrażam sobie śrubokręt, którego bym potrzebowała, żeby je odkręcić, i jestem już coraz bliżej, tak blisko; trzymam rękę w pogotowiu i już prawie jej dotykam, kiedy czuję, że coś mnie odciąga za drugą rękę. Patrzę zdumiona i widzę mojego ojca; to on mnie trzyma.

– Tędy, Alice – mówi do mnie. – Chodź, usiądź.

Kiedy...

– No chodź – mówi łagodnie.

Jestem tak blisko. Jeszcze dwa kroki i mogłabym przycisnąć dłoń. Czy jest gładka? Ciepła w dotyku? Mogłabym przytulić do niej policzek? Oglądam się na ojca. Nie byłoby trudno wyrwać się z jego uścisku i zrobić te dwa kroki. Za nim widzę moją rodzinę; siedzą w przednim rzędzie, patrzą na mnie z niepokojem. Neil też tu jest, z Jamiem na rękach. A za nimi morze twarzy, tylu twarzy – to John znał aż tylu ludzi? – wszyscy gapią się na mnie, choć starają się tego nie robić, i nagle przychodzi mi do głowy, że wśród tych ludzi musi być gdzieś ojciec Johna. Pozwalam ojcu doprowadzić się do krzesła, siadam między moimi rodzicami. Może dadzą mi dotknąć ją później.

Wsłuchuję się w rytm własnego oddechu, płuca wchłaniają powietrze i zaraz potem wydmuchują je z powrotem do atmosfery. W mojej wyobraźni to powietrze wnika do mego wnętrza niczym światło do mrocznej przestrzeni. A potem, nim zdążam się powstrzymać, stwierdzam, że moje myśli mkną znajomym torem: jak tu oddychać, kiedy zamiast powietrza wdychasz sam pył i zastarzały dwutlenek węgla? Jak tu oddychać, kiedy przygniatają cię dziesiątki ton betonu i metalu? Umarł od razu czy przeżył i był świadomy jeszcze przez wiele godzin, podczas których walczył o oddech, liczył, że go wyratują? Policjanci nie umieli mi tego powiedzieć. Znów czuję napływ paniki wzbierający gdzieś w okolicy żołądka i muszę mocno się przyglądać osobie stojącej przede mną i skupiać na tym, co ona mówi, by nie krzyczeć.

To Sam, przyjaciel Johna z uniwersytetu, który mówi, mówi i mówi; kiedy zaczyna zdanie, rozkłada ręce na boki, rozcapierzając palce niczym płatki kwiatu, a kiedy kończy zdanie, z powrotem zaciska ręce. Rozpościera i zaciska. Przyglądam mu się, ale go nie słucham, bo nie chcę tego słyszeć, bo to i tak na nic, to i tak go nie wróci i w ogóle nic z tego, co powiedzą ci ludzie, nie zmieni faktu, że on leży w tej skrzyni, i tego, że tak bardzo chcę podejść i jej dotknąć. Słyszę, że Annie coś wykrzykuje, i pomruk Kirsty, żeby była cicho, że już niedługo. Biedna Annie, strasznie się musi nudzić. Potem słyszę, że Sam wymienia moje imię, co przypomina mi skrzypienie igły po zarysowanej płycie gramofonowej, i ogarnia mnie lęk, boję się, że ci ludzie zażyczą sobie, żebym wstała i powiedziała coś, a nie mam pojęcia, co bym wtedy powiedziała, bo niczego nie chcę, tylko przejechać po niej dłonią, wystarczyłby mi tylko jeden raz i byłabym naprawdę dzielna, nie płakałabym, nie zrobiłabym sceny na oczach wszystkich tych ludzi, czyli tego, czego tak obawiają się moi rodzice, wiem o tym. Na oczach jego ojca.

Jego ojciec. Rozglądam się. Chciałabym go zobaczyć. Omiatam wzrokiem kolejne rzędy twarzy. Znam wszystkich tych ludzi. Niektórzy obdarzają mnie lekkimi uśmiechami, inni się kłaniają. Ktoś macha. Nie odwzajemniam się – i czuję się podle, że tak ich ignoruję – ale ja chcę tylko rzucić na niego okiem. Po prostu chcę zobaczyć, kim on jest, i chcę też, żeby spojrzał na mnie i pomyślał: to jest Alice.

Matka szarpie mnie za rękaw i mruczy „Alice" w taki sposób, żebym wiedziała, że mam się odwrócić i siedzieć przyzwoicie, ale jej nie słucham. Po drugiej stronie pomieszczenia, za wąskim przejściem między miejscami, jest grupa ludzi, których nigdy wcześniej nie widziałam. Rodzina Johna. Wiem, że to oni. Jest ich sześcioro, może siedmioro, w tym czterech mężczyzn w ciemnych płaszczach. Dociera do mnie, że szukam kogoś, kto byłby podobny do Johna, że szukam starszej twarzy, która jest odbiciem jego twarzy, ale nie widzę takiej.

Jakaś kobieta z redakcji Johna odczytuje wiersz. Niektórzy ze zgromadzonych zaczynają płakać, a mój ojciec wspiera czoło na dłoni. To zabawna sytuacja, bo kiedyś droczyłam się z Johnem, że moim zdaniem wpadł tej kobiecie w oko. Już mam się znowu obrócić, by popatrzeć na jego rodzinę, kiedy słyszę dziwny elektroniczny warkot. To obracają się małe kółka pod trumną, która zaczyna powoli sunąć w stronę otworu w ścianie, ukrytego za zasłonami. Nikt mnie nie uprzedził, że tak to się odbędzie.

Prostuję się gwałtownie, czuję, że ledwie trzymam się na nogach, ale rodzice natychmiast mnie chwytają i pociągają z powrotem na miejsce.

– Nie! – Walczę z nimi. – Nie, proszę, ja tylko...

Rodzice miażdżą moje dłonie i przyglądam się z krańcowym przerażeniem, jak trumna toczy się w stronę otworu i znika. Wyswobadzam ręce, bo chcę ukryć w nich twarz. Przyciskam dłonie do oczu i nie odrywam ich, bo nie chcę, by jeszcze kiedykolwiek coś zobaczyły.

Rachel obejmuje Alice ramieniem, stoją obok drzwi. Dziesiątki ludzi podchodzą do Alice – całują ją lekko w policzek, podają jej ręce, mówią rzeczy, które ona zapomina już w chwili, gdy opuszczają ich gardła i ulatują w powietrze. Patrzy na ich poruszające się usta, często kiwa głową, ale nic nie mówi. Rachel coś mówi i mówi też coś matka Alice, która stoi gdzieś blisko, ale Alice jej nie widzi. Ktoś wsadza w jej ręce żółty, plastikowy pojemnik.

Patrzy na niego pustym wzrokiem, zaciskając wokół niego dłonie. Rachel podtrzymuje go od spodu; widocznie boi się, że ona go upuści. Na przedzie jest maleńka, srebrna plakietka z pochyłym pismem: „John Daniel Friedmann". Patrzy na tę plakietkę, zastanawiając się, czy może ją oderwać, kiedy ktoś stojący po jej lewej ręce mówi cichym głosem: „Pani to pewnie Alice".

Odwraca się. To jeden z tych mężczyzn w ciemnych płaszczach, wyciąga rękę w jej stronę. Musi przełożyć pojemnik w zagięcie lewego łokcia, by uścisnąć tę rękę. Jest ciepła i mężczyzna ściska jej dłoń dłużej, niż oczekiwała.

– Jestem Nicholas – przedstawia się i dodaje: – Stryj Johna.

– Tak. – Alice ostrożnie wypróbowuje głos. Brzmi nienaturalnie piskliwie i łamie się. Przejeżdża językiem po wargach, robi głęboki wdech. – John opowiadał mi o panu.

– Alice – zaczyna on – my... to znaczy, reszta rodziny... chcemy, żeby pani wiedziała, jak bardzo nam przykro z powodu... tego wszystkiego.

Rachel przytrzymuje ją bardzo mocno. Alice kiwa głową.

– Poza tym – zerka mimowolnie na człowieka stojącego kilka stóp dalej – Daniel chciałby wiedzieć... jeśli pani nie ma nic przeciwko... gdzie je pani rozsieje. – Wskazuje urnę.

Alice ogląda się przez ramię na ojca Johna. Jest niższy, bardziej zwalisty, niż to sobie wyobrażała, ma siwe, bardzo krótko przycięte włosy. Stoi sam, wygląda przez drzwi na tłumy ludzi stojących na zewnątrz na chodniku, przeciąga palcem po powiece powolnym ruchem, wyrażającym zmęczenie i smutek. Dokładnie w tym momencie i tylko w tym jednym kocha go. Naprawdę go kocha. To uczucie, które przypomina obce, wywołujące skurcz rozprostowanie rzadko używanych mięśni. Patrzy nawet na zegarek. O trzeciej cztery po południu kochałam twojego ojca.

Odkręca wieko urny i zagląda do środka. Urna jest wypełniona sypkim, białawym proszkiem. Zanurza czubki palców i rozciera pył. Rozsypuje się, odpada grudkami pod jej dotykiem. Zakręca wieko i wpycha urnę w ręce Nicholasa Friedmanna. Jest zdumiony.

– Jest pani pewna? – pyta.

Ann, która właśnie zmaterializowała się u jej boku, mówi:
– Alice, nie musisz tego robić. Możesz tego później żałować.
Nie musisz tego robić.

Mężczyzna z wahaniem dotyka jej rękawa. Alice kiwa głową, dwa razy. Nicholas idzie w głąb sali i powiedziawszy coś cicho, wręcza urnę ojcu Johna. Ten kołysze ją w dłoniach i podobnie jak Alice wcześniej, odchyla głowę, by przeczytać napis na plakietce. Potem ogląda się na nią. Ich oczy spotykają się, na krótko. Alice stoi tam, zastanawiając się, czy on podejdzie, i wtłacza z powrotem wszystkie te słowa, które podchodzą jej tłumnie do gardła, ale wtedy on odwraca się i tuląc do siebie urnę, wychodzi z sali, prosto na oślepiający blask zimowego słońca.

Ann z początku nienawidziła North Berwick. Nienawidziła. Nienawidziła tego, że gdziekolwiek poszła – do sklepu, na plażę, do parku, do biblioteki – wszyscy wiedzieli dokładnie, kim jest: „Pani to pewnie żona Bena Raikesa" albo „A pani to ta nowa pani Raikes", albo „Pani to chyba jest synową Elspeth". Otulała się szczelnie płaszczem, gładziła palcami brzegi monet w kieszeni, nie wiedząc, jak odpowiadać na te pozdrowienia. Wiedziała, że sama jest z góry skazana na niekorzystną sytuację, bo nie ma pojęcia, kto kim jest, nie mówiąc już o posiadaniu informacji na temat ich i ich rodzin, licząc cztery pokolenia wstecz. Ludzie, których nigdy wcześniej nie spotkała i których nigdy nie chciałaby poznać, zatrzymywali ją bezpardonowo na ulicy i zadawali takie pytania, jakby ją znali: „Jak pani się tu podoba?", „Czy gra pani w golfa?", „A może tak wpadłaby pani na kawkę?", „A tak w ogóle to skąd pani pochodzi?" Nie mogła pozostać niewidzialna. To było tak, jakby chodziła po mieście z wielkim szyldem na plecach. Dla niej to miasteczko, uwięzłe między morzem a płaską monotonią pól, było niczym wilczy dół, na którego dnie kłębiło się od plotek, koterii i ludzi, którzy wyszarpywali z ciebie informacje. I gdzie jej nie lubiano, gdzie uważano ją za zarozumiałą Angielkę – wiedziała o tym, ale nic ją to nie obchodziło.

Dlatego po jakimś czasie przestała wychodzić z domu. Albo wychodziła, ale tylko o zimowym zmierzchu, kiedy mogła iść z pochyloną głową z powodu silnego wiatru, który zawsze wiał przez wąskie przerwy między budynkami z czerwonego piaskowca przy High Street; nikt jej wtedy nie rozpoznawał. Za dnia zostawała sama w domu, który miał być niby jej domem, a jednak sprawiał wrażenie bardziej obcego niż wszystko, co kiedykolwiek poznała. Błąkała się od pokoju do pokoju, z parteru na piętro i z powrotem, zapamiętując, gdzie są niektóre przedmioty; chciała wiedzieć, gdzie co jest, jak i co do siebie przystaje.

Potem urodziła dziecko; wszystko przez jakiś czas wyglądało lepiej i nawet zaczęła częściej wychodzić. Podobała się sobie z wózkiem, który był ciemnogranatowy i miał skrzypiące srebrne kółka. Ludzie zaglądali do niego, zamiast przyglądać się jej. Bo Kirsty miała jasne włosy, różową skórę i uśmiechała się. „Taki maleńki aniołeczek", mówili wszyscy i Ann wierzyła, że skoro Kirsty tak im się podoba, to może i ona sama też im się trochę bardziej spodobała. Po raz pierwszy w życiu czuła, że panuje nad wszystkim: miała dziecko, męża i dom, który wprawdzie nie należał do niej, ale teraz, odkąd urodziła dziecko, zdawał się należeć bardziej, a Elspeth była miła i zachęciła ją do pomalowania pokoiku dziecięcego i posadzenia w ogrodzie tylu kwiatów, ile zechce. Czasami widywała przelotnie własne odbicie w szybach wystawowych – w płaszczu, z torbą na zakupy i wózkiem – i myślała sobie: inteligentna, młoda matka, która idzie kupić coś mężowi do herbaty. Jej głos nadal brzmiał wadliwie, wydawał się cudzoziemski, dziwny, kiedy pytała o różne rzeczy w sklepach, ale jakoś teraz to miało jakby mniejsze znaczenie.

To właśnie podczas jednej z tych wypraw, kiedy zapuszczała się coraz to dalej i dalej, weszła do sklepu z antykami. Był tam mężczyzna o ciemnych oczach i długich rzęsach. Ann rozejrzała się po wnętrzu, a kiedy się odwróciła, wyjął Kirsty z wózka, nie pytając o zgodę, i przytulił ją do piersi.

„Mam chłopca prawie w jej wieku", powiedział. Mówił takim samym akcentem jak Ann. Kirsty wydawała się maciupeńka w jego ramionach. A potem urodziła się Alice, która od urodzenia miała czarne oczy i czarne włosy. Ann czuła się przy niej jak negatyw fotograficzny i nie potrafiła jej obwozić po mieście z pełną pewnością siebie. Nie potrafiła znieść cudzych pytań – nawet tych całkiem niewinnych – o to nowe dziecko. Kiedy łapała swoje odbicie, z wózkiem Alice w wystawach sklepowych, nie widziała młodej matki, tylko cudzołożnicę.

Podczas jazdy do domu Alice Ben i Beth siedzą z tyłu taksówki, rozmawiają. Ann opiera głowę o szybę. Zmierzch zapada już coraz wcześniej. Niebawem minie rok od śmierci Johna. Jej oddech osadza się na szybie wspierającej głowę maleńkimi paciorkami wilgoci, które prędko wysychają. W sobotę, o jedenastej dwadzieścia, czy jakoś tam, Alice była w toalecie dworca Waverley.

Jeśli Alice się obudzi, mówi sobie Ann, tajemnica, o której myślałaś, że została spalona, a potem rozsiana na szczycie Law razem z prochami Elspeth, być może wyjdzie na jaw. Może się nie obudzi. Albo właśnie obudzi. Kiedy taksówka mknie przez nocny mrok i na tylnym siedzeniu Beth opowiada Benowi jakąś historyjkę z udziałem psa i kółka do frisbee, Ann wyobraża sobie tę scenę: ona i Ben stojący obok łóżka. Alice porusza się, przeciąga, otwiera oczy. Patrzy na nią, patrzy na Bena, jej wargi się rozchylają i mówi...

Może nic nie powie. Może nic nie widziała. Może zdenerwowała się zupełnie czymś innym i to tylko przypadek, że Ann akurat była tam z...

A nawet jeśli widziała, to czemu miałaby automatycznie uznać, że ten mężczyzna ma cokolwiek wspólnego z jej życiem, oprócz faktu, że ma romans z jej matką?

A jednak Ann wie w głębi serca, że Alice ma talent do natychmiastowego docierania do sedna każdej sytuacji. Podobnie jak jeszcze jeden znajomy jej człowiek. I Ann wie, że jeśli Alice się obudzi, to nie pozwoli, by sprawa przyschła, nie ona. Będzie chciała to z siebie wyrzucić. Prawdopodobnie od razu.

A jeśli się nie obudzi? To co wtedy?

Alice wpada do wagonu metra w momencie, gdy drzwi już się zamykają. Dochodzi południe, sobota, i linia północna jest stosunkowo pusta. Kiedy pociąg rusza już hałaśliwie ze stacji Camden Town, idzie na koniec wagonu i siada naprzeciwko kobiety w średnim wieku, z głową obwiązaną chustką i plastikową torbą pełną dziecięcych zabawek. Alice zostanie w pociągu aż do Kennington, gdzie przejdzie na peron odjazdów w kierunku północnym i złapie pociąg, który zawiezie ją z powrotem do Camden, gdzie prawdopodobnie przejdzie na peron odjazdów w kierunku południowym i powtórzy rytuał.

Te podróże metrem stały się już nawykiem, czymś, do czego nigdy nikomu się nie przyzna. To jedyna rzecz, dzięki której czuje się lepiej – jest w tej anonimowości, w tym usypiającym terkotaniu kół, w tej bezcelowości coś, co ją koi.

Tego dnia w jej głowie wciąż się odtwarza wspomnienie ich ostatniego wspólnego poranka, jakby mu się przyglądała przez wąską szczelinę zootropu. Kiedy się obudziła tego ranka, on już był na nogach i właśnie brał prysznic.

Wtuliła się w to ciepłe miejsce, które pozostawiło jego ciało, i zamknęła się w kokonie kołdry. Wstaję za pięć minut, obiecała sobie. Usłyszała kroki Johna dudniące na schodach, poszczękiwanie naczyń w kuchni. Potem on wszedł z powrotem na górę, otworzył drzwi sypialni i zaczął się skradać po łóżku w stronę jej zwiniętego w kłębek ciała. „Czas wstawać, czas wstawać", zanucił i pocałował ją w kark.

Wrzasnęła, kiedy jego mokre włosy dotknęły jej rozgrzanej od snu skóry.

— Jesteś cały mokry, John.

— Za to zrobiłem ci herbatę — i postawił kubek na nocnym stoliku, po czym wsunął się obok niej pod kołdrę.

Obróciła się wtedy na drugi bok i oboje leżeli przez chwilę, tuląc się do siebie, patrząc sobie w oczy.

— Wiesz, co zaraz powiem? — spytał.

— Tak.

— No więc co powiem?

— Powiesz: Alice, jest ósma.

— Błąd. Powiem: Alice, jest wpół do dziewiątej.

Chwyciła go za rękę.

— Kłamiesz.

Potrząsnął głową, śmiejąc się jednocześnie.

— To podpuszczanie — ciągnęła Alice. — Wredny podstęp, żeby mnie wywlec z łóżka.

— Obawiam się, że nie. — Zadyndał zegarkiem przed jej twarzą.

Odepchnęła się od niego i wyskoczyła z łóżka.

— Jezu, strasznie się spóźnię. I to przez ciebie. Dlaczego nie obudziłeś mnie wcześniej?

John znów się roześmiał, też wstał i zaczął wkładać spodnie, gdy tymczasem ona pobiegła do łazienki.

Kiedy dziesięć minut później zeszła na dół, na stole czekał na nią tost i owsianka.

— Jesteś aniołem — powiedziała do czubka jego głowy wystającego znad gazety. Jadła łapczywie, wciskając gorący tost do ust.

— Jaki będziesz miała dzień? — spytał John, odkładając gazetę.

Skrzywiła się.

— Nie najciekawszy. Czeka nas jeszcze jeden dzień szkolenia na temat nowej bazy danych, którą nam stale obiecują, jak dotąd bez skutku. A ty?

— Nie najgorszy. Po południu robię wywiad w Oslington, ale oprócz tego niewiele. — Ziewnął i przeciągnął się. — Wyjedźmy gdzieś na weekend — zaproponował.

— Dokąd?

– Jeszcze nie wiem. Po prostu mam ochotę wyjechać z Londynu. Może do St Ives?

– St Ives? To nie za daleko jak na weekend?

– Ależ skąd, głuptasie, będzie akurat. Znajdziemy jakiś mały hotelik, będziemy spacerowali nad morzem, odwiedzimy tę nową filię Tate Gallery, cały ranek będziemy się wylegiwali w łóżku.

Wstał i wrzucił swój talerz do ociekacza w zlewie. Kiedy Alice wróciła od rodziców po jego śmierci, ten talerz ciągle tam był, tak jak on go zostawił. Potrzebowała wielu dni, żeby się wreszcie zmusić do jego umycia. Usmarowany margaryną nóż wciąż nosił odciski jego palców.

– Kusisz.

– Ale niestety muszę już iść.

Alice wstała i odprowadziła go do wyjścia. Objął ją ramionami w pasie i pocałował.

– Do zobaczenia wieczorem – szepnął jej do ucha – do widzenia, kochanie. – I potem wyszedł na zewnątrz, pomachał jej jeszcze od furtki.

Zamknęła za nim drzwi i kiedy przechodziła przez salon, widziała go przez frontowe okno, jak szedł z głową pochyloną z powodu zimnego wiatru, zapinając kurtkę. A potem zniknął, niczym aktor opuszczający kadr filmu.

Po jej twarzy cieknę łzy, skapując z podbródka na T-shirt. W wagonie prawie nikogo nie ma, ale i tak nic by jej to nie obeszło. Stara się obetrzeć twarz rękawem, ale już i tak jest mokry.

– Chce pani chusteczkę?

To kobieta w średnim wieku siedząca naprzeciwko, wychylająca się przez przejście między fotelami, z twarzą wykrzywioną współczuciem, podsuwająca otwartą paczkę chusteczek. Alice waha się.

– No weź, kochanie, przecież widzę, że potrzebujesz.

– Dziękuję. – Alice bierze chusteczkę, z nadzieją, że kobieta nie będzie już nic więcej do niej mówić. Wyciera nos i twarz, a potem wpycha chusteczkę do kieszeni dżinsów i znów zerka ukradkiem na kobietę. Cholera, wciąż na nią patrzy.

Kobieta chrząka i znów pochyla się do przodu.

– Płaczesz przez mężczyznę, prawda?

Alice patrzy na nią ze zdumieniem, po czym kiwa głową.

– Tak też się domyślałam. – Kobieta parska z dezaprobatą. – No to powiem ci to za darmo: on nie jest tego wart.

Alice podrywa się z miejsca, podnosząc torebkę z podłogi. On nie żyje, ma ochotę krzyknąć, nie żyje i jest tego wart, ale czeka w milczeniu obok drzwi, aż wreszcie pociąg hamuje gwałtownie. Gdy tylko drzwi otwierają się z trzaskiem, wysiada i gubi się w tłumie ludzi.

Alice towarzyszy Elspeth na zakupach i wolno jej trzymać sprawunki. Część rzeczy wędruje do siatek, które obijają się jej po nogach, kiedy je niesie. Jedzenie i środki czyszczące nie mogą być w jednej torbie, mówi Elspeth, za to puszki i środki tak. Owoców nie wolno pakować do siatki ze sznurka, bo się poobijają. Alice wie, że pojemnik z jajkami musi nieść przed sobą, obiema rękami. Pakują je do szarych, jakby mokrych w dotyku pudełek z dołkami, po pół tuzina, czyli po sześć. Przed kupieniem jajek Elspeth podnosi wieko pudełka i obraca każde jajko po kolei, by sprawdzić, czy w skorupce któregoś nie ma cienkiego jak włos pęknięcia. Alice potem znowu podnosi wieko pudełka i obraca je jeszcze raz, tak by spoczywały w dołkach bardziej spłaszczonym końcem w dół. Któregoś razu, kiedy to robiła, jajka wyślizgnęły jej się z rąk i rozbiły na chodniku, tworząc kałużę żółto-przezroczystego płynu przemieszanego z okruchami skorupek. Nieprzejmujsięnieprzejmujsię, powtarzała raz po raz Elspeth.

Tego dnia nie kupiły wiele. Alice niesie siatkę z czarnego sznurka, wybrzuszoną, bo w środku jest bochenek chleba. Kiedyś lubiła wkładać tę siatkę na głowę i naciągać ją na całe ciało za plecione uchwyty, przekładając ręce przez oczka. Była wtedy Człowiekiem-Siatką. Ale to się działo dawno temu. Tego dnia Elspeth spotyka jakąś znajomą i rozmawiają całe wieki przed sklepem z antykami. Alice nie przepada za tą panią: mocno pudruje twarz i wtedy Alice chce się kichać od tego zastarzałego, kredowego zapachu. Alice potrząsa bardzo lekko dłonią Elspeth i ugina podeszwę sandała. Elspeth nie przerywa rozmowy ani nawet nie patrzy w dół, tylko szczypie Alice w ramię. Alice wie, co to znaczy: ma być grzeczna. Wysuwa palce z dłoni Elspeth, podchodzi do okna wystawowego sklepu z antykami i przyciska nos do szyby.

Najpierw przygląda się tylko maleńkim paciorkom wilgoci, które zostawiają widmowy negatyw jej nosa i warg na szkle. Potem skupia wzrok, by zajrzeć do wnętrza. Musi osłonić oczy dłońmi, żeby odgrodzić się od poświaty bijącej od ulicy. Nigdy nie była w środku: jest tam ciemno, z sufitu zwisają różne rzeczy, a blisko niej stoi oszklona gablota, pełna koralików, kolczyków, pierścionków.

– Wejdziemy do środka popatrzeć?

Alice ogląda się z powrotem na ulicę i widzi, że Elspeth stanęła obok niej.

– Dobrze, wejdźmy.

W środku wydaje się chłodniej niż na ulicy. Alice staje obok stołu, który ma niesamowicie wypolerowany blat; podejrzewa, że gdyby go dotknęła, to spod jej palców rozeszłyby się koła jak na wodzie. Podnosi wzrok i rozgląda się po ciemnoczerwonych ścianach: wachlarze z piór, oprawione w złote ramy widoki hrabstwa East Lothian, wypchana małpa ze szklanymi oczami, która trzyma półmisek, wazon o smukłej szyjce, talerzyki w niebieski wzorek przymocowane do ścian na maleńkich drucianych nóżkach, abażur ozdobiony czerwonymi paciorkami dyndającymi na sznureczkach. Elspeth rozmawia ze sprzedawczynią na zapleczu, więc Alice podchodzi do chromowanej karuzeli z ubraniami. Zna takie karuzele z zakupów z matką i lubi je. Popycha ją w lewo: ubrania świszczą na poszczególnych wieszakach i słychać pomruk jedwabiu ocierającego się o jedwab, szeleszczący, płynny, sekretny dźwięk. Alice pada na kolana i wyłania się w samym środku karuzeli, otoczona staroświeckimi sukniami, bluzkami, spódnicami i szalikami. Gładzi z czcią ich wnętrza, czując chłodny dreszcz. Obraca się bez końca wokół własnej osi, przyglądając się im po kolei, aż wreszcie zawrót głowy zamazuje jej widzenie.

– Ty pewnie jesteś Alice.

Alice podnosi wzrok zza grzywki. Zawsze upiera się, by ją przycinano na równej linii z brwiami. Kiedy matka, która obcina włosy kolejno wszystkim swoim trzem córkom na stołku w kuchni, próbuje przyciąć ją krócej, Alice wrzeszczy tak długo, aż zaczynają jej sinieć wargi. Któregoś razu tak się wściekła podczas postrzyżyn, że Ann postawiła ją na posadzce i obiła po nogach trzonkiem szczotki do włosów.

To jakiś mężczyzna, który stoi obok karuzeli, wspierając się łokciami o wieszaki. Alice widzi go niezbyt dokładnie, ale nie sądzi, by go znała.

– Tak – mówi Alice, wciąż kucając we wnętrzu karuzeli. – To ja.

Mężczyzna pochyla się, a Alice czuje, jak obce ręce chwytają ją pod pachami, i w tym momencie podłoga oddala się, a ona sama frunie w stronę sufitu i czerwonego lampionu z wijącymi się niebieskozielonymi cielskami smoków. A potem podłoga znów się podnosi, by ją na powrót powitać, mężczyzna stawia Alice przed sobą.

– Tak sobie myślałem, że to ty – mruczy, przyglądając się jej twarzy tak uważnie, że Alice ogląda się w stronę wnętrza sklepu, by się upewnić, że Elspeth ciągle tam jest. Czy coś jej grozi? Mężczyzna jest wysoki, ma muskularne ramiona i włosy dłuższe niż jej ojciec. Te włosy sięgają poniżej kołnierzyka spowiałej niebieskiej koszuli. Jeden but ma zawiązany na bardzo krótki kawałek powiązanego na supły czerwonego sznurka.

– To pana sklep? – pyta Alice.

– Tak. – Mężczyzna kiwa głową.

– To w takim razie te wszystkie rzeczy należą do pana?

Mężczyzna śmieje się. Alice nie rozumie dlaczego.

– No chyba tak. – Przykuca tak nisko, że jego twarz znajduje się teraz na jednym poziomie z jej twarzą, i obłapia palcami jej ramię. – Powiedz, co ci się tu podoba najbardziej?

Alice nawet się nie waha, tylko od razu pokazuje lampion ze smokami. Uwielbia te giętkie, łuskowate ciała, ich wielkie ogony i płonące, złote oczy.

– A co to takiego? – pyta, wskazując palcem to coś dziwnego, podobnego do włosów, co wystaje im z pysków.

Mężczyzna przygląda się.

– Nie jestem pewien.

– Może to ogień. – Alice podchodzi jeszcze bliżej. – Ale coś mi się nie wydaje.

– I tu bym się z tobą zgodził. Mnie się wydaje, że to mogą być skrzela. To są chyba morskie smoki.

– Morskie smoki? – powtarza Alice, odwracając się, by na niego spojrzeć. W życiu o niczym takim nie słyszała.

Mężczyzna wzrusza ramionami.

– Może żyją tylko w Chinach. – Siada na fotelu obitym purpurowym aksamitem. – A wiesz, co akurat robiłem, kiedy zauważyłem, że tu wchodzisz?

Alice kręci głową.

– Badałem je – podnosi w górę sznur pereł – by sprawdzić, czy są prawdziwe. – Mężczyzna chwyta nadgarstek Alice, rozwiera jej palce i układa perły we wnętrzu jej dłoni. – Najlepszym sposobem na sprawdzenie pereł jest umieszczenie ich przy ludzkiej skórze. Kiedy perły są przy skórze, rozgrzewają się i zaczynają mienić.

Alice i mężczyzna przyglądają się stercie białych kulek w jej dłoni. W samym środku sznurka perły są największe; przy końcach są niesamowicie małe, wielkości ziarenek. Oboje czekają i są tak blisko siebie, że włosy mężczyzny dotykają twarzy Alice. Alice robi drobny krok w tył, szurając głośno, wciąż obserwując perły, czy nie widać, jak zaczynają opalizować. Nagle on wyciąga je z jej dłoni.

– Ta metoda jest chyba zbyt czasochłonna. Inny sposób to pocieranie nimi o zęby. Prawdziwe perły wydają się takie jak piasek. Otwórz buzię – rozkazuje.

Alice posłusznie pokazuje rząd idealnie ukształtowanych, mlecznych zębów. Mężczyzna ujmuje dłonią jej podbródek, patrząc jej prosto w oczy. Drugą dłonią pociera największą perłę z samego środka sznura o szkliwo dwóch przednich zębów.

Alice skupia się. Czuje coś twardego, ziarnistego, słyszy zgrzytanie.

– Są prawdziwe! – wykrzykuje. – Są prawdziwe!

Mężczyzna śmieje się i kiwa głową.

– Mądra dziewczynka. – A potem sadza ją na krześle przed lustrem i zapina perły na jej szyi. – Proszę bardzo. I co ty na to?

Sznur jest za długi, znika pod wycięciem jej koszulki. Mężczyzna przygląda się jej odbiciu w lustrze, trzymając dłoń na jej ramieniu.

– Pan ma angielski akcent, prawda? – pyta Alice. – Moja mamusia jest Angielką.

Spytany przytakuje, bardzo powolnym ruchem głowy, i ma taką minę, jakby zaraz miał coś powiedzieć, kiedy oboje widzą Elspeth wyłaniającą się zza lustra.

– Alice – mówi jej babcia – chodź, musimy już iść.

Alice wstaje z krzesła.

– Oddaj panu naszyjnik.

Elspeth obraca ją ku sobie i zaczyna odpinać zapinkę. Mężczyzna wsuwa dłoń do kieszeni koszuli, wyciąga stamtąd płaskie, srebrne pudełko, a z niego cienkiego papierosa. Pstryka zapalniczką dobytą z kieszeni spodni; pojawia się iskra i wtedy zapala papierosa. W powietrzu pojawia się lekka woń wanilii. Alice przykłada dłoń do pereł, by pogładzić je po raz ostatni.

– Nie, nie – mówi on, machając ręką i wydmuchując spiralę sinego dymu. – Weź je sobie, proszę.

– Ależ nie możemy... – zaczyna Elspeth i Alice czuje, jak perły przepływają jej między palcami, kiedy babcia zdejmuje je z jej szyi. Elspeth podaje naszyjnik mężczyźnie.

– Kiedy naprawdę chciałbym, żeby je wzięła.

– Niech się pan nie wygłupia – mówi Elspeth tonem, o którym Alice zawsze myśli ze jest jednocześnie śmieszny i poważny. Wpycha perły do jego ręki. – Przecież żyje pan z handlu?

Elspeth odwraca się, trzymając Alice za ramiona, i popycha ją w stronę drzwi. Zupełnie znienacka są znowu na ulicy i Elspeth wręcza jej sznurkową siatkę z bochenkiem chleba i niebawem wspinają się w górę zbocza w stronę domu, trzymając się za ręce.

Alice siada na łóżku i patrzy na budzik stojący na nocnym stoliku. Wzdycha urywanie i przeciera twarz. Minęło zaledwie dziesięć minut, odkąd po raz ostatni sprawdzała godzinę. Opada z powrotem na poduszkę, wilgotną i zmiętą. Może powinna wstać, tylko po co? Czuje swędzenie przegrzanej skóry i ze zniecierpliwieniem skopuje z siebie kołdrę. Na ciemnym suficie krzyżują się reflektory samochodów przejeżdżających ulicą.

Leży w łóżku już od czterech godzin i dotąd nie udało jej się zasnąć. Jest zmęczona, taka zmęczona: wie, że gdyby po prostu udało jej się zasnąć, poczułaby się lepiej, ale jej myśli wirują, wirują poza kontrolą niczym rower zjeżdżający ze stromego zbocza.

– Proszę, no proszę, daj mi zasnąć! – mówi przez zaciśnięte zęby, do nikogo w szczególności.

Układa się na boku, a potem próbuje oddychać głęboko i stosować ulubioną metodę na zasypianie, polegającą na przywoływaniu wizji, w której John wchodzi do pokoju, siada na brzegu łóżka i rozmawia z nią.

Wystarczy tylko dojść do tego punktu, w którym wyobraża sobie, jak kołdra ugina się pod jego ciężarem, gdy nagle otwiera oczy. Całe jej ciało tężeje, paznokcie wbijają się we wnętrza dłoni. Jeszcze raz, od nowa: skrzypienie otwieranych drzwi, potem jego kroki, jego cichy oddech, potem on obchodzi łóżko, jego sylwetka na tle okna...

Siada. Zaciska szczęki tak mocno, że aż ją boli głowa.

– Nie, nie, nie. – Chwyta całe garście włosów i zaczyna płakać bez opamiętania – wielkimi spazmami targającymi jej ciałem, od których dostaje kaszlu i musi łapczywie chwytać powietrze.

Ta myśl, niby taka drobna, uboczna, dręczy ją od tygodnia; tłamsi ją, ignoruje, spycha w tył umysłu, nie chcąc jej przyjąć do wiadomości.

Zaczęła zapominać jego twarz. Już nie potrafi przywołać dokładnego obrazu jego rysów. Twarz, którą znała jak własną, blaknie, wymyka się z jej pamięci.

Owładnięta paniką, wytacza się z łóżka, schodzi na dół. W salonie otwiera gwałtownie szuflady i wyjmuje pudła ze zdjęciami. W pośpiechu upuszcza jedno i zdjęcia rozsypują się po dywanie, tworząc łuk z lśniących prostokątów. Przypada do nich skwapliwie i jak oszalała zbiera zdjęcia Johna, roześmianego w Hiszpanii i Pradze, malującego ściany w ich domu, na ich ślubie, nad kanałem Camden. Układa je obok siebie i klęka, by im się dokładnie przyjrzeć.

Kiedy wreszcie słyszy mechaniczne zgrzytanie ciężarówki rozwożącej mleko, siedzi bez ruchu na środku pokoju, z kolanami podciągniętymi pod brodę, z twarzą przesłoniętą skołtunionymi włosami. Dookoła niej rozciąga się morze fotografii.

Robi głęboki wdech, zamyka oczy i zaczyna od nowa, od linii jego włosów. Odtwarza grzywkę, zmarszczki na czole, kształt skroni, ale dalej nic z tego. Pamięta doskonale poszczególne rysy – najwyżej położone punkty brwi, fale na czubku głowy, czarne głębiny źrenic, wyraziste ziarno zarostu, wybrzuszenie jabłka Adama, krzywą warg, ale wystarczy, że próbuje połączyć to wszystko w jedną całość, i cały obraz się zamazuje.

Jak to się mogło stać? Jak mogła zapomnieć jego twarz tak szybko? Czy tak to właśnie będzie – że będzie stopniowo bladł w jej wspomnieniach?

Czuje, że jest jej zimno, ma lodowate stopy. Oplata je palcami, ale nie wstaje z podłogi, tylko zaczyna łagodnie się kołysać. Słońce przemieszcza się po niebie, tworząc na podłodze coraz to dłuższe trójkąty. Listonosz wrzuca jakieś listy do skrzynki. Kiedyś tam podczas dnia dzwoni telefon, ona jednak wciąż nie rusza się z miejsca, nawet wtedy, gdy do sekretarki przemawia Susannah: „Chcemy wiedzieć, czy przychodzisz dzisiaj do pracy, Alice".

Późnym popołudniem przestaje się kołysać, prostuje się sztywno, powoli, a potem drepcze po zdjęciach, nawet na nie nie patrząc, i kładzie się z powrotem do łóżka.

Szłam boso, ostrożnie stawiając stopy po zalanych wodą, śliskich płytkach przebieralni centrum sportowego „Oasis". Powietrze było wilgotne i gorące, wszędzie unosiła się dusząca woń talku i dezodorantów. Pod ścianami stały kobiety w rozmaitych stadiach roznegliżowania. Wszechobecny hałas stanowił mieszaninę rozmów, szumu pryszniców, śmiechów i chichotania, odległych, odbijających się echem pokrzykiwań z basenu i przyciszonego łomotania muzyki z odbywających się gdzieś zajęć aerobiku. Było po piątej, więc wszystkie biura w Covent Garden i Bloomsbury wypuściły już swoich pracowników i wydawało się, że większość z nich jest teraz właśnie tutaj: czeka na rozpoczęcie ćwiczeń ze stepu, szykuje się do siłowni albo mozolnie wbija w kostiumy pływackie.

Tuż przy basenie upięłam włosy w węzeł na czubku głowy i założyłam okulary. Całe otoczenie natychmiast nabrało kobaltowoniebieskiej barwy: z wody wyłaniały się i znikały głowy w czepkach pływackich, nieokreślonej płci, płynąc po torach tak, jak im to nakazywały tablice na ścianach – zgodnie z ruchem wskazówek zegara – z wyjątkiem jednego mężczyzny, który zagarnął dla siebie środkowy tor i pokonywał go tam i z powrotem gwałtownymi ruchami stylu motylkowego. Pozostali stateczni pływacy wzdrygali się, kiedy zalewał ich wytworzoną przez siebie pianą. Zmarszczyłam brwi. Nie cierpię ludzi, którzy się tak zachowują.

Weszłam do wody, przytrzymując się aluminiowej drabinki. Była zimna i poczułam ukłucie gęsiej skórki. Kiedy woda dotarła do żeber, puściłam się i powoli zanurzyłam, lekko dotykając gładkich ścianek basenu wyłożonych porcelanowymi płytkami, wpadając swobodnie do turkusowej otchłani. Miałam wrażenie, że zaraz pójdę na dno, bo moje serce wydawało się takie ciężkie. Przez cały dzień w pracy trzymałam wszystko w sobie, kiedy rozmawiałam przez telefon z Radą do Spraw Kultury, odbywałam spotkanie z Anthonym, pokazywałam bibliotekę kobiecie od projektu literatury murzyńskiej.

Błękitne dyski moich okularów zapełniły się piekącymi łzami. Nie wybijając się na powierzchnię dla zaczerpnięcia powietrza, wykonałam obrót w wodzie i odepchnęłam się od ściany. Po dwóch długich uderzeniach wynurzyłam się na powierzchnię i zaczerpnęłam powietrza, ale i tak płynęłam dalej na oślep.

Po pięciu prędko pokonanych długościach basenu przycupnęłam na schodkach płytkiego końca. Bolały mnie mięśnie, a krew krążyła po ciele tak szybko, że aż mi się zakręciło w głowie. Poczułam kłujące rwanie pod żebrami; zdjąwszy okulary, oddychałam głęboko, nabierając do płuc wielkie hausty gorącego, nasyconego chlorem powietrza, ściskając kurczowo poręcz.

– Cześć – wytrącił mnie z zamyślenia czyjś głos; kiedy się odwróciłam, zobaczyłam rudowłosego, opalonego mężczyznę z kozią bródką, który uśmiechał się do mnie, ukazując olśniewająco białe zęby. Poznałam go; to był ten, który zaanektował dla siebie środkowy tor. Trzymał dłonie na kolanach.

– Cześć. – Udałam, że reguluję paski okularów.

– Jak ci się pływa?

– OK – odparłam rozmyślnie obojętnym, monotonnym głosem, wyćwiczonym do perfekcji specjalnie na takie sytuacje.

– Już cię tu kiedyś widziałem. Często tu przychodzisz, prawda?

Wzruszyłam ramionami, nie patrząc na niego. Domyślałam się, że jego ciało jest wielkie od wypakowanych, twardych mięśni; wydzielało ciepło, które czułam na swojej stygnącej skórze. Zapatrzyłam się na własne pokawałkowane odbicie w lekko wzburzonej wodzie; nogi były pożyłkowane rozszczepionym światłem, najeżone bąbelkami. Modliłam się w duchu, żeby sobie poszedł, czując, że moje wcześniejsze łzy unoszą się gdzieś tam, tuż pod powierzchnią wody, gotowe lada chwila wypłynąć.

– Jak masz na imię?

Potrząsnęłam głową, niezdolna nic powiedzieć.

– Hej, dobrze się czujesz? – Dotknął mojej ręki. Wzdrygnęłam się, nakrywając to miejsce własną dłonią. – O co chodzi? Co ja takiego powiedziałem?

– Proszę, zostaw mnie w spokoju.

Nie nakładając okularów z powrotem, odepchnęłam się od ściany i popłynęłam gwałtownymi, nierównymi ruchami do drugiego końca, gdzie wyszłam z wody i poszłam po ręcznik, który leżał złożony na ławce.

Jakiś czas później przysiadłam przy kuchennym stole, ze stopami owiniętymi wokół nóg krzesła, z podbródkiem wspartym na dłoniach. Moja skóra pachniała chlorem, a włosy wciąż były wilgotne. Wiedziałam, że powinnam zmyć z nich chlor i wysuszyć je jak należy, ale nie miałam siły. Wiedziałam też, że powinnam coś zjeść, tylko po co, po jaką cholerę.

Westchnęłam bezsilnie i odwróciłam się, by wyjrzeć przez tylne drzwi na ogród. Niebo właśnie zaczynało ciemnieć, przybierając barwę ciemnego granatu. Zdjęłam klucz z haczyka, otworzyłam zamek i wyszłam do ogrodu. Po południu padało i z przemoczonych drzew wciąż kapało stałym, przygnębiającym rytmem. Czuć było świeżą, zieloną woń ziemi, przemieszaną z ostrym, słodkawym odorem gnijących liści.

Długo siedziałam na ławce pod drzewem, patrząc, jak w tylnych oknach moich sąsiadów zapalają się światła, a tymczasem cienka tkanina mojej spódniczki powoli nasiąkała wilgocią. W którymś momencie dołączył do mnie kot: z mroku wyłonił się znak zapytania jego ogona.

Konary drzew nad moją głową miotały się i uginały na wietrze. Kot otarł się o moje łydki, z grzbietem wygiętym w łuk. Po niebie pędziły ciemne, granatowe chmury. Usłyszawszy tuż za sobą jakiś dźwięk, odwróciłam głowę i wtedy coś jakby we mnie przeskoczyło, jakby poprzełączały się jakieś elektryczne kontakty i płynący przeze mnie prąd obrał inną trasę. Coś do mnie dotarło. Po raz pierwszy dotarło do mnie, że całe to obce niedowierzanie i szok przeobraziło się, nie wiedzieć tak naprawdę kiedy, w niepodważalny fakt: on już nigdy nie wróci. On nie żyje. Przedtem starałam się w to uwierzyć, a teraz to wiedziałam. Wiedziało to moje serce, moja głowa, ciało. On już nigdy nie wróci.

Długo tak tam siedziałam, odrętwiała, jakby odseparowana od wszelkich dźwięków i bodźców. Pozostał tylko jakiś osobliwy spokój: czułam się pusta w środku, jakby całe moje ciało było wypełnione tylko dymem i niczym innym.

Spojrzałam na niebo. Fioletowa łuna wtopiła się już w smolistą szarość zmierzchu, a na drucie telefonicznym biegnącym od domu naprzeciwko do krokwi mojego skuliły się ptaki. „Życie toczy się dalej", mówiono mi po wielekroć. Tak, tak, gówniane życie toczy się dalej, ale co, jeśli wcale ci na tym nie zależy? A jeśli wolałabyś je zahamować, zatrzymać albo nawet iść pod prąd w przeszłość, chcąc, by ona nie była przeszłością? „Przyzwyczaisz się", tak też mówili. Tymczasem ja wcale nie chciałam się przyzwyczajać. Nie chciałam przyzwyczajać się do faktu, że on umarł. To była ostatnia rzecz, jakiej pragnęłam.

Podniosłam się z miejsca. Lucyfer odprowadził mnie aż do furtki. Zatrzasnęłam ją za sobą, a potem biegłam po chodniku, słysząc echo swoich kroków odbijające się od domów. Nie miałam pojęcia, dokąd tak biegnę. Byłam świadoma jedynie istnienia tej dziury, tej ogromnej dziury w miejscu, gdzie powinnam mieć serce. Gdzieś kiedyś czytałam, że serce każdego człowieka powinno mieć wielkość jego zaciśniętej pięści, ale ta dziura wydawała się o wiele większa. Zdawała się wypełniać całą górną połowę mojego ciała i czułam, że jest zimna, pusta – chłodny wiatr zdawał się przeszywać ją na wskroś. Byłam taka krucha, niematerialna, byle wiatr mógł mnie rozwiać.

W okolicy stacji metra tłum zgęstniał. Przeszłam na drugą stronę ulicy, umykając przed autami, które z powodu późnej pory zjeżdżały się od centrum, a potem schowałam się w jakiejś bocznej uliczce, chcąc uniknąć zderzenia z grupą hałaśliwych ludzi, którzy nadchodzili w moją stronę. Nie wiem, jak długo wędrowałam tamtej nocy ani też dokąd szłam. Pamiętam, że minęłam kogoś, kto zawołał za mną: „Dziewczyno, a z tobą co?", i chyba musiałam mijać obrzeża Regent's Park, bo pamiętam dzikie porykiwania zwierząt z zoo, które wiatr niósł w moją stronę.

W którymś momencie weszłam do całodobowego supermarketu. Wśród półek krążyli ludzie, napełniali druciane koszyki lodami, winem i owocami, obserwowani z niewielkim zainteresowaniem przez znudzonego, źle opłacanego nastoletniego kasjera. Wędrowałam wśród nich, zahipnotyzowana kolorowymi opakowaniami, obwieszczeniami o obniżkach cen, ponurymi stoiskami. Sunęłam dłonią po półkach: kawały żółtego sera, woskowe owoce, ciastka w skurczonym plastiku. W pewnym momencie moja dłoń napotkała coś miękkiego, a jednocześnie twardego, i wtedy się zatrzymałam. Był to kłębek jaskrawoczerwonej wełny, o pasmach nawiniętych tak ciasno, że przywodził na myśl pocisk. Zważyłam go w dłoni, mokrej i śliskiej od łez, ale wełna wessała wilgoć, gromadząc słoną wodę w swych labiryntowych włóknach.

Ogarnęło mnie napięcie, tak bardzo zapragnęłam ją mieć na własność. Nie mogłam wyjść bez niej z tego sklepu, ale nie miałam przy sobie pieniędzy – tak nagle wyszłam z domu. Zerknęłam ukradkiem na nastolatka siedzącego za kasą: wyglądał przez okno wystawowe w stronę stacji metra. Rozejrzałam się dookoła. Po mojej lewej stronie jakaś kobieta była całkowicie pochłonięta wybieraniem zupy w puszce. Więc po prostu to zrobiłam. Prędkim ruchem schowałam kłębek pod bluzą. A potem ruszyłam w stronę wyjścia i obejrzawszy się przez ramię tylko raz, pozwoliłam, by drzwi same zatrzasnęły się za mną.

Przenikliwe zawodzenie Jamiego przedarło się do uszu Kirsty, pokonując wiele mil jej głębokiego, ogłupiającego snu. Przez kilka chwil była w stanie jedynie otworzyć oczy i gapić się na pogrążony w mroku sufit; jej kończyny nie chciały wykonywać rozkazów wydawanych przez mózg. Leżący obok niej Neil przewrócił się na drugi bok, niepomny niczego. Jak on to robi? Jakim cudem jego mózg nie jest zaprogramowany na dziecięce zwyczaje senne, tak jak jej mózg? Kiedy płacz Jamiego urósł do wściekłego ryku przerywanego czkawką, zastosowała autopilota: usiąść, wystawić nogi z łóżka, dobrnąć do łóżeczka Jamiego po zwałowiskach zrolowanych skarpetek, książeczkach z obrazkami o rozmiękłych brzegach od zbyt częstego ssania, porzuconych zabawkach, stosach biustonoszy, butelkach do karmienia i butach Neila.

Maleńkie, poczerwieniałe rączki i stópki majtały w powietrzu – Jamie leżał na plecach. Na jej widok napełnił płuca, by wydać z siebie megaryk. Kirsty wzięła w objęcia zesztywniałe ciałko, tłumiąc jego krzyki, i poszła z nim usiąść na kanapie w dużym pokoju.

– No już, już – mruczała, rozpinając guziki nocnej koszuli. – Po co ta awantura?

Jamie umilkł w chwili, gdy poczuł w ustach jej sutek. Oplótł zaborczymi palcami jej dłoń i odtąd słychać już było tylko jego szybki, płytki oddech i odgłosy żarłocznego ssania.

Noc była ciepła. Wsparta na poduszkach Kirsty podkurczała i rozprostowywała palce bosych stóp zgodnie z rytmem karmienia. Powoli przejmował nad nią władzę sen, odrętwiający i uzależniający niczym opiaty. Zwiotczały jej dłonie, palce omdlały, poluźnił się zesztywniały kręgosłup. Sunęła powoli w nieświadomość.

Następną rzeczą, jaką sobie później przypomniała, było naglące uczucie, że ktoś jeszcze jest przy niej. Gwałtownie zadarła głowę, spodziewając się, że zobaczy stojącego nad nią Neila w piżamie, w mętnym świetle. W pokoju nie było nikogo. Kirsty poczuła się dziwnie, załomotało jej serce. Nie miała pojęcia, ile czasu minęło. Jamie spał w jej ramionach, na czubku jego głowy pulsował miękki diament ciemiączka.

Alice. Alice nie spała. Gdzieś. Kirsty po prostu to wiedziała, choć nie rozmawiała z nią przecież od tygodni. Za każdym razem, kiedy dzwoniła do siostry, jakoś nigdy nie było jej w domu, a może nie odpowiadała na telefony. Kirsty znów rozejrzała się po pokoju, chcąc sprawdzić, czy jakimś surrealistycznym zbiegiem okoliczności przypadkiem jej tam nie ma, po czym poderwała się na równe nogi, zarzucając sobie śpiącego Jamiego na ramię.

Przycupnęła w korytarzu, trzymając Jamiego na kolanach, i wystukała numer Alice. Telefon zadzwonił raz i zaraz potem usłyszała głos Alice, spięty i podminowany.

– Halo?

– Cześć. To ja.

Usłyszała, jak jej siostra robi wdech, a potem wybucha histerycznym, rozdzierającym płaczem. Po twarzy Kirsty pociekły łzy, które kapały na śpioszki Jamiego, a ona sama wsłuchiwała się, ze słuchawką przyciśniętą do ucha, w smutek Alice, sączący się przez linię telefoniczną. Raz po raz mówiła łagodnie:

– Alice, nie płacz. Nie płacz. Proszę, Alice, nie płacz.

Tak to trwało dziesięć, piętnaście minut, może dłużej. Przez głowę Kirsty bez końca przewijała się myśl, jakby nagrana na taśmę: moja siostra jest pięćset mil stąd, kompletnie sama, jest środek nocy, a ona płacze.

– Alice – powiedziała wreszcie – dlaczego do nas nie dzwonisz, kiedy tak się czujesz? Nie mogę znieść, że tak się zapłakujesz w samotności.

Alice zaczęła mówić gwałtownymi, urywanymi zdaniami, przerywanymi łkaniem:

— Ja już po prostu... dłużej tak nie mogę... Kirsty... Jakby coś... całe moje życie... uległo rozpadowi... przecież kiedyś... zawsze byłam taka szczęśliwa... cieszyłam się życiem... a teraz nic już nie jest nic warte... Nie mogę znaleźć niczego takiego... dzięki czemu poczułabym się lepiej... bez niego nic nie ma sensu... Czuję się martwa... przestałam cokolwiek odczuwać... wolałabym umrzeć... Czasami mi się wydaje, że wariuję... po prostu czuję się martwa w środku... już nic nie czuję.

Kiedy Kirstie odłożyła w końcu słuchawkę, wróciła do sypialni i ułożyła Jamiego w łóżeczku. Potem wślizgnęła się do łóżka i przycisnąwszy policzek do zagłębienia w kręgosłupie Neila, zasnęła z rękoma oplecionymi wokół niego.

Do sklepiku wchodzi się przez wąskie, podwójne drzwi, w których otwiera się tylko jedno skrzydło. Alice jest zmuszona przecisnąć się przez nie bokiem, przy okazji zahacza torebką o klamkę.

– Witam. Miło znów panią widzieć – mówi radośnie kobieta stojąca za ladą.

Alice rozchyla usta w bezgłośnym pozdrowieniu i idzie prosto do szerokich, podobnych do pudeł półek wypełnionych po brzegi kłębkami wełny ułożonymi według kolorów. Za jej plecami kobieta kontynuuje rozmowę przez telefon: „....i wtedy jej powiedziałam, jak urodzisz jeszcze jedno dziecko, to już po tobie. Ja bym się tam nie przejmowała tym, co on chce. Najlepiej zadowolić się jednym dzieckiem, iść do dobrego chirurga, kazać mu wszystko wyciąć i dobrze zaszyć. Ale sama wiesz, jaka ona jest..."

Alice wsłuchuje się we własny oddech, żeby odgrodzić się od głosu kobiety, czyta gęste opisy na opakowaniach, nadusza kolejne kłębki, przykłada pasma wełny do twarzy, by sprawdzić ich miękkość, i wybiera długie, giętkie, srebrne druty o najróżniejszych przekrojach i długościach. Wreszcie zanosi cały swój łup do kasy. Kobieta rzuca do słuchawki: „Przepraszam, muszę iść. Tak... tak... Oddzwonię później", po czym obraca się w stronę Alice i podlicza jej nabytki. Polakierowane na różowo paznokcie przypominają kandyzowane płatki kwiatów.

– Pani mąż to szczęściarz, że ma kogoś, kto mu robi takie ładne rzeczy – mówi, pakując wszystko do plastikowej reklamówki z towarzyszeniem poszczękiwania drutów.

Alice obraca cienką, platynową obrączkę na serdecznym palcu lewej dłoni.

— Tak — odpowiada i musi zacisnąć usta. Ledwie się powstrzymuje, by nie wrzasnąć czegoś w tę rozpromienioną, zbyt mocno umalowaną twarz, i to ją przeraża.

Po wyjściu ze sklepiku na sam środek rojnej ulicy musi oprzeć się o mur najbliższego budynku, przyciska nowe druty do piersi, by odzyskać panowanie nad sobą. W głowie ma pustkę, jakby właśnie pokonała biegiem kilka kondygnacji schodów.

Nie może wrócić teraz do pracy. Po prostu nie może. Wie, że powinna zadzwonić, powiedzieć, że musiała wrócić do domu, ale to jej przychodzi do głowy dopiero wtedy, gdy jedzie metrem do Camden Town. A wtedy jest już za późno. Jutro coś wymyśli na miejscu. Powie, że się rozchorowała albo coś.

W domu kładzie się na trochę do łóżka, nie zdejmując kurtki, wciąż ściskając w rękach reklamówkę i klucze. Kiedy z nieba zaczyna wyciekać światło dnia, siada, wsadza sobie poduszkę pod plecy i wykłada zawartość reklamówki na pościel. Potem kładzie sobie wzór na kolanach i obmacuje pierwszy kłębek, szukając początku włóczki. I wreszcie narzuca pierwsze oczka, czując chłód drutów wciśniętych we wnętrza dłoni, słysząc cichuteńki zgrzyt trących o siebie czubków, przesuwając wełniane włókno między palcami, skręcając je, przeciągając, wplatając je w rozrastającą się sieć skomplikowanych wzorów. Wszystko zgodnie z rytmem, który nie przestaje jej zdumiewać: nabrać, przerobić, przeciągnąć i zrzucić; nabrać, przerobić, przeciągnąć i zrzucić. Słownictwo, które temu wszystkiemu towarzyszy, jest takie materialne, lakoniczne, jednoznaczne: oczka prawe, lewe, brzegowe. Po skończeniu jednego rzędu drut z robótką zostaje przełożony do drugiej ręki, a drut właśnie uwolniony z miejsca nurkuje w pierwsze oczko.

Na samym początku była w tym beznadziejna. Zgubione oczka były jak jakiś podstępny wirus, przerywający pracę w samym środku. Tamte pierwsze przymiarki po prostu wyrzuciła. Ale po tygodniu czy dwóch przestała gubić oczka i niebawem potrafiła już to robić bez patrzenia. Jest coś tak bardzo satysfakcjonującego w noszeniu czegoś, co się wykonało samodzielnie. Kiedy ręce poruszają się kojącym, regularnym rytmem, patrzy na splecione oczka, które pokrywają jej ramiona: to ja je wszystkie zrobiłam.

Kiedy z jednego druta zwisa już długa, ciężka broda z oczek, przerywa. Odkłada robótkę na bok i siada na skraju łóżka; dynda nogami tuż nad podłogą, wpatrując się niewidzącym wzrokiem w okno. Czasami – zwłaszcza wtedy, gdy ma za sobą kilka dni spędzonych w domu, w zupełnej samotności – wpada w prywatną, gorzką wściekłość, jakiej nie doświadczała od dzieciństwa: co tu robić, jeśli w wieku dwudziestu dziewięciu lat tracisz jedyną osobę, z którą mogłaś być szczęśliwa? Dzisiaj jednak nie gryzie jej gniew. Dzisiaj tylko chciałaby go odzyskać, po prostu chciałaby go odzyskać i to ją boli tak bardzo, że nie umiałaby opisać.

Siedzi tak, na dłoniach, dyndając nogami albo szurając nimi o podłogę. Nie czuje już nic do nikogo – oprócz niego. Oczywiście. Zawsze tylko do niego. Jest zwarta, twarda, krucha. Nic i nikt już jej nie dotknie. Jest nieruchoma jak kamień i równie jak kamień zimna.

Rachel, która zadzwoniła do niej rano do pracy, oświadczyła, że jeśli nie przyjdzie, to ona już nigdy się do niej nie odezwie, więc około ósmej Alice obeszła opustoszałe biura, gasząc światła i wyłączając komputery. Zrobiła lekki makijaż w toalecie, tuszując rzęsy i domalowując sobie optymistyczny, czerwony uśmiech, a potem pokonała pięć pięter schodów. Przed wyjściem uporządkowała jeszcze ulotki konkursowe wyłożone na stoisku obok drzwi.

Był ciepły wieczór i na Neal Street roiło się od ludzi. Mijała ich i rozświetlone neonami sklepy. Bar, w którym miała na nią czekać Rachel, znajdował się tuż przy hotelu „Seven Dials", w suterenie, do której schodziło się po spiralnych, metalowych schodkach. Od razu po wejściu wypatrzyła Rachel siedzącą przy stoliku w głębi sali, w towarzystwie jeszcze jakiejś kobiety. Rozmawiały o czymś z ożywieniem.

– Alice! Przyszłaś jednak! – Rachel wstała i uściskała ją. – To jest Camille.

Kobieta uśmiechnęła się powolnym, współczującym uśmiechem i przeniosła spojrzenie jasnych, wodnistych oczu na Alice.

– Miło cię poznać, Alice – powiedziała cichym, jakby poufnym głosem. – Rachel opowiedziała mi wszystko o tobie. Jak się teraz miewasz? Czujesz się już lepiej?

Alice przestała się szamotać ze swoją kurtką i spojrzała ze zdumieniem na Rachel, która wbiła wzrok w blat stolika, z nieznacznym rumieńcem na policzkach.

– Czuję się nieźle, dziękuję – wypaliła Alice. – A ty?

– Jak najlepiej. – Camille uśmiechnęła się promiennie.

Alice miała wrażenie, że się roztapia; po balsamicznym powietrzu ulicy w lokalu było nadzwyczaj gorąco i hałaśliwie. Ludzie przy barze pokrzykiwali i robili wszystko, by przyciągnąć uwagę barmana. Nad każdym stolikiem unosiły się niebieskie pióropusze dymu, wszystkie twarze wydawały się czerwone i jakby zdesperowane, by każdy widział, jak świetnie się bawią. Popatrzyła ponad stołem na Rachel, która słuchała czegoś, co mówiła Camille, i przyszło jej na myśl, że zna ją w takim samym stopniu jak tę Camille. Czy to naprawdę jej przyjaciółka? Miała wrażenie, że minęło wiele lat, odkąd widziały się po raz ostatni. Wbiła wzrok w swoje dłonie ułożone na kolanach, a potem upiła łyk drinka, by jakoś otworzyć gardło. Podniosła oczy i po raz kolejny skupiła się na dwóch twarzach naprzeciwko niej, starając się wciągnąć w ich rozmowę.

– No więc dokąd poszliście? Jaki on był? – pytała właśnie Rachel. Zauważyła, że Alice na nie patrzy, i pochyliła się w jej stronę. – Camille właśnie rozeszła się z facetem, z którym była... jak długo, Camille?

– Półtora roku.

– No więc po upływie półtora roku, zeszłego wieczoru poszła na randkę, pierwszą randkę, odkąd rozstała się ze swoim eks.

Alice usiłowała wyglądać na zainteresowaną.

– Otóż zabrał mnie do jednego baru w Islington.

– Którego? – spytała Rachel.

– Tego naprzeciwko metra; nazywa się Barzantium czy jakoś tak.

– Znam. I co dalej? Opowiadaj.

– Piliśmy koktajle, trochę rozmawialiśmy i on mi wyłożył swoją teorię.

– Jaką teorię?

– No więc Mañuel twierdzi...

– Czekaj chwilę – przerwała jej Rachel. – Ma na imię Mañuel?

– Tak.

– A to skąd?

– Jego rodzice są z Ameryki Południowej czy jakoś tak. Ale nie przerywaj, chcesz poznać jego teorię czy nie?

– Tak, przepraszam. Nadawaj.

– No więc jego teoria jest następująca: jeśli rozpadł ci się związek, to nie należy się skazywać na stan hibernacji, czyli trochę tak jak ja zdaniem Mañuela. Wręcz przeciwnie, należy jak najszybciej zacząć się umawiać z kimś nowym. To jedyny sposób, żeby się uporać z bólem rozstania.

– Dlaczego?

– On uważa, że nie ma sensu męczyć się z bólem, że człowiek potrzebuje kogoś tymczasowego, czegoś w rodzaju ludzkiego środka znieczulającego.

Rachel parsknęła śmiechem.

– Ludzki środek znieczulający, ja cię kręcę! Pozwól, że zgadnę, Mañuel raczej nie był tak wspaniałomyślny, by zaofiarować, że to on będzie twoim ludzkim środkiem znieczulającym, prawda?

– Nie, nie, to niedokładnie tak. On mi powiedział, że każdy potrzebuje czegoś, co mu da kopniaka, co go przywróci do życia.

– Dla mnie to brzmi jak jakiś rozpaczliwy tekst z internetowego czata – powiedziała Rachel, opierając się wygodniej i upijając łyk drinka. – A co ty na to, Al?

— Ludzki środek znieczulający? — powtórzyła Alice, wciąż z tym wrażeniem, że opuściła własne ciało.

Camille miała bezmyślną, ogłupiałą minę. Rachel dla odmiany była wyraźnie przerażona; odstawiła niezdarnie swojego drinka, nagle tracąc koordynację ruchów.

— Alice... Camille przecież nie... W twoim przypadku jest inaczej... To znaczy... Boże, Alice, przepraszam... sama nie wierzę, jak mogłyśmy rozmawiać w taki sposób przy tobie... To było naprawdę głupie i...

Alice wstała i zdjęła kurtkę z krzesła.

— Chyba już pójdę.

Kiedy przechodziła na drugą stronę Shaftesbury Avenue, usłyszała za sobą tupot nóg, po chwili Rachel dogoniła ją i ujęła pod ramię. Zatrzymała się, ale nie spojrzała na przyjaciółkę.

— Alice, naprawdę przepraszam.

— Nic się nie stało, Rach. Naprawdę nic. Z ręką na sercu. Po prostu nie mam ochoty... dłużej tu być.

— Cóż, nie mogę powiedzieć, że cię o to winię. Zdaję się, że wygrałam nagrodę dla najdurniejszej kumpelki roku.

— Wcale nie — odparła Alice. — Nie gadaj głupot.

— Kiedy wolałabym gadać głupoty, zamiast mówić o ludzkich środkach znieczulających.

Alice spojrzała na Rachel i obie wybuchnęły śmiechem. Rachel objęła Alice i przytuliła ją do siebie z całej siły.

— Boże, Alice, nie mogę tego wytrzymać.

— Czego nie możesz wytrzymać?

— Nie mogę wytrzymać, że nie rozumiem, czym to tak naprawdę jest dla ciebie.

— Ależ idzie ci całkiem nieźle.

— Nie. — Rachel pokręciła głową. — Nie idzie mi. Wcale mi nie idzie. Ale z kolei nie ma nikogo takiego na świecie, kto by rzeczywiście rozumiał, przez co ty przechodzisz.

Alice odpowiedziała bez zastanowienia i to ją tak zaskoczyło, że bez końca potem międliła tę odpowiedź w głowie.

— Jego ojciec.

Adres znalazła bez trudu. Po prostu przetrząsnęła papiery Johna zmagazynowane w wolnym pokoju i odkryła na samym dnie jednego z pudeł zeszyt w spłowiałej czerwonej okładce. Na wewnętrznym skrzydełku widniał wpis wykonany nastoletnią wersją jego charakteru pisma: „Uczciwego znalazcę proszę o zwrot na adres".

Podczas lunchu poszła do sklepu papierniczego i kupiła blok papieru listowego. Był to błękitny gruby papier, chropawy w dotyku. Kiedy się go podniosło do światła, ukazywał się wodny znak producenta. To był prawdziwy, dorosły papier listowy. W sam raz do pisania poważnych listów. Pod okładką pokazywała się pierwsza kartka, pokryta grubymi czarnymi liniami, które prowadziły twoje pióro prostymi, równymi rzędami.

Alice wsunęła liniał pod pierwszy niebieski arkusz i wyprostowała go. Potem napełniła pióro wieczne, maczając złotą stalówkę w gęstej czarnej cieczy, naciskając gumowy tłoczek i puszczając go. Otarła stalówkę o spodnie – i tak były czarne, więc w czym rzecz?

W górnym prawym rogu napisała swój adres, wsłuchując się w skrzypienie stalówki na papierze. Pod spodem dopisała datę i odchyliła się, by obejrzeć swoje dzieło. Czy adres to pierwsza rzecz, jaką czytasz, kiedy dostajesz niespodziewany list? Wątpiła w to. Gdyby to ona miała dostać ten list, to prędko przerzuciłaby kartki, by dojść do końca i sprawdzić, kto się pod nim podpisał. Może wcale nie musi załączać adresu.

Wydarła kartkę, zmięła ją, po czym przesądnie schowała do szuflady. Nie chciała tu niczego spieprzyć.

„Szanowny", napisała i zawahała się. Jak go tytułować? Nie miała pojęcia. „Danielu" brzmiałoby zbyt poufale, zbyt intymnie, ale z kolei użycie formy „Pan Friedmann" mogłoby ją upodobnić do inspektora podatkowego. Mocniej ścisnęła pióro. To sobie zostawi na sam koniec, wypełni, kiedy już skończy pisać.

„Chciałam napisać do Pana", zaczęła. „Chciałam". Po co ten czas przeszły? Nadal tego chce i dlatego właśnie pisze. Alice wyrwała kartkę, wcisnęła ją do szuflady śladem tej pierwszej, a potem zapatrzyła się na pusty arkusz.

A właściwie co dokładnie chce napisać? Wiedziała tylko to, że od tamtego wieczoru z Rachel w każdej minucie każdego dnia myślała o napisaniu tego listu, o swojej chęci nawiązania kontaktu. Ale tego mu powiedzieć nie mogła. Może najpierw powinna na brudno wyliczyć swoje powody, a dopiero potem napisać ten list.

Przycisnęła stalówkę do papieru. Wyciekł z niej atrament, tworząc maleńki, owalny kleks, zanim pióro ześlizgnęło się prędko po błękitnej jak lód płaszczyźnie. „Bo chcę z Panem porozmawiać". A potem: „Bo jestem na Pana zła". „Bo kochałam Pańskiego syna". W połowie frazy „Bo John już nie żyje, bo już go nie ma" kazała sobie przestać, przecież obiecała sobie, że nie będzie tego robić, że nie będzie uderzała w takie tony, pisząc list do jego ojca. Poczuła łzy wzbierające w oczach, ściekające po twarzy, skapujące na sweter; otarła je brutalnie rękawem bardzo już zezłoszczona na siebie. I wtedy zobaczyła rozbryzgi łez na papierze, wybrzuszonym w tych miejscach, plamy rozmazanego atramentu. Wydarła kartkę, płacząc już w głos, stwierdzając, że następny arkusz też wchłonął wilgoć, podobnie zresztą jak dwa pod spodem. Wydzierała kolejne kartki i wpychała je do szuflady, aż wreszcie znalazła gładką i czystą; przyłożyła do niej pióro, starając się uspokoić, wymyślić jeszcze inne powody, próbując zacząć od nowa, bo wiedziała, że jeśli nie weźmie się teraz w garść, to za kilka minut będzie za późno. A jednak zrozumiała, że nie stać jej na nic więcej, jak tylko wypisywanie jego imienia. Po jakimś czasie poddała się wreszcie i już tylko płakała, płakała bez końca, z głową ukrytą w ramionach, z ciałem przytulonym do biurka.

Dziwnie jest myśleć o własnym ciele, które leży tam gdzieś. Rozmyślam o nim, o tym, jak wygląda. Rozmyślam o tym, że przecież znam każde znamię, pory skóry, zmarszczki na dłoniach, blizny z dzieciństwa, małe, pozbawione pigmentu kółka po ospie wietrznej i tatuaż na łopatce. Rozmyślam o dniu, w którym kazałam go sobie zrobić – o skwarnym, wilgotnym dniu w Bangkoku, gdzie obudziłam się na materacu, w opanowanym przez karaluchy hotelu. Pod moimi spoconymi nogami leżało skotłowane prześcieradło i dobiegał mnie już ryk samochodów jadących ulicą dziewiętnaście pięter niżej; wtedy właśnie przyszło mi do głowy: dzisiaj pójdę zrobić sobie tatuaż. Wyszłam na rozpalone powietrze, założywszy okulary przeciwsłoneczne, już czując pot pełznący po moich plecach niczym powolne insekty, mieszaninę zanieczyszczenia i skwaru w płucach. Szłam ulicami, obok ludzi jedzących makaron w barach urządzonych wprost na chodniku, obok szeregu straganów z warzywami w wąskich, cienistych uliczkach, pod rzędami prania schnącego na bambusowych tyczkach wywieszonych za okna, przez jezdnie pełne hałaśliwych pojazdów, obok ludzi sprzedających podrabiane markowe zegarki, przez park, gdzie starcy w czarnych spodniach i białych kamizelkach wykonywali powolne, hipnotyzujące ruchy tai chi albo grali w szachy, obok sklepów, w których sprzedawano kafelki i baterie, aż wreszcie dotarłam do niewielkiego studia tatuażu, które wypatrzyłam kilka dni wcześniej. Z zewnątrz wnętrze wyglądało na brudne, a fotografie przedstawiające ludzi z poczerwieniałą skórą, dumnie demonstrujących swoje nowe oznakowania, omal nie sprawiły, że zmieniłam decyzję. Po wejściu do środka podciągnęłam koszulkę, obnażając ramię.

– Tutaj – powiedziałam.

Mężczyzna zmierzył mi dłonią łopatkę, jego suche palce zaszeleściły w zetknięciu z moją skórą.

– Ale chiński smok może do pani nie pasować – powiedział. Obróciłam się twarzą ku niemu.

– A właśnie, że chcę smoka.

Wzruszył ramionami i przetarł moje ramię środkiem odkażającym. W kącie grało radio, nadające dźwięczne, przesłodzone akordy chińskiego popu. Mężczyzna rysował atramentem kontury smoka i nucił razem z radiem. Przyglądałam się, jak napełnia pistolet zielonym tuszem.

— Jest pani pewna? — spytał, z wycelowanym, brzęczącym już pistoletem, tuż nad moim uchem.

— Jestem pewna.

Nie bolało, czy raczej był to osobliwy ból, przypominający dotknięcie lodem. Po wszystkim okręciłam się i obejrzałam swoje ramię w lustrze. Smok był zielony, miał złote ślepia, czerwony ogon i czerwone płomienie buchające z pyska.

— Strasznie mi się podoba. Dziękuję — powiedziałam z uśmiechem. — Dziękuję. — A potem zanurzyłam się z powrotem w hałas, w skwar, w uliczną wrzawę, niosąc na ramieniu tajnego smoka.

Ben wstaje pierwszy. Ann słyszy, że razem z Beth jedzą na dole śniadanie – poszczękiwanie talerzy i sztućców, ściszony pomruk ich rozmowy. Wie, że powinna wstać i do nich dołączyć, ale ta kuchnia jest taka mała. Nie potrafi znieść wizji ich trojga obijających się o siebie w trakcie gotowania wody w czajniku, buszowania po szafkach Alice w poszukiwaniu herbaty, rozpracowywania tostera, otwierania i zatrzaskiwania lodówki, szukania masła. Robi jej się niedobrze na myśl o jedzeniu czegoś, co kupiła Alice.

Siada i opiera się o ścianę. Nie spała najlepiej. Łóżko pachnie nieomylnie jej córką i Ann spędziła sporą część nocy na wpatrywaniu się w góry i doliny, jakie ich ciała zrobiły w kołdrze, usiłując sobie przypomnieć, po której stronie łóżka zwykła sypiać Alice.

Ben rozsunął zasłony, dzięki czemu Ann widzi domy naprzeciwko. Wydaje się, że stoją niewiarygodnie blisko, z oknami o rzut kamieniem od miejsca, gdzie leży. Jak Alice to wytrzymuje, będąc tak na widoku? Przecież muszą ją bezustannie obserwować.

Ann rozgląda się po pokoju i z zakłopotaniem stwierdza, że widzi samą siebie i większą część łóżka w lustrze na przeciwległej ścianie. Obraca głowę i zauważa, że lustro na szafie odbija łóżko z boku; a oprawione w ramę lustro z prawej strony dopełnia obrazu. Jest tym zaskoczona i zastanawia się, dlaczego ktokolwiek chciałby oglądać siebie podczas snu, kiedy nagle dociera do niej, jaki jest powód takiego wystroju. Krew jej uderza na policzki i w tym momencie widzi trzy repliki samej siebie, czerwieniącej się w koszuli nocnej, z ręką zakrywającą usta. Wstaje prędko.

W łazience robi wszystko, byle tylko nie spojrzeć na odstręczające, jaszczurowate stworzenie w zbiorniku. Miała nadzieję, że zdążyło zdechnąć, odkąd była tu po raz ostatni. A jednak ono wciąż tu jest, jak zawsze unosi się w wodzie, z rozcapierzonymi łapami, wpatrzone w nią maleńkimi, głupkowatymi ślepiami. Ma przezroczystą, różowobiałą skórę, która kojarzy jej się z chorobą, i z obrzydzeniem stwierdza, że prześwitują przez nią jego wewnętrzne organy i naczynia krwionośne. Chciałaby się wykąpać, ale odechciewa jej się na samą myśl, że ono mogłoby jej się przyglądać.

Słyszy głos Bena, który mówi, że razem z Beth wybierają się do szpitala, i czy ona chce iść z nimi. Ann odkrzykuje, że mają się nią nie przejmować, że nie będzie ich zatrzymywała, że później podjedzie taksówką.

Po ich wyjściu Ann rozkoszuje się ciszą, samotnością. Nigdy nie potrafiła przebywać z ludźmi dwadzieścia cztery godziny na dobę. Na podłodze w sypialni leży plecak Alice. Ann siada na krześle i otwiera go, zagląda do środka: długopisy, okulary przeciwsłoneczne, ulotka zapraszająca na odczyt jakiegoś pisarza na South Bank, notes, osobisty alarm kieszonkowy z wytłoczonym srebrnym napisem „Galahad", mała, plastikowa owieczka (Ann przygląda się jej ze zdumieniem, podnosząc w górę za tylne nogi. Owieczka ma rogi i przezroczyste, różowe wymiona. Stwierdza, że to coś wstrętnego, i prędko ją odkłada), sieciówka do metra wydana na stacji Camden Town, której ważność kończy się za tydzień (wzdryga się na widok legitymacyjnego zdjęcia Alice), balsam do ust (w połowie zużyty), opakowanie paracetamolu. Ann układa wszystkie te przedmioty obok swoich stóp i patrzy na nie, jakby się bawiła w grę memo. Potem bierze do ręki notes i otwiera go. Nie ma w nim wielu zapisków. Dowiaduje się, że 24 kwietnia jej córka miała zebranie, a 27 maja razem z Rachel poszła do kina „Riverside" na film zatytułowany *Czas Cyganów*. Nie ma żadnego zapisku przy ostatnim weekendzie. W listopadzie Alice zaznaczyła jeden z weekendów i napisała przy nim „Norfolk?" Kiedy Ann dociera do samego końca, z notesu wypadają dwa bilety kolejowe: do Edynburga. Jeden docelowy, jeden powrotny. Druga klasa. Dla dorosłych, bez dzieci.

Ann chowa wszystko z powrotem do plecaka i wstaje. Nawet nie odnotowując w myślach, że zamierza to zrobić, otwiera szafę Alice. Na drążku wisi rząd ubrań – ubrania Alice po jednej stronie, Johna po drugiej. Ann przejeżdża po nich ręką, słysząc poszczękiwanie metalowych wieszaków. Koszule Johna wiszą po dwie albo trzy na jednym wieszaku, spodnie i dżinsy są ułożone na półce pod spodem. Strona Alice – która zajmuje dwie trzecie drążka – jest bardziej zdobna: to cała bateria aksamitów, jedwabiu, haftu, brokatowych swetrów, koronkowych sukienek. Na samym dole walają się buty – tenisówka między parą sandałków, czółenko na nieprawdopodobnie wysokiej szpilce przygniecione ciężkim, ubłoconym butem do kolan. W miejscu, gdzie rzeczy Alice stykają się z rzeczami Johna, obok niebieskiej bawełnianej koszuli wisi czerwona sukienka, lekko pognieciona. Ann zaczyna płakać; to przez ten widok ich rzeczy wiszących razem. I wcale nie jest pewna, kogo tak opłakuje: swoją córkę? Tak, na myśl o jej śmierci czuje się jak rękawiczka wywinięta na lewą stronę. Johna? Tak, jego też; nie powinien był umrzeć, skoro Alice tak bardzo go kochała. I płacze też nad sobą, której ubrania nigdy nie zawisłyby obok cudzych.

Drzwi salonu otworzyły się powoli i Alice wpełzła do środka, przyciskając do piersi poduszkę. Jest późny ranek, ale jeszcze nie rozsunęła zasłon, więc wszędzie panuje półmrok. Sygnał telefonu urwał się nagle i włączyła się sekretarka:

– Alice? Tu Rachel. Wiem, że jesteś, więc odbierz.

Alice nie poruszyła się, tylko zapatrzyła niewidzącym spojrzeniem na sufit.

– No dalej, Alice, podnieś słuchawkę... OK. No dobrze, to jest... która?... szesnasta albo siedemnasta wiadomość, jaką dla ciebie zostawiam. Czy twoja sekretarka w ogóle działa? Pokłóciłyśmy się, a ja tego nie zauważyłam? Żyjesz jeszcze?

Alice usłyszała, jak jej przyjaciółka urywa i wzdycha. Taśma zaszumiała cicho.

– No dobra. Niech ci będzie. Zadzwonię później.

Dopiero kiedy się rozłączyła, a taśma zakończyła swój rytuał z przewijaniem się, Alice wycofała się z pokoju i zamknęła za sobą drzwi.

Rachel znowu dobija się do drzwi.

– Kto tam? – dobiega zza drzwi głos Alice.

– To ja. Otwieraj te drzwi, do jasnej cholery!

Przez chwilę nie dzieje się nic, a potem słyszy szczęk otwieranego zamka. Drzwi otwierają się na oścież. Obie kobiety patrzą na siebie, Rachel z ręką na biodrze i wydętymi ustami. Jest zaskoczona, ale nie bardzo umie powiedzieć dlaczego. Alice wygląda inaczej – a właściwie lepiej. W jej oczach jest więcej życia, a jej policzki nabrały kolorów.

– I co? – pyta Rachel.

– Co i co?

– No co się dzieje?

– Nic. – Alice patrzy na nią wyzywająco. – A o co pytasz?

– Nie dzwonisz do mnie, ignorujesz moje wiadomości. Alice, minęły prawie trzy tygodnie, odkąd się widziałyśmy.

– Ach tak? – pyta mętnie jej przyjaciółka, śledząc wzrokiem samochód przejeżdżający właśnie pod jej domem.

Rachel wzdycha, widząc, że to ich nie doprowadzi donikąd.

– A mogę wejść?

– Um. – Przez twarz Alice przelatuje cień paniki, po czym rozluźnia uścisk na klamce. – No chyba tak.

– Dzięki – odburkuje Rachel, wchodząc do holu.

Alice bębni palcami po czajniku, czekając, aż zagotuje się woda. Rachel siedzi przy stole, szukając czegoś do powiedzenia.

– To nowy sweter?

– Co?

– To. – Rachel wskazuje sweter z czerwonej wełny przewieszony przez oparcie krzesła. – Nowy?

Alice podnosi go prędko, składa i kładzie dokładnie w tym samym miejscu.

– Tak.

– Naprawdę ładny. Gdzie go kupiłaś?

Alice, plecami do niej, mruczy coś niezrozumiale.

– Co?

– Powiedziałam, że sama go zrobiłam.

– Ty? Naprawdę? Mówisz poważnie?

– Tak.

– Co...? – Rachel jest zdumiona. – Ty go wydziergałaś?

– Tak. Co w tym takiego dziwnego?

– Przede wszystkim nie miałam pojęcia, że umiesz robić na drutach.

Alice stawia przed Rachel kubek z herbatą i siada.

– Nauczyłam się.

– Osobliwy pomysł. Po co?

– Co po co? Co za pytanie? A po co w ogóle się robi na drutach?

– No nie wiem. Staruszki, jak na przykład moja babcia, robią na drutach, żeby zabić czas. Ale ty przecież masz co robić.

– Lubię to.

– Co? Robić na drutach?

– Tak.

– Alice, wiesz, jak smutno się tego słucha? To właśnie robiłaś, zamiast do mnie zadzwonić? Spędzałaś wieczory na dzierganiu?

– Może. A co w tym złego?

– Co w tym złego? Alice! Na miłość boską... – Rachel przerywa swoją tyradę i spogląda ponad stołem na przyjaciółkę. Dzięki promieniom słońca wlewającym się przez kuchenne okno zauważa teraz, że nowa, zdrowa cera Alice to w istocie maska ze starannie wykonanego makijażu.

Wiedząc, że powinna coś powiedzieć, i nie bardzo wiedząc co, Rachel wstaje i podnosi zaczętą robótkę z krzesła obok drzwi. To wielki sweter barwy butelkowej zieleni, czy raczej to będzie sweter, kiedy Alice skończy dorabiać ściągacz na samym dole. Rachel podnosi go do światła i przygląda się skomplikowanej plątaninie oczek. Sweter wytrąca ją lekko z równowagi, ale nie bardzo wie dlaczego. Odwraca się z powrotem w stronę Alice, która nadal siedzi przy stole.

– Będzie chyba trochę na ciebie za duży, prawda? Dla kogo to?

Alice podnosi wzrok i Rachel ze zdziwieniem widzi wyraz przerażenia przemieszanego z gniewem, który zniekształca jej twarz.

– Nie dotykaj tego. Zostaw to. – Alice przebiega przez kuchnię i wyrywa robótkę z rąk Rachel.

Rachel przygląda się, jak Alice przytula do siebie robótkę obronnym gestem. Jest coś w kolorze tego swetra, w tym, jaki jest w dotyku, w kształcie wycięcia pod szyją, co nieomylnie przywodzi na myśl Johna. Ona robi sweter dla Johna, myśli Rachel, ona robi sweter dla swojego nieżyjącego kochanka.

– Al... – zaczyna Rachel, zagryzając dolną wargę – z tobą wszystko dobrze? Znaczy się chciałam spytać, co u ciebie?

Alice najpierw kiwa głową, a dopiero potem mówi:

– U mnie wszystko w jak najlepszym porządku.

Alice wystukuje numer, sprawdzając go jeszcze w otwartej książce, czeka, słyszy szczęk połączenia, potem sygnał. Wyobraża sobie ten aparat: jest czarny, taki staromodny z widełkami, stoi może obok frontowych drzwi albo może na parapecie okiennym; drży teraz lekko, bo zadzwoniła. Wyobraża sobie Daniela, kiedy go słyszy – może czyta, pierze albo ogląda telewizję – podnosi wzrok, odkłada to, co akurat robi, i przechodzi przez pokój albo schodzi na dół – powoli, bo ma zapewne lekkie problemy z chodzeniem – sięga po słuchawkę.

Rozłącza się. Odczekuje chwilę. Wstaje i dwa razy obchodzi pokój. Przestawia rośliny na oknie, obracając je ku światłu stronami zwróconymi dotąd do wnętrza, obrywając przywiędłe liście i miażdżąc je w dłoniach. Potem znów siada obok telefonu. Znów wystukuje ten numer. Tym razem czeka dłużej, nasłuchując dalekiego sygnału. Telefon brzęczy, kiedy on podnosi słuchawkę, ale zanim zdąża się odezwać, Alice znów się rozłącza. W jej płucach nie ma ani odrobiny powietrza. Ma wrażenie, że po jej kręgosłupie wędruje coś kłującego, odrętwiającego, najpierw w dół, a potem w górę, w stronę czaszki.

Wysiada z taksówki. Uliczka jest wąska, ma kształt litery S; z chodnika prawie nie widać zabudowań i ogrodów, bo przesłaniają je wysokie żywopłoty z ligustru. W furtki z kutego żelaza, jakby skarlałe, bo przytłoczone masą górującego nad nimi listowia, wplecione są numery domów. Alice idzie przed siebie, nie napotykając żywej duszy; nie mijają jej też samochody i powoli przestaje słyszeć odgłosy ruchu ulicznego z trzypasmowej głównej drogi za jej plecami. Architektura jest tutaj inna, bardziej podmiejska, domy są pobudowane z dala od ulicy i od sąsiadów dzielą je dobudowane z boku garaże. Alice jest coraz bliżej tego numeru i czuje, jak serce trzepocze jej z podniecenia.

Trawnik przepoławia prosta ścieżka, wyłożona kostką brukową; biegnie do frontowych drzwi. Rabata kwiatowa jest nawadniana strumieniami ze zraszacza: fragment chodnika jest ciemniejszy od kropel wody. To tutaj wychowywał się John, myśli Alice, tu wracał codziennie ze szkoły, tu przyjechał po raz ostatni, żeby powiedzieć ojcu o mnie. W oknach jest ciemno, w szybach odbija się ogród. W pokoju na dole są rozsunięte zasłony. To duży dom, stwierdza Alice; nie potrafi sobie wyobrazić, jak to jest, gdy się w nim mieszka w pojedynkę. Tuż obok furtki rośnie krzew różany. Przekwitłe kwiaty, które zapewne tydzień wcześniej wyglądały idealnie, pogubiły już płatki. Alice spuszcza wzrok, sprawdzając, czy chodnik pod jej stopami jest nimi usłany. Czuć słaby, słodkawy zapach zmiażdżonych płatków. Przypomina jej... wieńce pogrzebowe... i... Alice odwraca wzrok, patrzy na dom, patrzy na niebo, patrzy na drzewa. Otwierają się frontowe drzwi i wyłania się z nich mężczyzna; jego sylwetka, kiedy odwraca się, by przekręcić klucz w zamku, jest prawie dla niej niewidoczna, bo zamazana nagłymi łzami.

Ucieka spod furtki i chowa się za rogiem podjazdu sąsiedniego domu, z pięścią przyciśniętą do ust. Zauważył ją? Co by powiedziała? Nie jest teraz przygotowana, w ogóle nie jest przygotowana. Nie potrafi pozbierać myśli, nie wie, co mogłaby powiedzieć. Ukryta za jakimś skalniakiem, zauważa, że wyszedł już na ulicę. W ręku trzyma pasiastą siatkę na zakupy, którą przekłada do drugiej ręki, by zatrzasnąć furtkę. A potem rusza przed siebie.

Alice nakłada na głowę kaptur bluzy, uświadamiając sobie z przerażeniem, że to bluza Johna. Jak mogła być taka głupia? Przez kilka sekund panikuje, próbując sobie przypomnieć, jak długo John ją miał i czy Daniel mógłby ją rozpoznać. Potem wychodzi na chodnik i idzie za nim, trzymając dystans, z oczyma utkwionymi w jego plecach, w wypastowanych piętach jego butów.

Daniel idzie w głąb uliczki, po czym skręca w prawo, schodząc ze wzgórza w stronę skupiska sklepów i stacji metra, którą minęła po drodze z taksówki. Idzie powoli, nierównomiernym tempem, lekko zgarbiony i Alice stwierdza, że wygląda na znacznie starszego od jej rodziców. Zatrzymuje się przed delikatesami, przed którymi stoi beczka pełna jabłek. Alice uskakuje za budkę telefoniczną i wychodzi stamtąd dopiero wtedy, gdy on rusza dalej. Na skrzyżowaniu czeka w towarzystwie paru ludzi na zmianę świateł, a ona w tym czasie kryje się w wejściu do jakiegoś banku. Czy rozpoznałby ją? Wiedziałby, że to ona, gdyby do niego podeszła? Jak by się przedstawiła? Kiedy przeszedł na drugą stronę ulicy, światła wciąż mrugają, a ona przebiega w ostatniej chwili, w momencie gdy on wchodzi na schodki przed budynkiem biblioteki publicznej.

W środku jest cicho i ciemno. Podłoga w korytarzu jest wyłożona czerwonymi płytkami, ściany poczerniałą boazerią. W powietrzu unosi się woń książek – nie dająca się z niczym pomylić, sucha, drapiąca w gardle. Za wahadłowymi, szklanymi drzwiami widzi go, jak podchodzi do biurka, jak wyjmuje ze swojej pasiastej siatki trzy książki. Układa je jedna na drugiej na stole i czeka w kolejce, przesuwając je przed sobą w miarę przemieszczania się kolejki.

Alice wchodzi do sali i staje obok półek z książkami dla dzieci.

– Dzień dobry, panie Friedmann – słyszy bibliotekarkę.

Daniel grzebie w kieszeni płaszcza, wyciąga etui na okulary. Kiwając głową, mruczy coś, czego Alice nie słyszy, po czym odwraca się i idzie przez salę.

Alice przemieszcza się. Wie, że on jest emerytem. To właśnie takimi zajęciami jest wypełniony jego dzień? Tymczasem Daniel zdejmuje płaszcz i przewiesza go przez oparcie krzesła. Potem siada i poprawia okulary na nosie. Otwiera gazetę umocowaną na drążku i zaczyna czytać.

Teraz chyba jest doskonały moment. Zaciąga sznureczek wokół swojego kaptura. Gdyby podniósł wzrok i spojrzał przed siebie, zobaczyłby jej oczy przyglądające mu się przez przerwę między półkami. Idzie skrajem wnętrza, o mały włos potykając się o matkę czytającą coś maleńkiemu dziecku siedzącemu jej na kolanach. Podchodzi do niego bardzo blisko, tak blisko, że gdyby się pochyliła i wyciągnęła rękę, to mogłaby go klepnąć w ramię. I co wtedy? On by się odwrócił, spojrzałby w twarz kobiety ubranej w bluzę po jego zmarłym synu i co wtedy?

Daniel jedną ręką oplata sobie kark, drugą układa bezwładnie na stole. Alice ze swojego miejsca widzi soczewki jego okularów: odbity w nich gazetowy druk wykrzywia się i rozciąga. Wystarczy, że wyciągnie rękę albo coś powie, tylko tego trzeba. Od napływu adrenaliny pulsuje całe jej ciało i huczy jej w głowie. Zrobi to. Zrobi to zaraz. Właśnie teraz.

W tym momencie za stołem pojawia się inna bibliotekarka, kobieta w średnim wieku, o bladej karnacji upstrzonej piegami.

– Jak się pan miewa, panie Friedmann? – zagaja śpiewnie.

Daniel drga nerwowo. Jego dłoń ułożona na stole tężeje, paznokcie drapią gazetę.

– Dziękuję, dobrze – odpowiada.

Alice nie może dłużej tego znieść, naprawdę nie jest w stanie. Do jej oczu bez ostrzeżenia napływają piekące łzy. Napięcie powierzchniowe utrzymuje je tam przez sekundę – sprawiając, że pochylona nad stołem bibliotekarka, jego plecy, gazeta, sterta książek pływają przed nią, jakby cała ta sceneria się roztapiała – a potem cikną jej po twarzy. Jego głos. Jest taki podobny do głosu Johna. To jest głos Johna. Słychać w nim ślad polskiego akcentu, ale ton, modulacja, wysokość są identyczne. Jakby to on się odezwał, jakby to jego głos rozbrzmiał w tej bibliotece. Ale to nie on i ona tego nie jest w stanie znieść.

Jej nogi poruszają się jakby same, niosąc ją dookoła stołu, obok bibliotekarki, która gapi się teraz na nią, więc zakrywa sobie twarz rękami i szuka drogi do wyjścia przez szczeliny między palcami. Kiedy już jest na zewnątrz, podrywa się do biegu; biegnie, roztrącając ludzi na chodnikach, umykając przed samochodami. Biegnie tak długo, nie widząc niczego, że kiedy w końcu się zatrzymuje, zupełnie nie ma pojęcia, gdzie jest.

eth, ubrana w sam T-shirt, nadziewa się na matkę w salonie. Obudziła się późno, kręci jej się w głowie. Matka ma na sobie fartuch (Beth zastanawia się, skąd ten fartuch, czy matka przywiozła go ze sobą – raczej nie mógł należeć do Alice) i gumowe rękawice; w jednej ręce trzyma skurzawkę, w drugiej końcówkę odkurzacza. Beth wie, że to może oznaczać tylko jedno: Ann przygotowuje się do przeprowadzenia zbiorowego mordu na zarazkach.

– Dobry – mówi zmęczonym głosem.

– Dzień dobry.

– Co robisz?

– Właśnie zabrałam się do sprzątania. – Ann podchodzi żwawym krokiem do biurka i zaczyna układać papiery w mało precyzyjnych stosach, odkurzając opróżnione miejsca. – To mieszkanie to, mówiąc szczerze, zagrożenie dla zdrowia. Nie wiem, co sobie twoja siostra myślała.

– Mamo, moim zdaniem nie powinnaś...

– Ja mówię poważnie. – Ann otwiera gwałtownie jedną z szuflad i zaczyna wyciągać z niej zmięte kartki niebieskiego papieru, które następnie wrzuca do worka na śmieci.

– Mamo, nie rób tego. – Beth podchodzi bliżej i przygląda się kartkom. Są popisane, słowami, których nie da się odcyfrować. – Nie powinnaś tego robić. Alice nie byłaby zadowolona. Nie masz prawa wyrzucać jej rzeczy.

Ann odchodzi od biurka i zaczyna przesuwać sofę.

– Pomóż mi, Beth, dobrze? Nawet nie chcę myśleć, kiedy po raz ostatni pod nią odkurzano.

Beth zastanawia się, czy w tym jej też nie przeszkodzić, ale stwierdza, że matkę trudno powstrzymać, kiedy ogarnia ją szał sprzątania, i że odkurzanie to prawdopodobnie najmniej szkodliwa rzecz, jaką może zrobić. I w tym momencie zaczyna dzwonić telefon.

– Telefon – mówi Beth.

Ann przestaje rozplątywać sznur odkurzacza Alice. Telefon dzwoni po raz pierwszy, odkąd tu są. Beth jest zbyt skąpo ubrana, by spacerować swobodnie po domu o tak późnej porze, więc Ann przechodzi przez hol i podnosi słuchawkę.

– Tak?

– Halo? – odpowiada jej męski głos, raczej starszawy. Przepełniony wahaniem. – Nie jestem pewien, czy mam właściwy numer.

– Nie – mówi Ann, lekko zdetonowana. – Nie, to znaczy, to nie... Alice nie ma... w domu.

– Rozumiem.

Mówi to jednak mało zdecydowanie, czym wzbudza irytację u Ann. *Tylko nie zabieraj mi całego dnia, na litość boską.*

– Czy w takim razie zechce pani przekazać jej wiadomość ode mnie?

Ann milczy. *Kim jest ten człowiek, który o niczym nie wie? Nie jest pewna, jak to ująć – jakiś znajomy? Kolega z pracy? Pracownik gazowni?*

– Gdyby pani zechciała jej przekazać... że widziałem ją w zeszłym tygodniu, że widziałem ją w bibliotece. I że próbowałem... Wyszedłem za nią, ale biegła zbyt prędko. Szukałem jej wszędzie, ale nie mogłem jej znaleźć. Gdyby pani mogła jej powiedzieć... Chciałem zadzwonić... już dawno temu, ale... tego nie zrobiłem. Zbierałem się cały tydzień, ale nadal nie umiałem, więc... – Urywa, a potem słychać, jak zaczerpuje powietrza, zdobywając się na odwagę. – Chyba tak naprawdę chciałem powiedzieć, że... bardzo chciałbym z nią porozmawiać. Że chciałbym się z nią spotkać.

– A kim pan jest?

– Nazywam się Daniel Friedmann. Jestem ojcem Johna.

Ann widzi mężczyznę w oślepiającym białym słońcu, który schodzi po schodach z prochami Johna, oraz twarz Alice, która mu się przygląda. Czuje w sobie nagły napływ wściekłości, niespodziewanej i potężnej.

– Rozumiem – odpowiada. Podnosi wzrok i widzi odbicie swojej twarzy w ogromnym lustrze w pozłacanych ramach, które wisi w holu. – Otóż, panie Friedmann, rozmawia pan z jej matką. I dodam jeszcze, że niestety nie mogę przekazać córce wiadomości od pana. Chce pan wiedzieć dlaczego?

– Hm. Ja...

– Alice została potrącona przez samochód i zapadła w śpiączkę. Ma pan w zwyczaju odkładanie spraw na potem, nie mylę się? Alice jest pogrążona w śpiączce, niewykluczone, że umrze. I co pan na to?

Trzaska słuchawką, przerywając połączenie, a potem potrąca ją, przez co teraz dynda gdzieś blisko podłogi.

Ann prześlizguje się przez ciężkie, podwójne drzwi oddziału intensywnej terapii. Kręci się tu niewielu ludzi i żadna z mijanych przez nią osób nie przygląda jej się dokładnie.

W pokoju Alice przystawia krzesło do łóżka, dzięki czemu może usiąść bardzo blisko głowy córki. Zdejmuje torebkę z kolan i wpycha ją pod krzesło. Kładzie rękę na dłoni Alice – zaskakująco ciepłej i napiętej – po czym prędko ją zdejmuje. Zastanawia się, co się stało z jej włosami po tym, jak je obcięli. Spalili je? Ann przysuwa krzesło jeszcze bliżej i nachyla się w stronę ucha.

– Alice – zaczyna – chcę ci coś powiedzieć.

Urywa, łapiąc kątem oka jakiś ruch za szybą. Korytarzem idzie jakaś pielęgniarka, podtrzymująca mężczyznę w nieokreślonym wieku. Jego skóra jest blada, obrzmiała, ma fakturę papieru pakowego; idzie mozolnymi krokami astronauty. Głowa mu opada bezwładnie na bok.

— Bardzo dobrze — chwali go radośnie pielęgniarka — to już dalej niż wczoraj.

Wzrok Ann pada z powrotem na córkę, potem na własne kolana. Zdejmuje kilka włosów ze swojego płaszcza, pozwalając im ulecieć w gorące powietrze pokoju, po czym znów pochyla się do przodu.

— Kochałam go — szepcze. Szpital szumi dookoła nich. — Naprawdę go kochałam. Chcę, byś wiedziała, że zawsze...

Otwierają się drzwi i do środka wchodzi Ben. Niesie dwa kubki i trzy książki. Zamyka drzwi nogą.

— Cześć — mówi — przyniosłem ci herbatę.

Ann siada prosto.

— Dzięki.

— Może być herbata? — pyta Ben, wręczając jej kubek.

— Tak. Jak najbardziej.

— Czy raczej wolałabyś kawę?

— Kawa też może być.

— Sobie przyniosłem kawę. Ale mogę ci ją oddać, jeśli chcesz.

— Obojętnie.

— Aha. To kawa czy herbata?

— Powiedziałam, że jest mi obojętne. Sam zdecyduj.

— Mi też jest obojętne.

— Ben. — Ann chrząka. — Ben, muszę... muszę z tobą porozmawiać.

Ben stoi tyłem do niej, zajęty układaniem książek na szafce przy łóżku. Stawia na nich swój kubek, po czym zwraca się w stronę Alice.

— Cześć — mówi, tym swoim specjalnym głosem „przemawiam do mojej córki pogrążonej w śpiączce". — Jak się dzisiaj czujesz?

Ann przez chwilę nie może się nadziwić, że nawet w takim momencie jak ten nadal ogarnia ją irytacja z jego powodu.

— Ben? Słyszałeś, co powiedziałam?

On nie reaguje, masuje ramię Alice.

— Ben! Mówię do ciebie. A w każdym razie próbuję.

Obraca się nieco w jej stronę.

– Ann, jeśli chodzi o dzisiejszą kolację, to Beth i ja rozmawialiśmy już na ten temat i...

– Nie chodzi o kolację.

– Ach tak. – Siada.

– Ben – zaczyna Ann. – Muszę ci powiedzieć coś... o Alice. Widzisz, jeśli Alice się obudzi...

– Kiedy – poprawia ją Ben.

– Jeśli – upiera się Ann – jeśli się obudzi, to... – Stwierdza, że jej dłonie są śliskie od potu. Splata palce. – Musimy o tym porozmawiać zawczasu.

Ben podrywa się z miejsca.

– Chyba jednak napiję się kawy. – Bierze kubek. – Jesteś pewna, że masz ochotę na herbatę?

– Zamkniesz się z tą cholerną herbatą?

Ben prostuje się gwałtownie, jakby wymierzyła mu policzek. Przez chwilę to wnętrze, w którym wszyscy rozmawiają wyłącznie przyciszonymi głosami, wydaje się zaszokowane jej podniesionym głosem – pulsuje milczeniem, czeka. A potem uruchamia się wentylator, pierś Alice zapada się i czar jakby pryska.

– Chodzi o to – zaczyna Ann już ciszej – że nie jestem pewna, czy Alice jest...

– Nie kończ – rzuca Ben półgłosem.

Ann spogląda na niego ponad ciałem Alice. Ben przykłada dłoń do czoła, zakrywając sobie oczy.

– Czego mam nie kończyć?

– No tego właśnie. Nie chcę, żebyś to powiedziała.

– Przecież nie wiesz, co chcę...

– A właśnie, że wiem – przerywa jej. – Oczywiście, że wiem. – I odejmuje dłonie od twarzy. – Pewnie uważasz mnie za idiotę.

– Ben... ja... – Wyraźnie traci panowanie nad sobą. Ma wrażenie, że coś w jej wnętrzu się ścina, coś bardzo zimnego, odciągając wszelką masę od konturów ciała, pozostawiając skorupę skóry naciągniętą na kości. Ann wstaje, potyka się o swoje krzesło, przytrzymuje parapetu, strąca kilka kartek z pozdrowienia-

mi dla Alice. Skąd on to wie? Widział ich kiedyś? Elspeth mu
jednak powiedziała?

– Od jak dawna wiesz? – pyta, stając tyłem do męża.

– Zawsze to wiedziałem.

– Od jej urodzenia?

– Tak – mówi z westchnieniem.

– Skąd? – Ann jest pełna niedowierzania, przerażenia. Obraca się ku niemu twarzą.

Ben niemalże parska śmiechem.

– Nigdy do ciebie nie dotarło, jakie jest North Berwick, prawda? Że wszyscy wiedzą wszystko. Że zawsze znajdą się ludzie,
którzy ci powiedzą – krzywi się pod wpływem jakiegoś wspomnienia – i że będą wśród nich tacy, którzy czerpią z tego przyjemność. A jednak kiedy wziąłem na ręce Alice zaraz po jej
narodzinach... Wziąłem ją w szpitalu na ręce, kiedy była na
świecie od zaledwie dwóch godzin, pamiętasz? Wiła się, wrzesz-
czała, protestowała. Ty byłaś naprawdę wyczerpana, więc wyszedłem z nią na korytarz, żebyś mogła się przespać, popatrzy-
łem na nią i zrozumiałem, że to, co do niej czuję, nie jest wcale
inne, mniej intensywne, głębokie czy prawdziwe niż to, co czu-
łem do Kirsty, i wtedy powiedziałem sobie: Ben, nie słuchaj
plotek, ona albo jest twoja, albo równie dobra jak twoja i na
dłuższą metę jakie to będzie miało znaczenie? Zwątpienie boli,
Boże, naprawdę czasem boli – zwłaszcza kiedy rosła i to stawa-
ło się coraz bardziej oczywiste – ale za każdym razem, kiedy już
prawie brało nade mną górę, po prostu sobie powtarzałem, że
bycie ojcem to coś więcej niż tylko zwykłe DNA. Ona jest dla
mnie dokładnie kimś takim samym jak Beth i Kirsty.

– A dlaczego... dlaczego nigdy mi tego nie powiedziałeś?

– Dlaczego? Bo... no bo po co, Ann? Ja wiedziałem, ty wiedziałaś. To byłoby... wywlekanie tego wszystkiego na wierzch...
byłoby zwykłym aktem mściwości. Alice i jej siostry... pomyśl,
jaki by to wywarło na nie wszystkie wpływ? I Elspeth... to by jej
złamało serce. Wiesz sama, jak silnie były z sobą związane. Elspeth by cię za to znienawidziła. Dlaczego miałbym tego chcieć?

Ann wpatruje się we własne stopy.

— Ben, ona chyba wie. To znaczy Alice. Myślę, że się dowiedziała.

Ben prostuje nogi, kładzie sobie stopę na kolanie, chwyta się za kostkę.

— Co chcesz przez to powiedzieć? — pyta.

— To znaczy... w Edynburgu... kiedy przyjechała... chyba zobaczyła...

— Ciebie z nim?

Ann kiwa głową.

— To ty...? — Ben szuka słów, bruzdy na jego czole i wokół oczu pogłębiają się. — Ty nadal...?

Ann znów przytakuje.

Ben zagryza dolną wargę, uciekając wzrokiem od swojej żony, przenosząc go na ciało leżące na łóżku.

— Rozumiem.

Zdaniem Mike'a najbardziej przygnębiające w takich przypadkach jest to, że po jakimś czasie ludzie z nich rezygnują; pacjent zostaje relegowany do mniejszego pokoju, do jakiegoś bardziej oddalonego oddziału; podnosi się kwestię jakości życia, dyskutuje o eutanazji; napomyka się krewnym o dawcach organów, z początku delikatnie.

Pokonawszy ciąg szpitalnych korytarzy, skręca w prawo, w głąb długiego, szklanego łącznika. Wciąż jeszcze może przeprowadzić kilka badań. Może jej zrobić nową tomografię mózgu albo nakłucie lędźwiowe. Tylko najpierw musi zdecydować, czy jest w tym jakiś sens, wyznaczyć, przynajmniej we własnej głowie, jakąś wiążącą datę.

Widzi przed sobą mężczyznę w średnim wieku, którego starał się wyprzedzić od czasu, gdy wszedł do tego skrzydła szpitala, jednak w przeciwną stronę podąża tylu ludzi, tyle wózków inwalidzkich i łóżek na kółkach, że się boi, że mógłby niechcący wpaść na niego. Mężczyzna idzie tylko trochę wolniej niż on, więc co jakiś czas Mike musi zrobić trzy czy cztery krótsze kroki, by nie nadepnąć tamtemu na pięty.

Ku jego zdumieniu mężczyzna przechodzi przez podwójne drzwi oddziału intensywnej terapii. Mike wzdycha, a potem przypomina sobie, że sam też już nie jest daleko. Mijają go dwie pielęgniarki. Patrzą na faceta przed nim, a potem nieco dłużej na samego Mike'a.

Mężczyzna zatrzymuje się przed pokojem Alice. Mike jest do tego stopnia na to nie przygotowany, że niemal przewraca się o niego, kiedy odwraca głowę i czyta: „Alice Raikes" na małej białej tabliczce na drzwiach, w tym samym czasie co mężczyzna. Mężczyzna opiera się całym swoim ciężarem o drzwi, wchodzi do środka, zamyka je za sobą. Mike podchodzi do okna z wprawionymi lustrzanymi płytkami, w których odbijają się boczne fragmenty jego twarzy, przeplecione wąskimi skrawkami znajdującego się za nimi wnętrza. Widzi, że tamten przysuwa krzesło do łóżka i siada.

Jestem gdzieś, w jakimś miejscu. Dryfuję. Ukrywam się. Myśli wirują po jakichś wirtualnych torach, chaotycznie i bez związku z sobą niczym kulki po torach flippera. Myślę o imprezie, na której ja i John się nie poznaliśmy, o tym, że pewnie krążyliśmy blisko siebie po tamtym pokoju niczym ćmy dookoła lampy. Myślę o swojej babci, o tym, że sama uszyła swoją ślubną wyprawę. Wyobrażam sobie, jak cięła delikatną, lśniącą połać koralowego jedwabiu, ciężar krawieckich nożyczek pozostawiających czerwone pręgi na jej kciuku i palcu wskazującym, podwijanie postrzępionych brzegów, podszywanie ich nieskończenie małymi, ukośnymi ściegami, przyszywanie do nich długich pajęczyn koronki. Myślę o ogrodzie w North Berwick i mojej matce, jak rozkopuje szpadlem glebę, wyrywa chwasty i otrząsa ich splątane korzenie, by oczyścić je z każdej grudki ziemi, jaką ośmieliły się z sobą zabrać. Myślę o tym, o wszystkim i o niczym, i wtedy właśnie słyszę, jak ktoś gdzieś mówi: „Dzień dobry, Alice". Ot tak. Trzy słowa wepchnięte do mojej atmosfery. I głos, który znam. Znam go tak dobrze. To John. Który mówi do mnie. I nagle to uczucie przypominające chwile wyprzedzające burzę: powietrze dookoła mnie zdaje się wibrować, ciemnieć i już nie mam nad niczym kontroli, jestem pchana w stronę czegoś, albo przez coś, przez jakby niewielką, zacieśniającą się szczelinę i przez chwilę zastanawiam się, czy to jest właśnie to, czy to już czas, czy ja umieram, i jakaś część mnie wybucha śmiechem, drwiąc sobie z tych wszystkich bredni o tunelach i światełku, którymi się nas karmi, bo to wcale nie jest tak, ani trochę, ale tak naprawdę wcale tak bardzo się nie śmieję, bo za bardzo skupiam się na czekaniu, czy on jeszcze coś powie. Gdybym miała czułki jak jakiś owad, to one by teraz drżały, wyciągały poza swój limit, naprężały, by wychwycić jakikolwiek dźwięk, i wtedy znów go słyszę: chrząka, a ja mam ochotę płakać i krzyczeć, gdzieś ty był, sukinsynu, jak śmiałeś tak mnie zostawić! Ale w tym momencie słyszę: „Już od bardzo dawna chciałem przyjść i spotkać się z tobą. Od bardzo dawna".

To nie on. To nie on i to jest tak, jakby moje serce pękało, od nowa, całe na wskroś.

A jednak wiem, naprawdę wiem, kto to jest. Znowu do mnie mówi, mówi, że wciąż odkładał wszystko na później, i pyta, czy mogę mu wybaczyć, ale ja wcale nie wiem, czy mogę, i zastanawiam się nad tym, gdy nagle czuję, że jego głos jest teraz chyba blisko mnie, naprawdę bardzo blisko, tak blisko, że niemalże czuję jego oddech tuż przy mojej skroni; wtedy właśnie uświadamiam sobie, że cały czas coś mnie niesie do przodu albo w górę, i nie jestem pewna, czy chcę tego właśnie, i już panikuję, niepewna, czy powinnam brnąć dalej przez wodę, czy raczej popłynąć pod prąd tej siły, ale na to wychodzi, że nic nie mogę zrobić, bo moja głowa pędzi gwałtownie w stronę powierzchni, o której istnieniu nie wiedziałam albo zapomniałam, i teraz już łapczywie chwytam oddech, z płucami ściśniętymi, pozbawionymi powietrza, wypluwając z ust strumienie baniek, baniek podobnych do pereł.

SPIS TREŚCI

Druk i oprawa: Drukarnia Wydawnicza
im. W. L. Anczyca S.A. Kraków